BIBLIOTECA EDINUMEN DE DIDÁCTICA

Claves para la enseñanza del español

© Editorial Edinumen, 2012
© Reyes Llopis-García, Juan Manuel Real Espinosa y José Plácido Ruiz Campillo.

ISBN: 978-84-9848-240-9
Depósito Legal: M-26897-20121
Impreso en España
Printed in Spain

Dirección de la colección: Álvaro García Santa-Cecilia
Coordinación de la colección: Jose Manuel Foncubierta

Edición: David Isa y M.ª Luz Martín
Diseño de cubierta: Carlos Yllana
Ilustraciones: Víctor Lavilla (Transgordo) p. 68
Maquetación: Lola García

Impresión:
Gráficas Glodami. Coslada (Madrid)

Editorial Edinumen
José Celestino Mutis, 4. 28028 - Madrid
Teléfono: 91 308 51 42
Fax: 91 319 93 09
e-mail: edinumen@edinumen.es
www.edinumen.es

QUÉ GRAMÁTICA ENSEÑAR, QUÉ GRAMÁTICA APRENDER

Reyes Llopis-García
Juan Manuel Real Espinosa
José Plácido Ruiz Campillo

Edi numen

SUMARIO

Ⅲ Qué gramática enseñar

Prólogo del director de la colección

Un debate habitual de la enseñanza de lenguas en las últimas cuatro décadas, con clara raigambre en la dialéctica clásica, es el que ha venido oponiendo *forma* a *significado* en el modo de enfocar la práctica en el aula. La recepción del *comunicativismo* en España no fue ajena al despliegue de argumentos enfrentados entre quienes apostaban con entusiasmo por los planteamientos de los enfoques de aprendizaje naturalistas y los que alertaban sobre el riesgo de relegar los aspectos formales de la corrección gramatical. En medio de este debate los profesores se veían sumergidos en una plétora de «propuestas metodológicas» que fueron adaptando a su manera en el día a día de las clases.

Más recientemente, atemperado el «fervor utópico» de los primeros postulados comunicativos, fuertemente centrados en la oralidad y en el valor intrínseco de la exposición a la lengua como catalizador del aprendizaje, una visión más reposada de los fundamentos del enfoque ha ido dando paso a una reflexión de mayor equilibro. La corriente de la *atención a la forma*, que sitúa el foco en las posibilidades pedagógicas del análisis y manipulación del material lingüístico en el contexto de los intercambios comunicativos, ha permitido situar el debate en unas coordenadas de mayor entendimiento y, por los resultados que va arrojando la investigación aplicada, más adecuadas a la hora de configurar bases pedagógicas razonablemente útiles para los profesores.

Hay muchos manuales de gramática y de muy distinto tipo. Para la *Biblioteca Edinumen de didáctica* queríamos una propuesta que no fuera simplemente una variante de obras ya bien fundamentadas, sino que, con una visión más novedosa, permitiera abrir ventanas a la reflexión crítica de los profesores, los verdaderos *lingüistas aplicados* en el campo de la enseñanza de lenguas. El trabajo del equipo que ha colaborado en *Qué gramática enseñar, qué gramática aprender* ha respondido con gran acierto a lo que buscábamos. Con un tono divulgativo, pero sin dejar el rigor que debe requerirse en una obra de carácter académico, ha situado la reflexión en términos de equilibrio y sensatez conceptual. Y como aplicación práctica de sus reflexiones ha incorporado una serie de actividades que permite al lector caminar por una vía que no se sale nunca de las dimensiones del aula y que proporciona señales de navegación suficientes para dar respuestas a los problemas prácticos de cualquier profesor de español.

Álvaro García Santa-Cecilia
Director de la *Biblioteca Edinumen de Didáctica*

Muchos libros de gramática, una sola gramática

1. Introducción

Desde una perspectiva histórica, el estudio de segundas lenguas es bastante joven, pues el primer interés científico en ellas data de finales del siglo XIX, cuando se produjeron dos fenómenos sociales importantes en Europa. Por un lado, el acceso de las clases burguesas a una educación académica –hasta el momento patrimonio solo de la nobleza y las altas clases sociales– posibilitó el inicio del turismo como lo conocemos hoy en día. Obtener una educación pasaba por conocer otros lugares, otras gentes y otras culturas, por lo que el aprendizaje de lenguas extranjeras (LE[1]) comenzó a ser de interés para un número cada vez mayor de personas. Y así comenzaron las migraciones temporales por motivos de educación, placer y/u ocio.

El segundo fenómeno social fue una consecuencia directa de la Revolución Industrial. La expansión empresarial produjo un aumento de las relaciones entre comerciantes de diferentes países, lo que a su vez propició el contacto con lenguas diferentes y la necesidad de aprenderlas para hacer más competitivo el mercado.

Hasta ese momento, el aprendizaje de lenguas extranjeras se limitaba casi al latín y, por tanto, a la traducción de textos. En el caso de otras lenguas, la enseñanza se centraba en la comprensión lectora, pues una buena educación pasaba por el conocimiento de los grandes clásicos de la literatura europea. La metodología empleada en ambos casos era la de gramática-traducción, que se centraba en darles a los alumnos las herramientas gramaticales necesarias para comprender textos en LE y convertir su contenido a la lengua materna (L1).

A medida que la demanda de enseñanza de LE aumentaba, comenzó igualmente el interés académico y filológico por explicar aspectos lingüísticos que antes no habían sido estudiados. La tradición filológica hasta aquel momento se había limitado a observar, catalogar y tratar de explicar el funcionamiento de las lenguas desde la perspectiva de sus hablantes nativos. Por eso, cuando llegó el momento de trabajar con extranjeros, se aplicaron los criterios de descripciones de las L1 también a las LE: se observó la lengua; se clasificaron sus usos, que se dividieron en parcelas lingüísticas para establecer reglas que pudieran aplicarse a todos los componentes de cada parcela, y se asignó la categoría de excepción a todos aquellos usos que por alguna razón no se ajustaban a esas reglas.

---

1 Aunque somos conscientes de que en niveles especializados existe una marcada distinción entre lo que una segunda lengua implica y lo que una lengua extranjera incluye, en este libro nos vamos a referir de forma indistinta a ambas, tomando como base el concepto de aprendizaje de una lengua que no es la materna, sin tener en cuenta si este aprendizaje se realiza en un contexto de inmersión o en un país diferente.

A estas alturas del siglo XXI el panorama es muy diferente. La enseñanza de LE es no solo una profesión, sino también un amplísimo campo de estudio e investigación. Somos profesores de español. Tenemos alumnos, enseñamos en diferentes cursos, utilizamos un amplio abanico de manuales y recursos bibliográficos (ya sea en formato papel o en la Red), nos formamos en cursos o másteres, asistimos a encuentros y congresos, intercambiamos opiniones en foros de debate... Todo ello con un objetivo en mente: convertirnos en profesionales de la enseñanza de lenguas extranjeras. Nos sentimos seguros en el terreno del aula y estamos convencidos de que tenemos madera de enseñantes.

¿Por qué, entonces, a la hora de la verdad, en clase, nos hacemos pequeños e insignificantes cuando nos enfrentamos a la gramática? Trabajamos las diferentes destrezas y la enseñanza de la cultura en clase, hemos leído el *Marco común europeo de referencia* (en adelante *MCER*) y estamos familiarizados con los contenidos del *Plan Curricular del Instituto Cervantes* (en adelante *PCIC*). Sabemos de enfoques por tareas, comunicativos y orientados a la acción; entendemos lo que son las nociones y las funciones, y estamos preparados para hacer trabajar al alumno de forma cooperativa y significativa. Y de nuevo, ante la pregunta gramatical del alumno, nos saltan las alarmas y sentimos que no estamos preparados, que nuestra explicación no basta, y que los manuales ya no son tan satisfactorios. La bibliografía no nos saca de dudas y nosotros mismos nos embrollamos con explicaciones laberínticas de formas, significados, contextos y expresiones, pragmática, semántica o sintaxis. ¿Por qué es tan complicada la gramática? ¿Qué la hace ser tan inaccesible y qué la convierte en el 'punto caliente' del mundo de ELE moderno y al día, es decir, en el *aula comunicativa*?

Como su propio título indica, la exploración que este libro pretende hacer de las dificultades de implementación de la gramática en el aula, muy especialmente en el aula comunicativa, se basa en la fuerte sospecha de que no es la gramática el problema, sino la visión que se tiene, y se da, de ella. En la tarea de garantizar la presencia de los aspectos formales en el aula comunicativa, se ha hablado y discutido mucho sobre cuándo enseñar gramática, cuánta gramática enseñar o cómo enseñarla. Sin embargo, cae siempre fuera de estas discusiones la reflexión fundamental sobre qué gramática enseñar. En otras palabras, se incurre insistentemente en lo que podríamos llamar «la falacia metodológica», definida como la creencia de que la gramática resultará exitosamente integrada en el programa comunicativo simplemente mejorando la metodología y las técnicas de acceso a ella, pero sin necesidad de redefinir, de *comunicativizar* la propia gramática.

La principal dificultad para la integración de la gramática en un currículo comunicativo puede que no sea otra que la tremenda distancia de concepto observable entre la 'parte' comunicativa de la clase y la 'gramatical': en lugar de sumergir al estudiante en una solución en que forma y significado constituyan el tejido indistinguible por donde discurre la comunicación, la gramática se arranca de la comunicación, se clasifica, se deja asomar en la esquina superior derecha del libro en un color ligeramente diferente o en páginas separadas y se administra en dosis pequeñas, discretas, mutiladas de un sistema del que no quedan huellas y definidas con un criterio tan ajeno a su capacidad de significar que acaban flotando como gotitas de agua sobre el espeso aceite de la comunicación en el aula.

Si perseguimos, pues, una gramática definida en términos de comunicación, la pregunta pertinente es la siguiente: ¿qué factores hacen a una gramática más o menos apta para constituir la auténtica mecánica del significado que regula la comunicación en nuestra lengua? ¿Y qué gramática de las disponibles ofrece alguno de esos factores?

2. Cuando la gramática es formal

La gramática está hecha de formas que transmiten *significados*. El cambio de la forma elegida conlleva un cambio de significado, y el significado que el hablante tiene en mente determina su elección de una forma concreta frente a otras. Parece que hasta aquí todos conformes y, sin embargo, la realidad es que la gramática ha sido y es largamente malentendida, ante todo, como el estudio de las formas.

El problema principal de una aproximación formal al lenguaje radica en que la visión que se hace de la lengua no es real, está encorsetada en taxonomías que no tienen en cuenta al hablante como constructor de significados. Achard (2004, p. 185) comenta que «las reglas gramaticales que tradicionalmente se dan en clase de LE se consideran como una característica del sistema y no como el resultado de la elección del hablante». Así, seleccionar el subjuntivo se reduce a un rasgo léxico del verbo de la oración principal y no a lo que se quiere decir cuando se dice algo. En clase de LE, entonces, lo que solemos hacer es enseñar a los alumnos a construir formas lingüísticas que dependen de unos principios formales y que son independientes de su significado. En otras palabras, enseñamos a nuestros alumnos a construir puzles lingüísticos automáticos y desprovistos de cualquier análisis, tanto de las causas como de las consecuencias de la misteriosa aparición de las formas:

- Con CREO usamos indicativo, con NO CREO subjuntivo.
- Con ESTA MAÑANA usamos pretérito perfecto, con AYER pretérito indefinido.
- Con LA/EL usamos ESTAR, con UN/UNA ponemos HABER…

Así pues, este tipo de gramáticas suponen que la lengua se organiza de acuerdo con unos criterios formales que están más allá no solo del control del aprendiente, sino también del profesor e, incluso, del propio hablante nativo. Puesto que esta no es, para bien o para mal, la auténtica naturaleza de una lengua, es inevitable que sus predicciones fracasen constantemente. Y esto nos obliga a pertrecharnos de excusas y otras técnicas de la esgrima dialéctica para defender a capa y espada unas reglas que a nosotros mismos no nos convencen o bien cerrar la disputa con el inevitable «esto es así porque sí».

En un intento de particularizar esta inmensa corriente formalista, mencionaremos brevemente tres filosofías gramaticales que se hallan fundamentalmente marcadas por esta fijación en la forma: la tradicional, la prescriptiva y la descriptiva.

2.1. Gramática tradicional

La llamada gramática tradicional es, como su propio nombre hace sospechar, la gramática que más tradición arrastra y, por lo tanto, aquella de cuyas sanciones es prácticamente imposible librarse. Su método de análisis se basa en la lógica clásica o aristotélica: se evalúan los enunciados en términos extralingüísticos de *valor de verdad*, se hace gala de una actitud abiertamente normativa y se alimentan sin pudor sus regulaciones del hecho lingüístico con muestras literarias.

Prácticamente cada una de las asunciones anteriores supone un serio problema para la eficacia no solo teórica, sino muy especialmente pedagógica, de nuestro concepto de lengua. Porque:

a) Sabemos que la lógica de la representación lingüística no es una lógica proposicional basada en valores de verdad ni conectada directamente con la realidad objetiva externa a la propia lengua. Es, por el contrario, una lógica *natural* basada en las condiciones y límites de la percepción humana de esa realidad: *Jorge fue expulsado* no es más o menos verdad o correcto que *Expulsaron a Jorge* o *A Jorge lo expulsaron*. Es solo una perspectiva diferente de una única e idéntica realidad objetiva.

b) El intento de hacer *norma* cuando se hace gramática lleva inevitablemente a la peligrosa conclusión de que cada comunidad tiene una gramática diferente, ocultando así la verdadera máquina que autoriza unívocamente todas esas manifestaciones aparentemente caprichosas. Veámoslo con un ejemplo. Quien da un valor gramatical de *pasado próximo* al presente perfecto ('he comido'[2]) y de *pasado lejano* al indefinido está, o bien calificando de incorrecta a la inmensa mayoría de los hispanohablantes, o bien simplemente ignorando qué significa esta forma verbal en la base, es decir, cuál es ese valor gramatical que permite preguntar a un madrileño: *¿Qué has dicho?* y responderle un colombiano: *Dije que no* en la misma lengua.

c) La fijación en la lengua escrita como modelo constituye una ignorancia esencial de la naturaleza del lenguaje. Supone, además, una peligrosa anteposición del concepto *social* de autoridad a la evidencia lingüística de que la escritura no es más que un remedo voluntarista y artificial de la lengua oral, y la literatura solo un juego nacido de ella y estrictamente fundamentado en la gramática que ella maneja. Y si descendemos hasta el aula, la alarma aumenta en la medida en que lo que un estudiante normal requiere es habilidad oral, ante todo. Pero también antes de todo: igual que no es posible imaginar un Lope de Vega con ruso de lengua materna que aprendiera español solo con libros, se hace de sentido común admitir que un estudiante nunca será un Lope de Vega a menos que hable español con extraordinaria eficacia.

Así pues, si nos preguntamos qué gramática enseñar, un anticipo posible puede incluir las siguientes recomendaciones:

- Que sea *humana*, no matemática.
- Que no aplique una norma como la ley, sino que *explique* las normas con una ley.
- Que busque sus muestras allá donde la lengua *vive*, no donde descansa en paz.

---

2 En el Capítulo III explicamos los motivos por los que optamos por denominar a esta forma 'presente perfecto' y no 'pretérito perfecto'.

2.2. Gramática prescriptiva

Firmemente basada en los principios (poco científicos) de tradición y autoridad, la gramática prescriptiva es, más que una determinada concepción de la gramática, una institución social dedicada a promocionar determinados productos lingüísticos frente a otros igualmente válidos que se denigran sobre la base de una renuncia clara a entender qué se quiere decir con lo que se dice[3]. Existe para decirles a los usuarios cómo tienen que hablar una lengua, en lugar de explicarles la manera en que se habla esa lengua, suponiendo que es el hablante el que tiene que adaptarse a la lengua y no al contrario. Instaura una serie de taxonomías del buen lenguaje, tachando todo lo que se sale de sus límites como agramatical, incorrecto, de uso local y coloquial, e, incluso, de mal español. Como consecuencia lógica de todo ello, no proporciona explicación alguna de la competencia de los hablantes; sus censuras y recomendaciones no alcanzan más que cuestiones de estilo social, y su alcance real es puramente anecdótico: los hablantes de a pie ignoran naturalmente (concienzudamente los literatos, científicos o publicistas) todas las consignas que son ajenas a su necesidad y voluntad de significar.

En encendidos debates en foros de discusión se habla de lo que está bien y lo que está mal, y cada profesional, por supuesto, tiene una versión personal al respecto. Todos parecemos estar de acuerdo en que ningún hablante nativo (analfabeto, académico, educado o sin educar) diría algo como *Quiero que tienes tiempo para mí*, pero el debate se alarga cuando se dice *Yo no sé si tenga tiempo de ayudarte*. Aquí, las voces se levantan indignadas, pregonando la incorrección del subjuntivo, cuando en realidad es un uso totalmente normal en países como, por ejemplo, Costa Rica o Perú. Otras voces entonan ese *Pues yo no lo diría así nunca* con el que se censuran producciones ajenas en la increíble convicción de que el hecho de que un sujeto *nunca lo diga* así implica que quien sí lo dice no habla un español 'correcto'.

En realidad, el problema tanto de los 'expertos' en lenguaje, como de los simples hablantes preocupados por la corrección, la censura y la prescripción, no es otro que una colosal mixtificación de la naturaleza del lenguaje y las lenguas:

> *Imagine el lector que está viendo un documental sobre la naturaleza. Las imágenes muestran las asombrosas actividades de distintos animales en sus hábitats naturales. Sin embargo, la voz del narrador advierte de que se están produciendo una serie de problemas. Los delfines no ejecutan adecuadamente sus movimientos natatorios. Los gorriones de cresta blanca producen un canto muy descuidado. Los nidos de los herrerillos no están bien construidos, los pandas sostienen la caña de bambú con la garra que no corresponde, el canto de la ballena contiene errores muy llamativos y los gritos de los monos llevan mucho tiempo sumidos en el caos y la degeneración. Lo más probable es que, ante estos comentarios, el espectador reaccione preguntándose qué demonios significa que el canto de una ballena contiene un "error". ¿Acaso el canto de una ballena no es lo que la ballena decide cantar? ¿Quién se ha creído que es este narrador para emitir semejantes juicios?*
>
> *Sin embargo, en el caso del lenguaje humano, pronunciamientos de semejante índole no solo se admiten como llenos de sentido, sino que además suelen ser motivo de alarma. [...] Naturalmente,*

---

3 Para un ejemplo palmario del carácter taxidérmico y ciego al significado gramatical de esta actitud prescriptiva, véase Ruiz 1999.

para el lingüista o el psicolingüista, el lenguaje es como el canto de las ballenas. La única manera de determinar si una frase es correcta o incorrecta gramaticalmente es buscar hablantes de una lengua y preguntárselo.

(Pinker 1995, p. 407)

¿A qué se parece más un profesor de español: a un lingüista o a un corrector de estilo? Si alguien se pregunta qué gramática enseñar o qué gramática aprender, quizá pueda añadir a las recomendaciones del punto anterior la siguiente reformulación:

• Que sea la *gramática real de los hablantes*, no la falsa de las 'autoridades'.

Aun a riesgo de que nos invada el miedo a la libertad.

2.3. Gramática descriptiva

Describir no solo es un procedimiento científico, es un requisito previo a todo análisis científico, y sin la descripción no sería posible la explicación, que es, en realidad, el auténtico objetivo de toda ciencia. Tanto la gramática tradicional como la gramática prescriptiva, en los términos en que las hemos identificado aquí, son gramáticas descriptivas en el sentido de que se basan en una determinada descripción de la lengua, es decir, en los datos que proporciona la observación. El problema es que se quedan ahí, en los efectos (qué se dice), ignorando las causas (por qué se dice). Y el resultado son listas caprichosas de usos sin ninguna lógica que los conecte, que asombran al nativo por la riqueza de su lengua y desesperan al estudiante, que no sabe, con razón, qué hacer con ellas.

Por poner solo un ejemplo, he aquí una lista (necesariamente incompleta) de usos del imperfecto, sacada de gramáticas descriptivas para nativos y no nativos:

1.	Imperfecto de habitualidad	10.	Imperfecto de apertura o cierre
2.	Imperfecto descriptivo	11.	Imperfecto con valor de presente
3.	Imperfecto durativo	12.	Imperfecto de discurso anterior presupuesto
4.	Imperfecto de acción secundaria	13.	Imperfecto de sorpresa
5.	Imperfecto narrativo de acción principal	14.	Imperfecto de reproche
6.	Imperfecto de causa	15.	Imperfecto de contrariedad
7.	Imperfecto con valor de pospretérito	16.	Imperfecto de cortesía
8.	Imperfecto con valor de futuro	17.	Imperfecto lúdico
9.	Imperfecto de inminencia	18.	Imperfecto de deseo

Lista de dieciocho usos, no obstante, incompleta, como se acaba de decir, porque el número de valores no depende en realidad de las capacidades del imperfecto, sino de las mezclas incontroladas entre forma, contexto discursivo y efecto pragmático que al observador se le ocurra practicar, haciendo la lista virtualmente interminable.

Por ejemplo, se puede añadir como un uso más ese sutil 'imperfecto de acción inminente frustrada' que va más allá de la simple inminencia (*Yo ya me iba*) para recoger frustraciones situacionales (*Ya me iba, pero me puso una pistola en la cabeza y me quedé allí*), omnipresente en los materiales didácticos y en el discurso del aula en ELE. Y se puede añadir este otro, el curioso uso propuesto por Álex Grijelmo (2006, p. 254) con la etiqueta de imperfecto de error (*Vaya, yo creía que volvías mañana*) que nos puede quitar ya todo miedo a alimentar la lista:

19. Imperfecto de acierto (*Ya sabía yo que venías hoy.*)

20. Imperfecto de ignorancia (*¿Venía hoy o mañana?*)

21. Imperfecto de terror (*¡Dios mío, Lucas, que acabo de caer en la cuenta de que mi marido venía hoy!*)

22. Imperfecto de caer en la cuenta (*vid. supra*).

Y así hasta el infinito.

¿Qué se obtiene con una instrucción gramatical basada en la pura descripción? Como se ve perfectamente en esta lista sobre el imperfecto, el resultado es una serie de usos donde:

a) Se mezclan sin pudor todos los criterios imaginables, cayendo sistemáticamente en la autocontradicción: en unos casos es el tiempo (con valor de presente, de pasado, de futuro, de pospretérito), en otros es el estatus discursivo (de acción principal, de acción secundaria, de apertura o cierre, de discurso anterior presupuesto), en otros es el aspecto (durativo, descriptivo, de habitualidad), en otros el modo (lúdico, de cortesía), en otros, en fin, es cualquier idea o remota sugerencia de idea que aparezca en los contornos de algún ejemplo (la causa cuando decimos 'porque', el reproche cuando reprochamos, el deseo cuando deseamos, la contrariedad cuando nos sentimos contrariados, etc.).

b) Como consecuencia del desastre lógico que supone la lista, el estudiante asume operativamente que si existe un imperfecto de causa, eso quiere decir: *si expresas causa, usa el imperfecto.* El resultado de esta candidez es la adjudicación de un falso significado al imperfecto y el fracaso sistemático: *Me compré el Ferrari porque me *tocaba la lotería.*

¿Cómo explicar, entonces, el imperfecto? Como la propia pregunta indica, explicar los usos del imperfecto implica explicarlos, es decir, ir más allá de una simple descripción caótica de lo que se dice para llegar a entender por qué se dice. Para eso sería necesario remover todos esos valores cotextuales, contextuales y pragmáticos, y desvelar el valor del imperfecto en sí mismo[4]. Solo así podremos responder a la inquietud del estudiante, que no quiere descripciones del *qué* más que en la medida en que estas le ayuden a encontrar el *porqué* (bajo amenaza cierta y comprobable de convertir los *qués* en *porqués*).

Podemos, pues, recuperar ahora la siguiente recomendación para una gramática operativa:

• Que no se limite a describir, sino que *explique.*

Aunque explicar es difícil sin tener en cuenta el significado...

---

4 Una reducción de este procedimiento descriptivo de listas a un solo valor operativo para el imperfecto puede encontrarse en Ruiz 2005.

3. Cuando la gramática es significativa

Si algo une a las tres filosofías gramaticales que acabamos de ver es que atienden a la forma gramatical sin ligarla a un significado gramatical (los significados que manejan no son en realidad gramaticales, sino semánticos, discursivos o pragmáticos), lo que las hace no solo falaces, sino sobre todo inoperativas. ¿A qué se debe, pues, su permanencia y ubicuidad en los textos sobre gramática?

Entre nativos, la razón de la supervivencia de estos enfoques es fácil de conjeturar: un nativo es un individuo que no necesita protocolos operativos para tomar decisiones gramaticales. En otras palabras, un nativo no necesita *entender qué significan las formas* que usa para decidirse entre 'por' o 'para', perfecto o imperfecto, indicativo o subjuntivo:

> *Para un adolescente nativo no hay contradicción alguna en memorizar para un examen que el subjuntivo es el modo de la irrealidad, y felicitarse después del examen diciendo "Me alegro de que haya caído esa pregunta". A diferencia de un no nativo, él no necesita ninguna "regla" para tomar decisiones en cuanto al modo, y por tanto la "regla" puede limitarse a ser una pregunta de examen, renunciando así a toda ambición explicativa o predictiva.* (Ruiz 2007b)

Un poco más difícil es explicar por qué sobreviven estos enfoques inoperativos en la enseñanza del español, incluso a pesar de que día a día sus regulaciones chocan no solo con la realidad de la lengua, sino incluso con la propia lógica del estudiante no nativo[5].

Reconocer los enormes avances que la enseñanza de ELE, en general, ha experimentado en las últimas dos décadas no debe ser óbice para no reparar en el escaso o nulo desarrollo de la enseñabilidad y aprendibilidad de la gramática en este contexto. Sobra poner de relieve, tras lo dicho hasta aquí, que la clave de una mejora en el modo en que nuestros estudiantes perciben la gramática y operan con ella está en hacerla significativa, al menos en los siguientes sentidos:

a) Por un lado, debería exponer al estudiante a *un significado gramatical* de la forma, no a un número discrecional de significados contextuales, de manera que pudiera entender no tanto el qué y el cuándo, como el porqué de las formas que estudia.

b) Por otro lado, debería hacer responsable de las decisiones gramaticales al significado (decide según lo que quieres decir), no a la forma (X rige Y).

c) En general, y en todo caso, debería *interactuar con los conocimientos del mundo* que tengan tanto el profesor como los estudiantes (sin importar su nacionalidad o su lengua materna). O sea, que se pueda encontrar un sentido a las formas gramaticales de la lengua extranjera porque la materna u otras que el estudiante conozca hacen cosas parecidas o tienen paralelismos en sus construcciones (teoría del *aprendizaje significativo,* Ausubel 1983).

---

5 La tentación inmediata es pensar que incluso de adultos, las personas mantienen en gran medida su capacidad innata de aprender la gramática de una lengua extranjera incluso a pesar de los libros, y seguramente no sea una hipótesis muy descaminada.

Para la puesta en práctica del primer principio necesitaremos una concepción operativa de la gramática y, para que el segundo sea posible, una concepción cognitiva de la lengua. Para las recomendaciones del tercer principio acudiremos más adelante al concepto de *mentalés*.

3.1. Gramática discursiva

La tentación más inmediata de todo aquel que renuncia al gris encanto de una gramática oracional de puras formas es dejarse seducir por la frondosa selva del discurso. Bajo la etiqueta de *gramática comunicativa* se desarrolló una nueva visión de los fenómenos formales de la lengua que acompañó al enfoque comunicativo en ELE desde sus comienzos. Nacía de la loable determinación de ir más allá del nivel puramente oracional, poniendo de relieve la existencia de un nivel discursivo y pragmático de interpretación de las manifestaciones auténticas del lenguaje. Partiendo de la ceguera del formalismo ante el significado, es perfectamente comprensible que al pensar en significado la primera idea sea pensar en el significado con que encontramos las formas en contexto. Tiene sentido. El problema es que valorar las formas gramaticales sobre la base de sus significados finales en un contexto discursivo y situacional es como tratar de definir la mecánica de un coche de carreras atendiendo tan solo a cómo se comporta en el circuito. Podremos hacer una lista de cientos de funciones y efectos de la admirable mecánica del bólido y seguiremos sin una idea clara de cómo reconstruir un vehículo que permita obtener unos efectos similares. Una lengua, como un coche, obtiene los efectos que obtiene a través de unos dispositivos mecánicos o computacionales estrictos, que por mucho que escapen a nuestra consideración superficial, son su base irrenunciable si nuestra intención es explicarlos y reproducirlos a voluntad.

El predicamento que este *discursivismo,* a pesar de sus serias limitaciones explicativas, alcanza entre profesionales de la enseñanza y aprendientes, tiene raíces similares al atractivo que ejerce el formalismo. Ambas aproximaciones a la gramática prometen no exigir demasiado: mira a la forma, tal como se ve, o mira al significado, tal como se entiende. Pero los significados gramaticales no son lo que se entiende en una frase, un diálogo o una situación concreta. Los significados gramaticales que producen miles de efectos son solo una cosa en realidad y de naturaleza mucho más abstracta que los efectos que observamos en su contacto con otras formas. Son piezas de una mecánica sometida a las leyes de la física que median entre el coche y el conductor, es decir, entre el código y el hablante. Una lengua no es un motor que funciona solo en el taller, como quiere el formalismo, ni un coche sin motor que salta y derrapa sobre el circuito al dictado del hablante, como quiere el discursivismo. La lengua proporciona un código con leyes propias al hablante, y este actúa libremente siempre dentro de estas leyes.

Un ejemplo destacado de esta dificultad para separar la interpretación gramatical de una forma de su interpretación contextual (es decir, la interpretación analítica de un enunciado de la holística) se produce al valorar el contraste modal indicativo/subjuntivo sobre la base de que el indicativo expresa la *declaración* formal del predicado que marca y el subjuntivo la abstención de tal acto[6], incluso ante ejemplos sencillos como estos:

---

6 Ruiz 2007b y 2008.

Yo creo que viene (Vale, esto es una declaración).

Yo no creo que venga (¿Es que esto no es una declaración?).

La respuesta evidente es que el enunciado *como enunciado* sí es una declaración, ya que atendemos a la oración principal (yo declaro *que no creo* algo), pero el predicado que marca el subjuntivo no lo es (yo no declaro *que viene*). La interpretación holística, al igualar ambos enunciados, es incapaz de explicar el cambio de modo. Sin embargo, una actitud analítica que vea por separado ambos predicados sí proporciona una lógica a la presencia del subjuntivo: si digo que no creo X, eso significa que no quiero declarar X.

Pero la sencillez de ejemplos como este es escasa en la lengua real. Cuando el predicado en subjuntivo representa, pragmáticamente, un hecho que podemos pensar que el hablante da por descontado, entonces la barrera se agranda considerablemente al sumar a la dificultad anterior la tendencia a establecer una relación directa entre lengua (subjuntivo) y realidad (carácter factual del predicado). Son casos como este:

Me alegra que estés *mejor* (¿Cómo que no está declarando que está mejor?).

De nuevo, del análisis holístico del enunciado hay que extraer inmediatamente la conclusión de que el hablante no solo está en perfectas condiciones de declarar que su oyente está mejor, sino también de que el oyente está, objetivamente, mejor (si no, ¿por qué iba a decirlo?). Pero que se den todas las condiciones necesarias para declarar que está mejor no significa que esté declarando formalmente que *está mejor*. ¿No estaremos ante una mera ilusión provocada por un análisis pragmático, en lugar de gramatical? Ante los siguientes casos, intentemos responder a la pregunta:

Me caí del caballo.	→ **¿Se subió** al caballo?
Aparqué mi coche.	→ **¿Tiene** un coche?
A las 4, cansado, me fui para casa.	→ **¿Llegó** a casa?
Me gusta tu pelo.	→ *¿Tiene* pelo?

Por sentido común (interpretación pragmática), cualquiera de nosotros estaría tentado de responder afirmativamente en cada caso: si *se cayó*, mi conocimiento del mundo me dice que se debió subir; si dice *mi coche*, entiendo que tiene un coche, etc. Pero una cosa son las implicaturas que un enunciado desencadena con la finalidad de proporcionarnos la interpretación más rica posible (aunque pueda ser errónea) y otra cosa lo que ese enunciado formalmente dice. ¿Realmente es la intención del hablante en cada caso declarar esa implicatura?

Me caí del caballo.	→ ¿Declara que **se subió** al caballo?
Aparqué mi coche.	→ ¿Declara que **tiene** un coche?
A las 4, cansado, me fui para casa.	→ ¿Declara que **llegó** a casa?
Me gusta tu pelo.	→ ¿Declara que **tiene** pelo?

Es fácil darse cuenta de que no, por dos razones igualmente importantes:

a) Si su intención hubiera sido la de declarar formalmente estas implicaturas, no habría dicho *me caí*, habría dicho *me subí*; no habría dicho *aparqué mi coche*, sino *tengo un coche*; no habría dicho *para casa*, sino *a casa*; no habría dicho *me gusta tu pelo*, sino *veo que tienes pelo*, etc.

b) Muchas implicaturas no son cancelables, es decir, coinciden exactamente con la realidad (con *Me gusta* tu *pelo*, *sabemos* que el oyente *tiene* pelo)[7], pero muchas sí lo son: *Me caí del caballo* no implica necesariamente que se subiera (pudo haber sido subido por alguien); *llevé mi coche* no implica necesariamente que sea el propietario de un coche (puede tratarse de un aparcacoches que habla del coche que le asignaron); *me fui para casa* no implica necesariamente que llegara a su destino (pudo tener un accidente en el camino), etc.

Aplicado al modo del ejemplo anterior, el subjuntivo de *Me alegra que estés mejor* está marcando el argumento de un comentario (*me alegra*), sobre un hecho (*estés*) que no se quiere declarar formalmente. Primero, porque cuando se quiere declarar formalmente que alguien está mejor, se dice directamente *estás mejor* o se elige una matriz declarativa, como *Veo que estás mejor*, *Parece que estás mejor*, etc. Y segundo, porque muchas veces la implicatura que se extrae del enunciado es perfectamente cancelable: *Me gusta ser el mejor en todo* no implica necesariamente que esa persona esté diciendo que es el mejor en todo.

En conclusión: el nivel discursivo y pragmático de la actualización lingüística de las formas es, sin duda, imprescindible para apreciar los *efectos finales* de su uso, pero resulta estéril en la explicación de *por qué medios* esos efectos han sido alcanzados. En otras palabras, una gramática que extraiga su valoración de las formas del proceloso mar del discurso podrá ser una gramática descriptiva (en términos discursivos), pero no será nunca propiamente una gramática explicativa. Parece, por tanto, que, si queremos una gramática explicativa y atenta al significado, tendremos que dejar de mirar al significado *pragmático y discursivo* para empezar a considerar el significado estrictamente gramatical. Si es que lo que pretendemos es que nuestra gramática sea realmente operativa.

3.2. Gramática operativa

El sintagma 'gramática operativa' puede parecer fácilmente interpretable, al menos en su sentido más inmediato: en el de que nos estamos refiriendo, digamos, a una gramática que funcione. El hecho es que hay muchas gramáticas que funcionan, al menos en un sentido: son coherentes consigo mismas. Una gramática operativa, tal como queremos presentarla aquí, es más ambiciosa: tiene la pretensión de ser coherente, de manera inexcusable, con la realidad externa del hecho lingüístico. Y esto no es fácil por una razón simple: las condiciones para que funcione realmente en relación con las manifestaciones auténticas del lenguaje no son nada simples. Para saber qué puede ser una gramática operativa quizá valga la pena despejar primero qué es lo que una gramática operativa *no es*.

---

7 Aunque todo es controvertible: ¿qué tal si hablante y oyente son calvos rematados y mantienen un pelo cada uno entre sus dedos?

Una gramática operativa no es, por ejemplo, una gramática *funcional*, en el sentido de creer que un sistema sea operativamente reconstruible a partir de una lista de formas asociadas a funciones, simplemente porque las funciones en que una forma puede verse implicada son tantas y tan dispares, desde un punto de vista interpretativo, como hemos visto, que no están en condiciones de definir reglas de generación del significado unívocas y extensibles.

Una gramática operativa tampoco es una gramática *descriptiva* que se limite a ofrecer una fotografía de todo lo que acontece o puede acontecer en el uso real de la forma, simplemente porque no se puede 'operar' con una fotografía: para operar es necesario disponer de un mecanismo lógico y manipulable.

Tampoco una gramática operativa es una gramática *generativa*, simplemente porque la separación de forma de significado es radicalmente artificial y contraintuitiva y, de hecho, está abocada a la improductividad. Como decía Alarcos (1980, p. 10):

> *Aunque admiramos la rigurosa construcción mental de la llamada 'gramática generativa y transformativa' […], se ha de decir con toda sinceridad que tales exposiciones son solo útiles cuando se trata de cebar una máquina electrónica de traducir, pero que no añaden nada nuevo a lo que ya sabíamos.*

Una gramática operativa no es otras muchas cosas, pero dejemos claro, por último, que no es una gramática *pedagógica*, en el sentido en que pudiera entenderse que una gramática para extranjeros o para estudiantes nativos de gramática es una especie de gramática especial a la que solo se le pide que funcione en los límites de esa pequeña y artificial sociedad que es el aula. Si una gramática operativa puede ser útil en la enseñanza será porque se aproxime, y en la medida en que se aproxime, a un modelo de manipulación del lenguaje capaz de explicar y generar los mismos efectos de comunicación y significado que podemos observar en el uso real del lenguaje.

¿Qué sería, entonces, una gramática operativa? En pocas palabras, una gramática que intente explicar rigurosamente el significado final de toda manifestación real del lenguaje y, en la dirección contraria, que defina las reglas estrictas de generación de ese significado final a partir del significado estricto de las formas con que se vehicula, de modo que se pueda operar con ellas, de una manera intencional y significativa, en persecución de ese significado final. Una gramática operativa debe ser, en definitiva, una gramática mecánica, manipulativa, que permita decisiones discretas sobre la forma, pero que esté, sin embargo, basada radicalmente en el *significado* de la forma.

Valgan los siguientes ejemplos para ilustrar qué quiere decir operar, y por añadidura, operar con el significado.

Ejemplo 1	
Regla **no operativa** (lista de usos, significados no gramaticales):	Regla **operativa** (significado esencial de la forma o *valor de operación*):
El subjuntivo se usa para expresar deseo, obligación, mandato, necesidad, petición, intención, influencia, sentimiento, emoción, irrealidad, no realización, hipótesis, duda, inseguridad, incertidumbre, futuro, negación, reacción subjetiva, inexistencia, desconocimiento, información reciclada, con expresiones impersonales (etc.).	*El subjuntivo representa una no declaración del hecho que marca.*

Ejemplo 2	
Regla **no significativa** (lista de marcadores, atención a las puras formas):	Regla **significativa** (atención al significado que en cada momento transporta la forma):
Con: *hoy, esta mañana, este año, últimamente, muchas veces, varias veces, nunca, siempre*, etc., usamos el pretérito perfecto.	*Usamos el pretérito perfecto para entender un hecho pasado en relación con el espacio actual.*

Ambos ejemplos son muestras suficientemente palmarias y ubicuas de la inoperatividad de la instrucción por listas, tanto en su adecuación como en relación a sus propiedades didácticas.

Por lo que respecta a la adecuación, la descripción en ambos casos no se ajusta a la realidad de la lengua más de lo que se distancia de ella:

a) Si usamos el subjuntivo para la expresión de subjetividad como en *Me parece mal que estés aquí*, igualmente usamos un indicativo para esa misma irrealidad en la misma frase, ya que *me parece mal* constituye un juicio subjetivo del hablante. De hecho, en esta frase, como en muchas otras, precisamente lo único objetivo es el hecho representado por el subjuntivo (el oyente está, objetivamente, allí). Por desgracia, la misma falta de adecuación se verifica en todo el resto de pistas para usar subjuntivo que pretenden dar estas listas.

b) En la mayoría de los casos, que usamos el perfecto después de estos marcadores temporales es tan cierto como que usamos el indefinido: la censura implícita de *Hoy me levanté temprano* no sería un atentado solo contra la inmensa mayor parte de los hispanohablantes (español de América), sino contra los propios peninsulares en cuya norma se basa, que eligen esta opción siempre que quieren simplemente obviar la actualidad del hecho. Pero el caos que genera una lista formal como esta va mucho más allá en algunos casos: marcadores como 'muchas veces', 'varias veces', 'nunca', 'siempre' no solo *pueden* de hecho ir seguidos por un indefinido, sino que *deben* ir seguidos por un indefinido (exactamente al contrario de la regla) cuando el espacio temporal del que se habla está cerrado al actual y separado de él: *Estuve cuatro años viviendo al lado de Wiesbaden, pero nunca estuve en el zoo*. Seguir esta regla no habría producido un error formal, sino algo mucho peor: una más que probable mentira... (*pero nunca he estado en el zoo* significaría: nunca hasta ahora).

Esta sangrante falta de adecuación a la realidad del uso de la lengua debería bastar por sí sola para poner en cuestión el procedimiento. Sin embargo, vale la pena considerar también su inadecuación pedagógica. Más allá del hecho de que siguiendo estas reglas el estudiante tiene tantas posibilidades de acertar como de fallar en relación al uso nativo, ¿realmente tiene sentido que el estudiante tome una decisión en su uso real del español sin saber qué implica, es decir, qué significado diferencial está transmitiendo con su decisión? Por añadidura, ¿realmente creemos que esta estrategia de puzle (cuando 'aparece' tal, 'pon' cual) vale mucho más allá de un ejercicio de rellenar huecos? Y por último, ¿realmente creemos que el estudiante podrá, en tiempo real, recordar una lista considerablemente extensa para cada una de los cientos de decisiones gramaticales que una simple conversación real implica?

No hay que esconder el hecho de que las opciones operativas, aparentemente simples, implican un duro y largo proceso de comprobación, caso por caso, de su eficacia en múltiples contextos. Pero tampoco hay que olvidar que el recurso a la memorización asignificativa ya implica de por sí un largo y duro proceso, en modo alguno menos largo o duro que el que exige comprender un significado y cómo y por qué se aplica en cada caso. Quizá con una ventaja para el procedimiento operativo: ya que en cualquier caso nos espera tiempo y sufrimiento antes de dominar la gramática, ¿por qué no cambiamos en clase nuestro disfraz de papagayo por uno de Sherlock Holmes? Al menos sacaremos algún placer intelectual investigando *qué se dice con la forma que se elige*, tema no del todo ajeno a una clase de lengua, es decir, una clase donde el objetivo es la representación cognitiva del mundo.

3.3. Gramática cognitiva

Frente al formalismo irreductible de la gramática generativa, la gramática cognitiva pretende ser ampliamente una gramática de la relación indisoluble entre forma y significado. Un significado definido además en términos experienciales (perspectiva representacional) y visuales (imágenes esquemáticas) que considera las conceptualizaciones lingüísticas como un producto más de nuestras facultades cognitivas generales. Muy en concreto, esta visión del lenguaje es particularmente interesante desde el punto de vista didáctico por razones como las siguientes:

- Promueve un aprendizaje comunicativo, al poner el foco absoluto de estudio del lenguaje en el significado.
- Trata los elementos gramaticales como unidades simbólicas indisolublemente asociadas a un significado que se usan de acuerdo con ese significado, y no con la forma que lo transporta.
- Considera que las conexiones forma-significado no son siempre arbitrarias, sino muy a menudo motivadas, facilitando así un despertar de conciencia acerca de esas conexiones y un aprendizaje significativo de las mismas.
- Sostiene que la lengua es, en gran medida, composicional (el significado de un enunciado es derivable de los elementos que lo componen), lo que abre el camino a la posibilidad una comprensión lógica y operacional del camino que lleva de las formas a los significados.
- Define el significado en términos experienciales, metafóricos y configuracionales, permitiendo así un análisis y comprensión de la lengua en los términos generales y universalmente compartibles de percepción y representación del mundo.

Uno de los aspectos más positivos de la gramática cognitiva es que está fuertemente anclada en el sentido común, lo que hace que no necesitemos aprender nuevas metodologías desde cero, como fue el caso cuando dejamos atrás el estructuralismo y nos convertimos en nociofuncionalistas. En gran medida, y quizá inadvertidamente, puede que este tipo de gramática haya existido siempre y, sin duda, existe en el aula comunicativa actual, como también en sus recientes enfoques orientados a la acción, al menos en manos del profesor:

Cuando un profesor se esfuerza por representar en la pizarra, con un dibujito más o menos afortu-
nado, el valor de una preposición, está haciendo gramática cognitiva. Cuando no se limita a decir
que dos o tres opciones para decir algo son 'sinónimas', sino que trata de explicar las diferencias
entre ellas como diferencias de perspectiva, está haciendo gramática cognitiva. (Ruiz 2007a, p. 8)

Efectivamente, cuando usamos el lenguaje reflejamos cómo percibimos la realidad, y esta percepción no solo está sujeta a condiciones universales, sino también a elecciones entre diversas
perspectivas posibles. Estas condiciones y elecciones explican las diferencias entre lenguas:

Para decir 'acera', la palabra inglesa pavement *focaliza el material, mientras que su equivalente*
en francés, trottoir, *derivado de* trotter, *'correr, trotar', focaliza la función, y la alemana* bür-
gersteig *(parte de la calle para los ciudadanos), se centra en los que la usan.*

(Inchaurralde y Vázquez 2000, p. 16)

Por su parte, esos dibujos que tratan de facilitar el acceso del estudiante a significados gramaticales tan abstractos como los de las preposiciones ponen de relieve la fuerte relación
que intuitivamente siempre hemos sentido entre la gramática y otros mecanismos percepti-
vos y cognitivos, como la visión. ¿Qué profesor no ha sentido las ventajas explicativas de un
tratamiento visual de, pongamos, la diferencia entre 'para' y 'a', frente a su tradicional tratamiento descriptivo sobre la base de interminables e incoherentes listas de usos? ¿Dónde
en esas listas de usos estará la clave de por qué, por ejemplo, los enunciados de la columna
de la izquierda son impecables, y sin embargo los de la derecha son imposibles?

(a) *Dale al niño su chupete.* → **Dale para el niño su chupete.*

(b) *Le di un disco a Elena para Juan.* → **Le di un disco a Elena a Juan.*

(c) *Trabajo para la mafia.* → **Trabajo a la mafia.*

(d) —*¿Va en dirección norte? ¿Va a Madrid?* → —*¿Va en dirección norte? ¿Va a Madrid?*

—*Voy para Madrid, pero me quedo en Toledo.* → —**Voy a Madrid, pero me quedo en Toledo.*

¿Qué tal una imagen? ¿Cómo explica el pequeño hueco entre la flechita y el destino en *para*
los usos anteriores?

En el enunciado (a), el niño y el chupete tienen que representarse en contacto (*al niño*),
al igual que sucede en el (b) entre el disco y Elena (*a Elena*), pero no entre el disco y Juan
(no **a Juan*, sino *para Juan*). En el enunciado (c), el trabajo del hablante y la mafia son dos
entidades diferentes unidas solo por el hecho de que el trabajo está *orientado* en dirección a
la mafia, pero no *toca* a la mafia[8]. En (d), si se queda en Toledo se hace obligatoria la repre-

---

8 Un extraño pero no imposible *Trabajar a la mafia* (como más prototípicamente *trabajarse a alguien* en el sentido de convencerlo
de algo) implicaría un contacto entre el que trabaja y el destino que rompería la distancia entre ambos y haría al destinatario 'el
trabajado'.

sentación de no-contacto que solo indica dirección de destino, so pena de contradicción: no se puede *ir a Madrid* y no *llegar a Madrid* al mismo tiempo.

En conclusión, no parece exagerado decir que la gramática cognitiva constituye la mejor base conceptual disponible para la búsqueda de significados gramaticales o valores de operación que permitan al estudiante:

- Un proceso de aprendizaje más basado en la lógica que en la memoria.
- Comprender las formas lingüísticas y sus significados a partir de conceptos generales que puedan extenderse mediante una lógica natural de la representación humana del mundo para dar cabida a todos los usos posibles.
- Un control de los significados para operar con significados.
- En definitiva, '*pensar para hablar*'[9].

4. Cuando la gramática es didáctica

Cuando todas las gramáticas disponibles y los diferentes conceptos de gramática que acarreamos se ven forzados a entenderse porque lo que tenemos delante es un aula de español, se presentan tres posibilidades que podríamos plantear así:

a) La lengua es una cuestión de formas. La corrección es el dios y la gramática su profeta.

b) La lengua es una cuestión de significados. La eficacia es el dios y la comunicación su profeta.

c) La lengua es una cuestión tanto de formas como de significados: para ser eficaces hay que fijarse en la comunicación y para ser correctos en la gramática.

Sin embargo, tanto las opciones monoteístas como la politeísta parecen ignorar el hecho fundamental de que la forma no es nada sin significado ni el significado es nada sin la forma o, al menos, implican un principio, en nuestra opinión, más que cuestionable: el de que forma y significado se pueden tratar desgajados de su unidad esencial en el curso del aprendizaje.

4.1. La escora hacia la forma

Nadie podría poner en duda que una lengua funciona gracias a las asociaciones entre formas y significados. Sin embargo, en los 'laboratorios' donde se ha venido ventilando el estudio sistemático de las lenguas, seguramente la óptica más usada ha sido la de la forma. El significado, acusado de etéreo y caprichoso, ha sido relegado a un segundo plano o directamente expulsado del estudio científico, en lugar de considerarlo como la auténtica materia prima del lenguaje[10].

---

9 Slobin (1996) fue quien acuñó esta expresión (en inglés, *thinking for speaking*).

10 Como se habrá hecho notar en lo que antecede, la lingüística cognitiva se presenta como una joven excepción a esta impotencia secular.

La tentación del formalismo, que es verdad de los lingüistas, lo es también de los estudiantes por razones además bien comprensibles:

a) El significado no es demasiado prominente, pero la forma *se toca*. La forma es la primera cosa que atrae la atención cuando nos enfrentamos a una lengua y es, de hecho, la base material ineludible de toda manipulación de esa lengua.

b) Para manipular significados tenemos que manipular formas. El aula de lengua es el paraíso de las formas: en la pizarra se trazan formas, en los libros se leen formas, en los ejercicios se escriben formas, en los exámenes se exigen decisiones sobre formas.

Sobre la base de estos razonamientos se podría predecir, por tanto:

- que los contenidos gramaticales de la inmensa mayoría de los materiales de enseñanza de español estarán dominados por el análisis formal;

- que la inmensa mayoría de los estudiantes de español exhibirán una tendencia muy fuerte a establecer reglas basadas puramente en la forma, con una consciencia muy atenuada del significado que transportan o sin consciencia en absoluto de él.

¿Será una predicción correcta? La veracidad de la primera es bien fácil de comprobar. La de la segunda tal vez quede ilustrada con la respuesta a esta pregunta: ¿A qué se debe el ubicuo 'subjuntivo de ristra' en las aulas de español, que todo profesional ha visto cientos de veces? ¿Por qué el estudiante elige mal el modo en casos como estos?:

No creo *que descubra que* *venga*.

Quiero *que sepas que yo te* *comprenda*.

Me sorprende *lo que* *estés haciendo*.

Si su regla es "*Después de* no creo / quiero / me sorprende, *se utiliza el subjuntivo*", tenemos que reconocer humildemente que la semilla del error estaba sembrada.

Pero no solo los estudiantes de LE se dejan seducir por la aparente simplicidad de las pistas formales. Incluso los profesores de español solemos caer embriagados en sus redes[11]:

○ ● ○ **«Creo que» + subjuntivo**

¡Hola a todos!

Tengo un pequeño problema, es una frase de [...], hay un creo que + subjuntivo que no sé cómo explicar a mis alumnos, ¿me podéis echar una mano?

—Esta mañana he leído que en algunos países han prohibido tener perros peligrosos.
—¿Ah, sí? Pues me parece muy bien. A ver, yo no veo mal que la gente (tener) TENGA animales, pero si pueden ser peligrosos creo que es normal que los PROHÍBAN.

Es ese prohíban...
Desde ya, gracias.

Bastaría con pensar en *qué se dice* para resolver *con qué forma* se dice: alguien cree algo (que 'es' normal), y también valora algo (que los 'prohíban'). ¿Cómo puede un estudiante (o un nativo) tomar la decisión formal correcta si no es consciente de lo que está diciendo

---

11 Pregunta de una profesora de español en el Foro didáctico del Instituto Cervantes.

con cada palabra que añade a su enunciado? ¿Es posible terminar hablando con fluidez y corrección una lengua sin haber adjudicado (aunque sea instintivamente) significados a las formas? Trataremos de responder a esta pregunta más adelante en «Forma y significado» (Capítulo II, 2.).

4.2. La escora hacia el significado

Cuando el llamado enfoque comunicativo atacó de frente al conductismo derribando la estatua del estudiante de Pavlov, hizo caer con ella el pesado libro de gramática que llevaba en la mano. Poco después, la nueva estatua del estudiante comunicativo sin libro (tenía las dos manos ocupadas comunicando por señas) empezó a experimentar una inexplicable e incómoda metamorfosis: el rabillo de sus ojos de alabastro se orientaba cada día más hacia sus manos vacías para contrariedad de sus escultores. Reconociendo la evidencia, los administradores de la comunicación convinieron en restituir el viejo libro del estudiante de Pavlov a los pies del estudiante comunicativo para los ratos en que no comunicaba, contrarrestándolo sin embargo con la talla de uno mucho más gordo en la mano derecha de la nueva estatua. Nacía así el *Libro de las nociones y funciones* del estudiante comunicativo.

Es indudable que, en una medida amplísima, esta nueva visión del hecho lingüístico renovó materialmente el panorama de la enseñanza y lo llevó hasta cotas de eficacia nunca logradas. Pero no es menos evidente, a día de hoy, que redefinió con poco acierto los aspectos formales de la lengua, dejándonos una concepción de la gramática dominada por el significado con que finalmente interpretamos las formas en su contexto, esto es, por los efectos discursivos y pragmáticos de la forma en uso (como vimos en «Gramática discursiva», 3.1.). Esta perspectiva discursivista (nociofuncional) insta a sustituir las viejas listas de formas por nuevas listas de usos, sin que la operatividad de la instrucción gramatical mejore visiblemente: la lógica no funciona y la memoria ciega al significado sigue siendo la reina. De hecho, no hay mejor manera de impedir que la gramática tenga sentido y lógica que desmembrarla en listas funcionales. Con un ejemplo inmediato: ¿Cómo se podría entender (de poderse) la correlación entre el modo indicativo o subjuntivo y las funciones pragmáticas en esta típica presentación nociofuncional?

Expresar certidumbre	Expresar incertidumbre	Expresar desacuerdo
Lo sabe (ind.)	Lo sabrá, supongo (ind.)	No lo sabe (ind.)
Es verdad que lo sabe (ind.)	Creo que lo sabe (ind.)	No es verdad que lo sepa (subj.)
Sé que lo sabe (ind.)	Supongo que lo sabe (ind.)	Es falso que lo sepa (subj.)
No pongo en duda que lo sepa (subj.)	Es probable que lo sepa (subj.)	Es una tontería eso de que lo sabe (ind.)

Cortada la lozana vaca del español en estas piezas, el problema es quién es el valiente que reconstruye de nuevo la vaca a partir de ellas. El enfoque funcional, como se hace evidente, proporciona útiles secuencias formales para memorizar, pero mutila los significados gramaticales y los hace inasequibles a cualquier tipo de lógica.

4.3. La navegación en zigzag

Se acaba haciendo evidente, en la práctica, que atacar los fenómenos gramaticales desde la forma o desde el significado de manera exclusiva conduce a un callejón sin salida. Lo ha sido desde siempre, y esta certeza es la que ha llevado al discurso del profesor y los propios materiales de enseñanza a saltar de criterio al primer obstáculo. Sin embargo, no es nada difícil predecir que la superposición de criterios y su aplicación *ad hoc* ayudará poco a un estudiante empeñado en obtener una lógica recta o coherente que pueda llevarle con éxito desde su intención comunicativa a la forma gramatical adecuada. No le ofrecerá una regla, sino muchas reglas de muy diversa naturaleza que, además, se anulan unas a otras sin que se pueda entender cómo, cuándo y por qué se aplican o se cancelan. Por poner un ejemplo, imaginemos cómo un estudiante equipado con las siguientes tres reglas puede habérselas con el problema del modo:

- Regla semántica: El indicativo es el modo de la realidad, el subjuntivo de la irrealidad.
- Regla pragmática: El indicativo representa información nueva, el subjuntivo información conocida.
- Regla formal: Los verbos de opinión como *creer, pensar, decir, parecer...* usan indicativo cuando están en forma afirmativa y subjuntivo cuando están en forma negativa.

¿Cómo podrá llegar a la lógica que subyace a los siguientes usos, perfectamente naturales y frecuentes?

> ► *¿Por qué piensa Elena que yo **soy** un asesino en serie?*
> ▷ *Ella no ha dicho que **eres** un asesino en serie, ha dicho que lo **pareces**.*

Tenemos que reconocer que el papel del profesor explicador no es nada cómodo aquí: 'pareces' va en indicativo y es, efectivamente, una declaración sobre una realidad, una información nueva y una formulación positiva del verbo 'decir', pero, aunque 'soy' responde a la regla formal y a la pragmática, no representa un hecho real. Ahondando un poco en la inoperatividad, 'eres' no cumple con ninguna de las condiciones: se refiere a una irrealidad flagrante, representa información ya presente en el contexto y se subordina a una formulación negativa del mismo verbo 'decir'. Se hace también evidente que el papel del estudiante entendedor aquí no es menos complicado que el del profesor explicador: ¿Qué tiene que ver una clase de regla con la otra y cuándo hay que aplicar una u otra?

Una gramática didáctica no es mejor o peor por ser más o menos didáctica; es mejor o peor en la medida en que sea capaz de dar cuenta de la gramática *real*.

5. Cuando la gramática es real

5.1. ¿Qué parte de la lengua es la gramática?

La concepción de la gramática como un componente aislable en la comprensión y explicación de una lengua tiene largas y antiguas raíces en la enseñanza, como hemos visto. La idea de un cuerpo formal de palabras al que se aplican reglas externas está en la base del papel secundario que se le ha otorgado en los enfoques comunicativos y que la ha relegado a un segundo plano. ¿Hasta qué punto la gramática es prescindible en la comunicación? ¿Existe una verdadera diferencia entre el componente gramatical y el resto de componentes en una lengua? El éxito de la siguiente sentencia de Wilkins (1972) hace pensar que sí: *Without grammar very little can be conveyed; without vocabulary nothing can be conveyed*[12].

Sin embargo, esta visión de los hechos puede ponernos en peligro de ignorar un hecho notable: que no existe, en realidad, comunicación sin gramática, que las palabras no son nada sin un sentido y que el acto de dar sentido a las palabras es ya gramática. Tarzán puede, por ejemplo, pronunciar la siguiente secuencia: *Tarzán golpe explorador*. Pues bien, en el propio acto de intentar interpretar el mensaje de Tarzán, el oyente está aplicando desesperadamente claves gramaticales, por ejemplo, y de entrada, el orden de los elementos. Para cualquier intérprete medio, Tarzán está amenazando al explorador, ya que, a falta de otra marca, se aplica el esquema sujeto-verbo-complemento. Este casi invisible hilo de interpretación es ya gramática. El resto, muy visible, sirve a la desambiguación y a la precisión del sentido comunicativo que las palabras persiguen:

*Tarzán golpe**ar** explorador* (marca de verbo: alguien hace algo a alguien)

*Tarzán golpe**ó**… explorador* (marca de tiempo: pasado)

*Tarzán golpe**aría** explorador* (marca de modo: hipotético)

*Tarzán golpeará **a** explorador* (marca de destino: el explorador sufrirá el golpe)

***A** Tarzán golpeará explorador* (marca de destino: Tarzán sufrirá el golpe)…

La gramática empieza a actuar al mismo tiempo que la primera palabra. La gramática tiene la misma edad que el vocabulario. ¿Qué parte de la lengua es, pues, la gramática? ¿Qué tal *todo*?

Sin embargo, los manuales comunicativos suelen fomentar una comprensión polarizada del hecho lingüístico, donde la gramática y la comunicación caminan por separado porque la gramática se concibe como una porción perfectamente separable del cuerpo de la lengua. Pero la gramática no debería ser un simple módulo del currículo del aula de lengua extranjera. No debería ser vista (ni por el profesor ni por los alumnos) como una tarea a realizar, además de las de comunicación y sin relación directa con ellas. En las clases que damos no debería haber una hora de la gramática, donde se crea una situación frontal en la que el profesor se esfuerza por presentar unas reglas, contesta como puede a las preguntas de los alumnos confusos y los pone a practicar los ejercicios del libro con la esperanza de que, mágicamente, entiendan la conexión entre gramática y comunicación y no nos pongan de nuevo entre la espada y la pared con una pregunta incómoda.

La lengua *es* gramática y la gramática *es* lengua. No es una herramienta ni una ayuda para comunicar, sino que *es* la propia comunicación. Si somos capaces, pues, de asumir que no debe haber un *ahora toca hacer gramática*, sino que todo en clase lo es en realidad, quizá encontremos un equilibrio desconocido. Se trata de entender y transmitir a nuestros alumnos que cada vez que un hablante nativo se comunica (inconscientemente, pues posee un conocimiento lingüístico adquirido de forma natural a lo largo de la vida), lo hace se-

---

12 Sin gramática muy poco puede decirse, sin vocabulario no se puede decir nada.

leccionando unas estructuras que comunican 'exactamente' lo que quiere decir y no otra cosa. Por tanto, cada frase que se pronuncia es única y nueva, y no está sujeta a las reglas de nuestros manuales, sino a una lógica lingüística que funciona como un reloj y que nos permite comunicarnos con precisión. 'Ser' y 'estar', imperfecto e indefinido, indicativo y subjuntivo no están ahí para frustrar y molestar a los habitantes del mundo ELE, sino que son rigurosas herramientas de comunicación que transmiten eficazmente una idea desde una determinada perspectiva representacional.

5.2. Gramática eres tú

La gramática no solo es una parte inseparable de la lengua como instrumento de comunicación, es una parte inseparable del habla cotidiana hasta un punto que no siempre reconocemos. Engañados por las voces que claman contra los atentados que el vulgo comete contra la gramática, a veces llegamos a considerar que la gramática reside en un libro sagrado y que la gente corriente habla con una gramática pecaminosa. Pero la gramática está en todas partes. Es el hilo que teje el tapiz de la lengua. Así lo demuestra la siguiente anécdota, sacada de un foro de Internet:

> Esta interesantísima discusión sobre el uso del subjuntivo me ha recordado una vez en la que un alumno me preguntó si los gitanos usaban el subjuntivo. Ante mi asombro me explicó que había visto en la tele que entre los chavales gitanos había mucho absentismo escolar, así que pensó que no lo aprendían, y por lo tanto no lo usaban. Esa noche me fui de cañas con mi amigo Nico (gitano) y cuando le conté la anécdota, su respuesta, entre risas, fue: "¡Como PILLE al guiripayo ese que se VAYA preparando que le voy a dar yo subjuntivo pa' que se ENTERE!".

Evidentemente, en cada lengua hay hablantes nativos cultísimos, con estudios y posgrados. También hay hablantes analfabetos, otros con estudios de nivel medio, niños, ancianos y adolescentes, periodistas y panaderos, y cada uno habla como buenamente puede y entiende, con mayor o menor corrección según unos estándares sociales, pero una cosa está clara: ninguno de estos hablantes, por mal que hable, será jamás agramatical. Conviene matizar que con 'agramatical' no nos referimos al sentido normativo, por el cual decir *Me se ha caído el bolígrafo* contradice la combinatoria de pronombres que un determinado estándar del español recomienda. El concepto de agramaticalidad que discutimos aquí es el que hace imposible que un nativo construya frases como **Es imperativo que el gobierno reduce los impuestos* o **Salí en la calle a pasear*. En el primer caso, la exigencia de que un hecho X se produzca es incompatible, por lógica común, con la declaración de ese hecho. Cualquier hablante nativo entiende (de forma completamente inconsciente, pero efectiva) que esto es así y, por tanto, que utilizar el indicativo y declarar que el gobierno 'reduce' no es posible (no porque sea 'incorrecto', sino porque no tiene sentido). Para el segundo caso, todos los hablantes nativos entendemos 'salir' como un verbo de movimiento, por lo que la expresión de ese movimiento (codificado por la preposición) no puede hacerse estáticamente, como haríamos con 'en'. Todos los hispanohablantes, entonces, usaremos preposiciones que en español representen movimiento para combinarlas con el verbo salir: 'a/hacia/para/por…'.

Sería, por tanto, para el aprendiente un alivio saber que todos los nativos podemos ponernos de acuerdo en las normas más básicas. La gramática de una lengua tiene unos principios operacionales que todos los hablantes respetan inconscientemente sin tener en cuenta de dónde son, su nivel de estudios o su ocupación profesional.

El psicolingüista Steven Pinker comenta que el mejor amigo de un lingüista es él mismo, pues encuentra en sí mismo a la cobaya perfecta para estudiar, observar; a la vez que analizar. En realidad, ni siquiera es necesario ser lingüista o filólogo, cualquier profesor de lengua extranjera que esté interesado en su trabajo —sea hablante nativo o no— sabrá ver que su propio dominio del idioma es un cofre del tesoro listo para ser descubierto.

Hay 450 millones de hablantes nativos de español y, dejando de lado los usos locales o palabras aisladas, todos nos entendemos bien, porque compartimos unos fundamentos gramaticales: usamos 'por' y 'para' perfectamente, diferenciamos entre acciones que 'ocurrían' y acciones que 'ocurrieron', sabemos que *estar tonto* y *ser tonto* no significan lo mismo o decimos *necesito que me quieras* y no *necesito que me quieres*. Esto quiere decir que compartimos, si no un vocabulario totalmente común, sí una gramática exacta en la que poder confiar cuando hablamos los españoles con los chilenos y los hondureños con los venezolanos.

Los enfoques lingüísticos tradicionales unen los significados con estructuras lingüísticas de manera que se correspondan con una normativa sistemática establecida. Sin embargo, la realidad es que no existe un camino analítico tan directo, sino que esos significados se pueden expresar y construir de diferentes formas, las cuales en esencia transmiten la misma información, pero cuya selección particular implica la visión del hablante sobre lo expresado y no otra: cuando los hablantes de una lengua nos comunicamos, lo hacemos seleccionando —de entre todas las combinaciones infinitas de palabras que existen— una serie de formas lingüísticas que, en nuestra opinión, transmiten el significado que queremos que nuestro interlocutor entienda. Somos los hablantes quienes seleccionamos esas formas lingüísticas, quienes nos comunicamos, y lo hacemos por medio de la gramática. Si la lengua expresa nuestro pensamiento, la gramática es el vehículo por el cual nuestra comunicación tiene sentido.

La diferencia entre la gramática que somos y la que tenemos en nuestros manuales de profesor es que la nuestra está cargada de intención comunicativa y la del libro está disecada, encajada en una combinatoria de reglas y mutilada en pedacitos que representan casos concretos para cada ocurrencia de uso. No podemos pretender que nuestros alumnos aprendan a comunicarse eficazmente en nuestra lengua cuando a lo que tienen que enfrentarse es a una serie de problemas matemáticos y aparentemente aleatorios, que solo se solucionan memorizando y practicando mecánicamente.

Si queremos cautivar a nuestro alumno, animarlo a entender el mundo que rodea a nuestra lengua, quizá tendríamos que empezar por fascinarnos nosotros mismos. Cada uno de nosotros percibe el mundo a su alrededor (interactuamos con nuestro entorno), tiene una perspectiva frente a las cosas que ve (porque cada uno tiene una manera de ser) y socializa con su cultura (porque en ella nació y aprendió a contemplar el mundo). Cada ser humano es profundamente diferente de otro y, sin embargo, cuando compartimos una lengua, las personalidades, los caracteres, la educación… todo se disipa y nos entendemos unos a otros. Somos gramática, nos expresamos con ella y le transmitimos a nuestro vecino toda la fuerza de nuestra mentalidad con las palabras que elegimos.

Hacer a nuestro aprendiente partícipe de esta idea es dotarlo de una autonomía que no es típica del aula de lengua extranjera: él está a cargo de su comunicación y va a aprender una gramática que no solo le permitirá transmitir significados, sino *conceptualizar el mundo de la LE como lo hacen sus hablantes nativos*. Si logramos convencer al alumno de que el imperfecto y el indefinido, en lugar de ser dos formas asociadas a contextos diferentes, en realidad expresan diferentes modos de percibir el mismo hecho, le estaremos dando la opción de elegir cómo edificar su historia y qué transmitir con uno u otro. Si, además, le hacemos ver que esas mismas diferencias de perspectiva las hace él en su lengua por otros medios, entonces, el estudiante estará más en condiciones de notar que ese monstruo que llaman gramática le es más familiar de lo que pensaba.

Lo más importante de todo es que convencernos a nosotros mismos y a nuestros alumnos de que la gramática la tenemos todos dentro significa la posibilidad de liberarse o minimizar esos interminables listados de reglas que asignan formas a algunos significados y los mismos significados a otras formas distintas. Significa poder recomenzar el aprendizaje de la lengua extranjera con la confianza de que existe una lógica que gobierna el aparente caos de lo desconocido. Y, ante todo, significa tomar conciencia de que la gramática no es una simple parte de una lengua, sino el propio tejido de esa lengua, de que si comunicamos unas mentes con otras es gracias a la gramática.

Lo peor que puede pasar es que Jennifer se sorprenda un poco al darse cuenta de esto, como el gentilhombre de Molière al saber que hablaba en prosa.

5.3. La gramática no es digital, es analógica

La cultura de lo correcto o incorrecto en el aula puede hacernos pensar que los estímulos por los cuales tomamos decisiones gramaticales son procedimentalmente tan simples como un interruptor: o la cosa está *on*, o la cosa está *off*. Las tipologías más populares de ejercicios lo demuestran: *Completa con la forma correcta, decide si es correcto o incorrecto, elige la opción correcta*, etc. Pero la realidad supera también esta ficción. ¿Quién no ha sufrido lo indecible para diseñar un ejercicio de huecos en el que cupiera solo una posibilidad? ¿Cuánto hemos debido forzar la frase para conseguirlo y cuántas opciones igualmente 'correctas' hemos tachado para que no 'estorben'? ¿Cuántas respuestas absurdas hemos tenido que añadir a un ejercicio de opción múltiple para que solo una opción sea realmente válida? A todas luces, estamos forzando la naturaleza de la lengua:

> La aritmética demuestra que el número de oraciones de veinte palabras o menos (una extensión de lo más habitual) se aproxima a 10, es decir, un uno seguido por veinte ceros, o cien millones de billones o un centenar de veces el número de segundos transcurridos desde el inicio del universo.
>
> (Pinker 2001, p. 124)

Esta abrumadora evidencia combinatoria puede empezar a explicarnos el origen de nuestras dificultades, y convencernos con ello de la conveniencia de pensar en algún otro tipo de ejercitación más acorde con la realidad de la expresión lingüística.

Pero esto solo es el principio. Queda por considerar el otro lado, es decir, el estudiante que es invitado a asumir los fenómenos gramaticales a través de esta lente artificial. ¿Cómo le ayuda saber que ha acertado en la forma correcta si, en realidad, existe el peligro cierto de que en ese hueco puedan encajar con éxito muchas otras formas igualmente correctas? ¿Cómo podrá ser consciente, en consecuencia, de las diferencias de significado entre todas esas opciones que ignora? ¿Cómo le ayuda saber que ha errado en la elección de la forma correcta si no sabe en qué sentido y medida exactas ha errado?

Si, aún después de todas estas consideraciones, seguimos pensando que los ejercicios y *drills* de tipo discreto son adecuados, no hay nada que objetar a las técnicas al uso. Si, por el contrario, creemos que las decisiones formales obedecen a condiciones mucho más difusas y que la presencia de una sola palabra más en una frase eleva exponencialmente las posibilidades combinatorias del resto, entonces quizá nos sintamos animados a probar una metodología del tratamiento de la gramática más parecida a un sintonizador de radio que a un interruptor de luz: la gramática real no es una cuestión de correcto o incorrecto, es una cuestión de *grado* y *dirección*. Claramente, los hablantes nativos en su entorno natural de uso de la lengua no deciden qué forma gramatical usar en cada momento entre un repertorio de opciones binarias que o son correctas, o son incorrectas, ni tampoco les mueve al elegir el cuidado de no incurrir en incorrecciones. Eligen, por el contrario, entre un repertorio de formas que representan múltiples grados de fuerza representacional y diversas direcciones de interpretación, y les mueve la preocupación por transmitir eficazmente su intención comunicativa. Si queremos que la gramática del aula se defina y se practique a semejanza de la gramática natural, es decir, en términos de comunicación, tendremos necesariamente que hacer una gramática naturalista desarrollando e implementando técnicas donde este tipo de opciones significativas e intencionales prevalezcan sobre la artificialidad de las valoraciones binarias en términos de corrección.

Desde la perspectiva de que la interpretación gramatical es una cuestión de grado, ya de entrada, el incómodo y artificial concepto de corrección (correcto *vs.* incorrecto) puede ser inmediatamente sustituido por la idea de *seguridad* en la representación formal (más o menos seguro en relación a la intención comunicativa). La consecuencia inmediata es que las muestras de lengua pueden ser así evaluadas en términos comunicativos: una formulación puede ser perfectamente adecuada a una intención determinada; puede ser válida para trasmitir esa intención, aunque con cierta dificultad (*ruido*); puede ser no válida y no tener éxito comunicativo (*fracaso*), o puede ser perfectamente válida para transmitir un sentido que, sin embargo, no es el pretendido por el hablante (*equívoco*). Con un ejemplo, veamos las diferentes posibilidades de tratamiento que nos ofrecen ambas posturas a propósito de un ítem como este:

(Paula: *Dile que venga a la fiesta*)
Paula me dijo que _____ a la fiesta.

Evaluación discreta		Evaluación gradual
Correcto	*fueras, tenías que ir* *vayas, tienes que ir* …	**éxito** (si no quiere actualizar la petición) (si quiere indicar que todavía es actual)
Incorrecto	*tuvieras que ir* …	**ruido** (incorrecto, pero se puede interpretar)
	hayas ido …	**fracaso** (no se puede interpretar)
	ibas *vas* *irás* *irías* …	**equívoco** (transmiten una declaración, en lugar de una petición)

O el tipo de ejercitación al que esta perspectiva de 'grado' permite someter al estudiante, sustituyendo, en el siguiente ejemplo, la exposición a tres errores por cada forma correcta de un ejercicio tradicional, por una exposición a cuatro formulaciones correctas que solo se diferencian por su *dirección* (su significado y su sentido discursivo):

Interpreta el enunciado y marca la opción MENOS verosímil.

Carolina le dice a Emilio: Valdrá 15 000.

   a) *Los dos están mirando un coche en un escaparate.*

   b) *Carolina es vendedora y le dice el precio de un coche a un cliente.*

   c) *Los dos están pensando en comprarse un coche.*

   d) *Están hablando del precio de su coche dentro de un año.*

La lengua no es una televisión digital, que se ve estupendamente o no se ve en absoluto. La lengua es una televisión analógica que, entre verse estupendamente y no verse nada, se ve con rayas o borrosa o con el color alterado o con nieve. Quizá, pues, el enseñador de gramática no debería limitarse a entrenar al estudiante en apagar y encender los botones *on/off* del aparato. Quizá debería ayudarle más bien a orientar la antena en la mejor dirección posible.

6. Actividades de reflexión

Cuando la gramática es formal (apartado 2)

Actividades 1, 2 y 3.

Cuando la gramática es significativa (apartado 3)

Actividades 4 y 5.

Cuando la gramática es didáctica (apartado 4)

Actividad 6.

Cuando la gramática es real (apartado 5)

Actividad 7.

Qué gramática aprender

Una vez revisadas las características de estos diversos acercamientos a la gramática, vamos a abrir una reflexión sobre determinados conceptos que podrían ayudar a establecer una gramática de naturaleza cognitiva y de ambición operativa en el aula de español.

1. Pensamiento y lenguaje

¿Es el lenguaje el espejo del pensamiento? Al respondernos esta profunda cuestión podemos sentirnos atraídos fácilmente por esa idea determinista que anida en ciertas visiones folclóricas de la lengua:

> *Si uno dispone de un léxico muy reducido, tendrá también unas ideas muy reducidas. Solo se puede pensar con palabras; si hay pocas, habrá pocos pensamientos.* (Grijelmo, 2008)

Pensemos, sin embargo, un poco más allá:

> *La idea de que el pensamiento es lo mismo que el lenguaje constituye un buen ejemplo de lo que podría denominarse una estupidez convencional, o sea, una afirmación que se opone al más elemental sentido común y que, no obstante, todo el mundo se cree porque recuerda vagamente haberla oído mencionar y porque presenta implicaciones muy serias. [...] Todos hemos tenido la experiencia de haber proferido o escrito una frase y al momento mismo de terminar habernos dado cuenta de que eso no era exactamente lo que queríamos decir. Para que uno pueda sentir eso, tiene que haber un "algo que queríamos decir" que sea diferente de lo que dijimos. A veces no es sencillo encontrar palabras que valgan para expresar adecuadamente una idea. Cuando escuchamos o leemos algo, solemos recordar el sentido general, y no las palabras exactas, de modo que tiene que haber un sentido que no sea lo mismo que las palabras que lo expresan.* (Pinker 1995, pp. 59-60)

¿No es inquietante pensar que quizá profesores y estudiantes de lenguas comparten un mismo lenguaje del pensamiento, una especie de mentalés en el que la comunicación sería posible más allá de las diferencias formales de sus diferentes lenguas? Hay quien piensa así:

> *Conocer una lengua es saber cómo el **mentalés** a ristras de palabras y viceversa.*
> (Pinker 1985, p. 85)

Y pensar así, empezar a reconocer una diferencia radical entre la representación mental y la representación lingüística, tiene no pocas consecuencias sobre la enseñanza y el aprendizaje de lenguas.

1.1. No me digas lo que es la nieve

¿Cada lengua implica una visión del mundo diferente? ¿Aprender a hablar una segunda lengua implica, pues, aprender a recategorizar el mundo de nuevo? El determinismo lingüístico postula que cada cultura modela la lengua que usan sus hablantes y que el pensamiento está determinado por ella. Desde esta perspectiva, los hablantes de una lengua tenemos una percepción del mundo filtrada por los conceptos lingüísticos que usamos para referirnos a él. O sea, que la lengua, la cultura e, incluso, el entorno físico en el que nacemos determinan nuestra manera de pensar, y nuestra manera de percibir el universo variará según la lengua que hablemos.

¿Quién no ha oído hablar de los famosos esquimales y sus 400 palabras para definir la nieve? Esta leyenda urbana del mundo de la lingüística en realidad tiene su base en que la lengua de los esquimales tiene cuatro raíces diferentes (¡ni siquiera palabras!) para decir 'nieve', pero ha ido exagerándose calando en el imaginario popular como algo fascinante y exótico. Si lo pensamos, es una idea bien interesante: ya que viviendo los esquimales en un mundo dominado por la nieve, será este quien domine una porción significativa de su expresión lingüística. ¿Quién mejor que los inuits para desentrañar por medio del lenguaje los misterios de la nieve?

Sin embargo, si lo pensamos dos veces, en español podemos usar también muchas palabras para referirnos a la nieve (sin entrar siquiera en la terminología de los esquiadores): ventisca, nevada, helada, escarcha, carámbano, aguanieve, avalancha, nevazo, copo, granizo... Y en un país como España, popular por ser el país del sol y la playa, nadie diría ante tal despliegue de palabras que los españoles estamos influenciados por largos inviernos.

¿Cómo explicar entonces las evidentes diferencias en los esquemas conceptuales con que las diversas lenguas representan la experiencia humana? La respuesta resulta eficazmente sugerida en el siguiente párrafo:

> *Consideremos el ejemplo del compuesto español* coche bomba *y su homólogo inglés* car bomb. *Ambas expresiones hacen referencia exactamente al mismo tipo de artefacto, pero su estructura núcleo–complemento es justamente la inversa. Siguiendo los esquemas sintácticos del castellano,* bomba *modifica a* coche; *en cambio, en inglés se da justamente lo contrario:* car *modifica a* bomb. *[...] Lo importante de tal concepción es entender que, a pesar de que* coche bomba *y* car bomb *implican diferentes imágenes, eso no significa que los hispanohablantes y los anglohablantes tengan diferentes "visiones del mundo" de este artefacto mortífero. De ser así, se podría argumentar que los* car bombs *del inglés son más peligrosos que los* coches bomba *del castellano, puesto que uno perfila un tipo de bomba y el otro, un tipo de coche. Tal afirmación carecería de fundamento: designamos una misma entidad, pero a través de imágenes distintas. Lo esencial es, sencillamente, reconocer la íntima relación que existe entre conceptualización y gramática, sin llevarla hasta sus últimas consecuencias.* (Cuenca y Hilferty 1999, pp. 80-81)

Al igual que un hablante polar y un hablante tropical no tienen una idea fundamentalmente diferente de la nieve que ponemos en sus manos, un coche bomba no es comprendido de manera diferente por anglófonos o hispanohablantes, solo es *representado lingüísticamente* de manera diferente, aunque igualmente lógica: a pesar de nuestras diferentes elecciones gramaticales, Charles puede acordar conmigo que se trata de un coche destinado a actuar como una bomba y yo puedo acordar con él, sin mayor problema, que se trata de una bomba vehiculada por un coche.

La evidencia de que Charles y yo tenemos exactamente *la misma idea* de lo que es un coche bomba, de que lo único que cambia es la manera de *representar* este concepto y de que esta diferencia es comprensible por ambas partes, nos abre toda una nueva vía de instrucción gramatical.

Si aprendientes y enseñantes optaran por esta vía quedaría claro que, en muchas ocasiones, lo que parecen diferencias gramaticales insalvables entre la lengua del aprendiente y el español no son más que una cuestión de perspectiva. Y que, en muchas otras ocasiones, marcas gramaticales inexistentes en su lengua responden fielmente a conceptos que ellos manejan en *mentalés* (sin marcas morfológicas): 'ser' y 'estar', indicativo y subjuntivo, imperfecto e indefinido pasarían de ser listas caóticas de usos a parejas de formas que diferencian en español conceptos universales que todas las lenguas diferencian igualmente de uno u otro modo. Jennifer y Mathias pueden *recordar* esa interminable lista de usos o bien pueden *comprender* que, en realidad, estas alternativas imponen decisiones que ellos mismos tienen que tomar permanentemente en la interpretación y producción de los enunciados en su propia lengua. Porque las lenguas no son más que códigos diferentes para compartir mecanismos de conceptualización del mundo idénticos en sus fundamentos.

Pero, ¿con qué materiales se construyen estos conceptos? ¿Son también compartidos por hablantes de diversas lenguas? La más sofisticada y abstracta de las habilidades cognitivas humanas ha sido construida con los ladrillos de las más simples y tangibles arenas materiales. El pensamiento es, básicamente, metafórico.

1.2. Metáforas de la gramática cotidiana

Lejos de ser un tratado filológico no apto para no iniciados o una amalgama de reglas y excepciones concebidas para hacerle la vida imposible a profesores y a estudiantes, la gramática de una lengua es un ente fascinante y dinámico, con una capacidad inmensa de generar comunicación y hacer del intercambio entre hablantes un verdadero espectáculo expresivo. El *cómo* de esta afirmación tiene su razón de ser en las metáforas.

Una metáfora conceptual consiste en la formulación de una idea abstracta por medio de formas lingüísticas que la representan en términos más concretos, como cuando nos referimos a *la vida* como *un viaje* y queremos con ello referirnos a sus etapas, sus vivencias, sus experiencias y su idea de tener un comienzo y un final. Generalmente, las metáforas han sido objeto único de estudio de la literatura, pero desde un punto de vista lingüístico, son un excelente filón para investigar con más detenimiento la relación entre el lenguaje, el pensamiento y la gramática que une ambos.

Por ejemplo, cuando decimos que alguien es nuestra 'mano derecha', nos estamos refiriendo a que esa persona nos ayuda de forma absolutamente efectiva y que es digna de confianza. La metáfora alude a la movilidad y funcionalidad que nuestra mano derecha nos dispensa, porque además funciona según nuestro mandato, por lo que nunca hará nada que nosotros no queramos. El trasladar esa conceptualización que conocemos y que nos es familiar para describir a una persona hace que le otorguemos esas características a ella también en un sentido más abstracto.

Lógicamente, las manifestaciones más visibles de este fenómeno las encontramos en el vocabulario y las expresiones idiomáticas, tradicionalmente desterradas de la lógica lingüística. Sin embargo, *salir del armario, tragarse un sermón, digerir una propuesta* o *tratar fríamente a alguien* son metáforas perfectamente motivadas que instrumentan imágenes cotidianas para expresar conceptos más complejos, como el poco cariño o desinterés hacia otra persona, que hace que le demos un trato reservado y poco amigable, o que el poco control físico que podemos ejercer cuando nos tragamos algo, es el mismo que el que nos hace escuchar sermones sin poder protestar o hacer nada al respecto. Al mirar de cerca las expresiones idiomáticas de diferentes lenguas podemos ver que, aunque la forma de expresar una idea varíe de lengua a lengua de manera aparentemente caprichosa, la conceptualización de lo expresado es la misma: *criar malvas* en español, *to be pushing up the daisies* en inglés (literalmente, 'empujar hacia arriba las margaritas') o *die Blumen von unten angucken* en alemán (literalmente, 'mirar las flores desde abajo'), son expresiones coloquiales que usan la botánica para referirse a la misma idea: estar muerto.

Pero no solo el vocabulario o las construcciones idiomáticas son metafóricas. Lo más sorprendente es que, incluso, la gramática lo es: la preposición 'a' será siempre entendida como destino (*me voy* a *mi casa, te doy el libro* a *ti, le dije el secreto* a *mi madre*), 'de' siempre introducirá un origen (*esta silla es* de *madera, el libro* de *Rosa María, yo soy* de *Nueva York*) y 'para' una dirección (*tengo un regalo* para *ti, vamos* para *la fiesta, te lo explico* para *que lo entiendas*).

Con un ejemplo de construcción sintáctica, pensemos en cómo expresamos nuestra edad, comparando tres lenguas más o menos diferentes unas de otras, como lo son el español, el inglés y el turco:

Tengo 35 años.
I am 35 years old.
35 yaşındayım.

En el caso del español, los años se han convertido en un *objeto*, como si se tratara de algo que pudiéramos ir guardando en una especie de cofre. En inglés, el hablante se identifica con los 35 años que ha vivido: la persona, conceptualmente, *es vieja* en esa proporción. En cambio, en el caso del turco, lo que el hablante nos dice —literalmente— es que *está en la edad de 35*. Es decir, que los años se han convertido, de nuevo metafóricamente, en un *espacio*.

En ninguno de los tres casos la lengua posee un verbo específico para referirse a la experiencia de acumular años: las tres lenguas se sirven de vocabulario proveniente de experiencias en otros campos sensoriales para representar en el discurso el concepto de edad. Desde ese punto de vista y para el caso del español, no es el verbo 'tener' el que se ha vaciado de su sentido original de 'poseer', más bien son los años los que se han convertido en algo que no es exactamente una fracción de tiempo y que, de alguna manera, puede tenerse y almacenarse. Y lo más sorprendente de todo es que cualquier hablante sea capaz de comprender a qué nos estamos refiriendo y que a nadie le extrañe que se proponga *darle* cinco minutos a alguien o que el público le *pida* la hora al árbitro, incluso la primera vez que se oye dicha expresión.

1.3. Gramática y perspectiva

El mundo no es como es, sino como queremos verlo. Woody Allen lo ejemplificaba muy bien en su personaje de *Sueños de un seductor*:

Dick: *¿Qué? ¿Te peleaste?*
Allan: *Sí.*
Dick: *¿Con quién?*
Allan: *Unos tipos se pusieron un poco pesados con Julie y tuve que darles una lección.*
Dick: *¿Y estás bien?*
Allan: *Sí, muy bien. Le aticé con la barbilla al puño de uno y al otro le golpeé en plena rodilla con la nariz.*

Con frecuencia, alumnos —y también profesores— buscan distintas escenas objetivas detrás de expresiones lingüísticas diferentes, pero en muchos más casos de los que nos gustaría esa búsqueda es en vano: en un buen número de ocasiones, la escena a la que hacemos referencia, considerada como evento extralingüístico perceptible por los sentidos, es la misma, tanto si empleamos una forma gramatical, como si empleamos otra. Todo lo que ocurre es que la misma *escena objetiva* está siendo contemplada desde ópticas o perspectivas diferentes. En la imagen propuesta abajo, el cubo es, en cualquier caso, el mismo, se observe desde donde se observe, pero podemos obtener diferentes imágenes de él según la perspectiva que adoptemos para verlo. Si miramos el cubo desde delante (perspectiva A), obtendremos una perspectiva y, consecuentemente, una *imagen lingüística* A, es decir, una codificación lingüística de esa perspectiva. En cambio, el mismo cubo, observado desde atrás (perspectiva B), nos proporciona otra perspectiva del mismo cubo y, por tanto, nace de ella la imagen lingüística B:

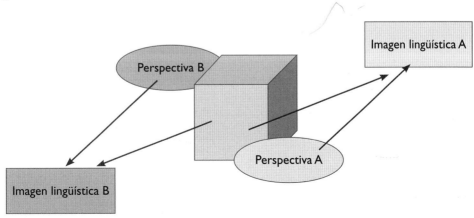

Veamos un ejemplo concreto con los tiempos de pasado. Alguien habla de su abuelo, que falleció hace años y dice:

> Mi abuelo siempre *fue* muy atento.
> Mi abuelo siempre **era** muy atento.

Estos casos pueden llegar a generar una cierta confusión en el aula. Se puede decir, por un lado, que las dos cosas tienen el mismo significado, y algunos profesores optarían por ello, y sería cierto que las dos expresiones son sinónimas, siempre y cuando entendamos por significado la escena objetiva a la que nos remite el mensaje, que, en este caso, es la de un señor siempre atento y que ya no se encuentra entre nosotros. Otros profesores, en cambio, quizá optarían por improvisar explicaciones más o menos intuitivas o aventuradas: *En la primera, el abuelo es atento en un tipo de contexto determinado; en la segunda, es atento por naturaleza, se habla de su carácter en cualquier contexto.* O bien: *En el primer caso se narra un comportamiento, en el segundo caso hace una descripción de la persona.* Explicaciones de este tipo, que en un determinado momento pueden servirle al docente para salir del paso, no dan las claves para que el estudiante pueda comprender la diferencia.

En realidad, la solución no es conceptualmente mucho más complicada –y seguramente sí más sencilla– que ese tipo de explicaciones: en este caso concreto, las dos expresiones, *siempre fue atento* frente a *siempre era atento,* nos ofrecen dos ópticas distintas de una misma escena. En palabras de Castañeda (2004, p. 12):

> *Muchas distinciones lingüísticas que se resisten a una descripción basada en condiciones de verdad pueden ser explicadas como percepciones o imágenes lingüísticas distintas de una misma realidad. Se habla del mismo estado de cosas, de los mismos objetos, pero desde distintas perspectivas, situándolos respecto de dimensiones y espacios de localización y actualización diferentes.*

Por ejemplo, hablando de Federico García Lorca, podemos decir tanto que *fue un gran poeta* como que *era un gran poeta,* sin que ello nos remita a diferencias en la escena objetiva a la que nos referimos. Desde la óptica de la lingüística cognitiva, las diferencias entre decir que 'fue' o que 'era' un gran poeta, o que me corté el pelo 'por' no tener problemas con mi padre o 'para' no tener problemas con mi padre, son diferencias de *imagen lingüística,* no de escena objetiva: se trata del mismo hecho, solo que observado desde perspectivas diferentes.

Toda construcción lingüística es una cuestión de perspectiva, pero esto no es un capricho de la lengua. Tiene que ver con la propia naturaleza de la percepción humana de la realidad. Los estímulos sensoriales que nos proporciona el mundo exterior son extraordinariamente numerosos, pero nosotros imponemos un orden particular en ese caos 'objetivo' poniendo de relieve lo que nos interesa en cada caso. Es lo que la psicología gestáltica denomina *figura* y *fondo,* o lo que, en gramática cognitiva, cubren los conceptos de *perfil y base.* Según este punto de vista, toda expresión lingüística, desde el lexema más simple a la más complicada de las construcciones, adquiere su significado delimitando un perfil sobre una base. La base cuenta como el trasfondo de dominios cognitivos que se necesitan para dar sentido a la expresión y el perfil como la subestructura destacada de ese fondo que constituye el concepto representado.

Las palabras 'pierna', 'rama', 'puerta', en efecto, no designan objetos exentos que se puedan definir por sí mismos, sino solo en relación con bases como *cuerpo, árbol* o *casa,* respectivamente. Pero esta perfilación cognitiva que ejercemos al representar lingüísticamente el mundo no es una simple opción a nuestro alcance. Realmente determina el modo en que representamos la realidad por encima de nuestra voluntad.

Considérense los siguientes enunciados. Todos y cada uno de ellos describen objetivamente bien el contenido de las imágenes. ¿Por qué, entonces, los de la columna 1 suenan naturales, mientras que sus correspondientes versiones en la columna 2 suenan extraños, muy marcados en algún sentido?

1	2
a) *Mujer en sofá.*	a) *Sofá debajo de mujer.*
b) *Luisito se parece mucho a su padre.*	b) *El padre de Luisito se parece mucho a Luisito.*
c) *La bicicleta está junto a la casa.*	c) *La casa está junto a la bicicleta.*

Las frases de la columna 2 se podrían decir sin problemas, pero nunca se podrían considerar neutras. Al contrario, están fuertemente marcadas en el sentido de que ejecutan una perfilación lingüística contraria a la que es perceptivamente más prominente en cada caso: a nuestros ojos, las personas suelen ser más relevantes que los sofás, los descendientes adquieren el parecido de los ascendientes y los objetos pequeños y móviles se localizan con respecto a los grandes y fijos. Y no al contrario.

Pero lo más interesante de este hecho, para nuestro propósito, lo constituyen los casos en que realmente no hay una lógica perceptiva que desafiar, sino que existen diversas perspectivas igualmente verosímiles que, sin embargo, transportan interpretaciones de la realidad completamente diversas, y entre las que no se trata de qué poder elegir: se trata de elegir *obligatoriamente.* Veamos un ejemplo muy simple de vocabulario y otro un poco más elaborado de gramática.

¿Qué realidad objetiva diferente representan el concepto de 'pez' y el de 'pescado'? De acuerdo, alguien podría argumentar que llamaríamos *más bien* 'peces' a los animalitos de la imagen 1, y *más bien* 'pescados' a los de la imagen 2, pero ¿cómo llamaríamos a los de la imagen 3? Y lo peor: ¿no podríamos invertir la denominación anterior para las imágenes 1 y 2? ¿Acaso todo pescado no es un pez y todo pez un pescado en potencia? Evidentemente, estas dos palabras solo se definen en virtud de dos diferentes perfilaciones del objeto al que hacemos referencia obtenidas de dos bases distintas: la categoría de los *alimentos*, para el pescado, y la de los *animales*, para el pez.

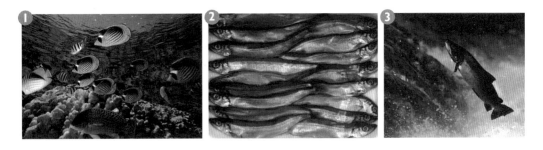

De igual modo, la forma en que se construye gramaticalmente un enunciado delata la perspectiva adoptada por el hablante ante el significado que se representa. Las dos siguientes frases, por ejemplo, interpretan una misma realidad objetiva (la no disponibilidad momentánea de una información por un individuo) mediante dos imágenes lingüísticas diferentes y, por tanto, con dos significados diferentes. ¿Por qué en el caso de la segunda tenemos la sensación de que Lelo es menos responsable del olvido que en la primera?

Lelo *ha olvidado el número.*

A Lelo se le ha olvidado **el número**.

A poco que reparemos en la estructura sintáctica elegida, se hará evidente que la mayor responsabilidad que notamos en la primera formulación se debe a que Lelo se presenta como el sujeto agente (*él* ha olvidado), mientras que en la segunda se ha relegado a Lelo al papel de sufridor de un proceso que se produce en los exclusivos límites del sujeto, que ahora es el propio número: '*el número* se ha olvidado/ha sido olvidado –en relación con Lelo'[1]. Todo depende, pues, de qué actantes situamos como fondo y cuáles destacamos como figura, es decir, de cómo y sobre qué bases ejecutamos la perfilación de los elementos configurados.

2. Forma y significado

Qué duda cabe: las unidades lingüísticas son formas que transportan significados. Pero, ¿sobre cuál de estas instancias extiende sus leyes la gramática, sobre la forma o sobre el significado?

---

[1] No se deje el lector confundir por ese inefable 'se' de involuntariedad que suele engordar la lista de falacias gramaticales, porque no es el "se" el que aporta este valor al enunciado. Solo hace falta considerar que si alguien ve un vaso encima de una mesa y empuja el vaso, *el vaso se cae*. Y eso, con toda la voluntariedad del mundo.

La respuesta del hablante común suele depender de su edad. Un niño de preescolar se niega a admitir que el enunciado *La suciedad me hace estar limpio* sea correcto (ya que es totalmente contrario a lo que él sabe sobre la suciedad y la limpieza) o considera que una palabra como 'pera' es indudablemente más grande que una palabra como 'piruleta' (ya que una pera es decididamente más grande que una piruleta). El significado parece dominar sobre la forma en esta etapa de la vida hasta tal punto que cuesta pensar en ella a título propio (Blakemore y Fritz 2007, p. 69).

Sin embargo, llegado a adulto, el mismo individuo no tendrá ningún problema en dar por bueno este mismo enunciado o en concluir, con Chomsky, que su famosa frase *Las verdes ideas incoloras duermen furiosamente* es una demostración incontrovertible de la independencia entre sintaxis y semántica, ya que podemos decir algo gramaticalmente impecable sin significado alguno.

Pero, ¿de verdad esta frase no tiene significado? ¿No tiene, en realidad, un significado pleno, solo que absurdo? ¿Cómo, de hecho, podríamos decir que es una frase absurda si no tuviera *significado*? ¿Acaso no significaría algo bastante diferente formulada como *Ideas rojas sin color despiertan con furia*? ¿Cómo podríamos percibir una diferencia de significado si no significaran nada? La gramática, para bien o para mal, es significado en sí misma[2].

En el aula de lengua, la cómoda separación entre forma y significado parece constituir, por tanto, un mito destinado a demostrar su inoperatividad a poco que sea puesto a prueba, quizá simplemente porque, como hemos argumentado, representa una imagen falsificada de la propia naturaleza del lenguaje. Y este mito genérico amenaza seriamente, en especial a una práctica tan igualmente cómoda como igualmente engañosa: la de eludir la explicación de las diferencias formales so pretexto de *sinonimia*.

2.1. El principio de no sinonimia

Uno de los principios incuestionables de la lengua es el de 'economía', que establece que las lenguas tenderán a deshacerse de aquellos ítems lingüísticos que sean redundantes, que tengan una forma en competencia que los supera o que hayan caído en desuso. Estos cambios no ocurren de la noche a la mañana, sino que son parte de un proceso histórico que se justifica porque las lenguas son activas, dinámicas y no un conjunto inmóvil de normas y preceptos. Las lenguas se ajustan a los cambios sociales, a los usos, la evolución… y eso afecta directamente a sus gramáticas.

En el mundo de la lingüística cognitiva existe una corriente llamada *gramática de construcciones* (en inglés, *construction grammar*) en la que su creadora, la lingüista Adele Goldberg (1995), recogía y reelaboraba el *principio de no sinonimia* propuesto por Bolinger (1968, p. 127)[3]. Según esta corriente, las 'construcciones' son unidades básicas comunicativas formadas por varias palabras e incluyen información semántica, sintáctica y pragmática. Pueden ser frases enteras o sintagmas que combinan preposiciones, verbos, sustantivos…, todo lo

---

2   Una de las viñetas cómicas de la página *www.toothpastefordinner.com* interpreta muy bien el significado gramatical en la siguiente frase: *I am so adjective, I verb nouns*.

3   *A difference in syntactic form always spells a difference in meaning.*

necesario para codificar una *información* o una *idea*. Según Goldberg, el principio de no sinonimia establece que el hecho de que una construcción codifique información en los tres
niveles (sintáctico, semántico y pragmático) hace imposible que haya sinonimia en todos
ellos. O sea, que si dos construcciones tienen la misma estructura sintáctica, habrá una diferencia en su semántica o en su pragmática, o, si son semánticamente iguales, su sintaxis o su
valor pragmático habrán de implicar diferencias. Así, en las frases *Rebeca besa a Javier* y *Javier
besa a Rebeca*, a pesar de que sintácticamente las oraciones son iguales (hay un sujeto que
realiza una acción sobre otro, que es objeto directo) y semánticamente son Javier y Rebeca
los que se besan, pragmáticamente hay una enorme diferencia entre una y otra, pues, en el
primer caso, es ella quien tiene la iniciativa y en el segundo caso es él.

Con este último ejemplo, los lingüistas cognitivos Tyler y Evans resaltan la importancia
de la perspectiva a la hora de expresar significados, porque «una escena conceptual puede
visualizarse desde un número de posiciones de ventaja y cada cambio de posición puede dar
lugar a un cambio en la interpretación de la escena» (Tyler y Evans 2004, p. 276). Por esta
razón, tanto las construcciones como las palabras podrán ser tangencialmente sinónimas,
pero la intención comunicativa del hablante les proveerá de una riqueza tal, que la manera
de expresar una información nunca podrá ser completamente sustituida por otra.

Por ejemplo, la palabra 'estructura' es, entre otras muchas, sinónima de 'organización'
y, en algunos casos, puede que sea cierto desde un punto de vista semántico objetivo, como
en la estructura/organización del índice de un libro, pero los hablantes, en su uso diario de
la lengua, no la harán coincidir nunca, ni siquiera en el caso anterior, pues algunos escoge-
rán 'estructura' para comunicar una visión *arquitectónica* del índice como un esqueleto, un
andamio de epígrafes que construyen el todo del libro, mientras que otros hablantes impri-
mirán una percepción *de orden* al escoger 'organización' como ordenación de contenidos,
puesta en fila temática o cronológica, para facilitar al lector el acceso a los temas.

Y lo que es verdad de los lexemas, lo es también de los morfemas y las construcciones
gramaticales. ¿Quién no ha tenido que contestar en clase a una pregunta de este tipo?

> *¿Qué es más frecuente para hablar del futuro en español: el presente, el futuro o la perífrasis* ir
> a + infinitivo*?*

Esta pregunta, por supuesto, tiene una respuesta estadística, pero lo importante aquí es:
¿qué sentido tiene una respuesta estadística en el aula de español?

Para el estudiante, claramente, se trata de un intento desesperado por librarse de la
estresante diversidad de datos que lo asaltan e identificar la forma con la que supone que
acertará en un mayor número de ocasiones. Para el profesor posiblemente suponga una manera de identificar qué debería enseñar primero.

Pero tanto uno como otro están engañándose, ya que, en realidad, la pregunta pertinente sería esta:

> *¿Qué diferencia hay entre una y otra forma de hablar del futuro en español?*

Efectivamente, igual que llega un día para cada niño en que más vale que deje de creer en los Reyes Magos, existe un día para cada estudiante en que más le vale empezar a aceptar que cada forma representa un significado distinto. Es una verdad que no es agradable admitir, ya que hace pasar al estudiante de su papel de reproductor obediente a un nuevo papel de usuario responsable, pero es una verdad que es conveniente aceptar cuanto antes.

En la pregunta en el aula a la que antes aludíamos, las diferencias formales tienen una muy sustanciosa consecuencia en el significado con que se interpretan: con una forma se *afirma* el hecho futuro (*voy mañana*), con otra se *predice* ese mismo hecho (*iré mañana*) y con la tercera se declara ese hecho como '*plan* en marcha'. Es evidente que en relación al estudiante de español, la preocupación estadística carece por completo de sentido.

Si creemos que a cualquier cambio formal corresponde un cambio semántico, el objeto de la instrucción gramatical debe consistir en proporcionar los diferentes valores con que diferentes formas alteran el significado transmitido en diferentes grados y direcciones. El *también es posible* con que el profesor o el libro suele acompañar a las diferentes versiones formales de una misma función se debería convertir, así, en un *depende de qué quieres decir*:

(a) *Estamos aguardando a que se levante / se haya levantado el bloqueo para poner nuestros equipajes a bordo.*

(b) *Mañana voy / iré al supermercado.*

(c) *Yo que tú no iba / iría.*

(d) *Le dije eso para / por no hacerle daño.*

(e) *El automóvil es / Los automóviles son el mejor invento de nuestro tiempo.*

(f) *La mayoría salió / salieron por la puerta de emergencia.*

(g) *Me obligó a entrar / que entrara con ella.*

El estudiante de español debería conocer las diferencias y hacerse responsable de ellas: el contraste de aspecto (terminativo/no terminativo) que da la sensación de mayor exigencia en (a), el contraste modal (afirmación/predicción) que proporciona mayor fuerza declarativa al presente e imperfecto en (b) y (c), la diferente interpretación de un móvil como objetivo o como causa en (d), la abstracción antonomástica o la concreción totalizadora como diferentes medios de generalización en (e), la consideración de un grupo como conjunto único o como suma de individuos en (f) o la diferente percepción de la escena que produce la opción generalizadora del infinitivo frente a la particularizadora (y redundante) de la forma personal en (g). Todo ello con previsibles profundas consecuencias sobre la interpretación semántica, discursiva y pragmática de cada enunciado en cada una de sus formulaciones.

2.2. Una lengua no es un puzle

La importancia del significado queda manifiestamente de relieve cuando intentamos regular la gramática prescindiendo de él. En la conocida obra de Lewis Carroll, *Alicia a través del espejo*, la protagonista discute de semántica y pragmática con el arrogante huevo Humpty Dumpty en un pasaje muy conocido:

▶ *Cuando yo uso una palabra —dijo Humpty Dumpty con tono bastante despectivo—, significa exactamente lo que yo quiero… ni más ni menos…*
▷ *La cuestión es —insistió Alicia— cómo puede lograr que las palabras signifiquen tantas cosas diferentes.*
▶ *La cuestión es —dijo Humpty Dumpty— ver quién manda… Eso es todo[4].*

La fama de esta cita aplicada al ámbito pragmático es ampliamente merecida. No solo ha encajado en filosofías del lenguaje de todo alcance y jaez, sino que ha sido reclamada incluso como argumento en disputas legales (en Estados Unidos se encuentra citada en al menos 250 resoluciones judiciales, incluyendo dos casos del Tribunal Supremo). Pero, ¿qué tiene que ver esta agudeza literaria con la gramática?

Como veíamos más arriba («La escora hacia la forma», Capítulo I, 4.1.), la fijación de la instrucción gramatical en la forma es muy comprensible: la forma es evidente; el significado, escurridizo. Por simple comodidad, las reglas gramaticales y su práctica incurren con tozuda asiduidad en lo que podríamos llamar 'gramática puzle': las piezas azules encajan con las rojas, las verdes van con las amarillas… Considérense los siguientes ubicuos casos de regulaciones gramaticales:

a) *Pienso que* va con indicativo; *No pienso que*, con subjuntivo:

*Pienso que lo **sabe**.*

*No pienso que lo **sepa**.*

b) *Este año* va con pretérito perfecto; *Aquel año*, con pretérito indefinido.

*Este año **hemos aumentado** las ventas.*

*Aquel año **aumentamos** las ventas.*

c) Si el complemento directo es una persona, lleva la preposición 'a'; si es una cosa, no lleva preposición.

*Llamé **a** un amigo.*

Compré Ø una casa.

Sin embargo, parece que la lengua no funciona exactamente así…

a) *Si yo no pienso que **tengo** fiebre, me siento mejor.*

b) *Estuvimos allí entre 2004 y 2006, y luego otra vez en 2009. Y este año **fue** el mejor.*

c) *Echo de menos Ø un amigo de verdad.*

¿Qué hacer con estos incómodos vecinos? ¿Mentimos echando la culpa a la incuria de los hablantes? ¿Nos resignamos a dar reglas sobre lo que a veces pasa, dando el resto por excepción? Ni una táctica ni la otra son necesarias si nos damos cuenta de algo muy simple: la gramática no establece reglas sobre las formas, sino sobre los significados que el hablante está otorgando en cada momento a esas formas que elige. Simplemente con este cambio en

---

4 Edición de Editorial Juventud, 2006.

el objeto de las reglas obtenemos una explicación lógica y satisfactoria de todo lo que antes estaba condenado a ser excepción. Así, en las oraciones anteriores:

a) *No pienso que* no tiene el sentido de 'no creo que', sino el de 'no reparo en que';

b) *Este año* no significa 'el año actual', sino el último año mencionado en el discurso precedente, que es exactamente 2009, y

c) *Un amigo de verdad* no es aquí, conceptualmente, una persona, sino una categoría.

De ello cabe extraer una primera regla de oro en la instrucción gramatical:

> *Toda regla que se aplique a las formas gramaticales **como formas**, sin tener en cuenta su significado, carecerá de operatividad.*

Si Alicia quiere aprender español, pues, parece que debería prestar más credibilidad a las aparentes locuras de Humpty Dumpty. El hablante está condenado a decir lo que quiere decir, diga lo que diga la regla. Y Alicia deberá asumir que no estrenará realmente su nueva lengua hasta que no se haya hecho dueña de las palabras y les haya hecho saber «quién manda».

2.3. Una lengua es un *pictionary*

Como vimos más arriba («Gramática y perspectiva», 1.3.), el pensamiento humano no es objetivo. Las condiciones gramaticales que determinan nuestra capacidad de representar lingüísticamente el mundo son esclavas —o hermanas, según se mire— de las condiciones cognitivas en que nos es dado percibir físicamente ese mundo. Consecuentemente, la gramática es metafórica y las construcciones lingüísticas representan perspectivas. Esta conciencia nos permite instaurar una especie de segunda regla de oro en la instrucción gramatical:

> *Toda regla que establezca una conexión directa entre formas gramaticales y realidades externas **objetivas** carecerá de operatividad. La lógica de la gramática no es objetiva y discreta, sino figurativa y experiencial.*

Armado con una filosofía netamente objetivista en su cruzada prescriptiva, Fernando Lázaro Carreter (2003, p. 206) demostraba con qué facilidad se puede malentender el significado lingüístico en una de sus censuras del español periodístico (*Comete falta **sobre** Overmars*). ¿Realmente constituye un error el uso de 'sobre' en estos casos? ¿Qué sugieren las diferencias entre los siguientes resultados de búsqueda obtenidos en *Google*?

Google | Falta contra el Madrid

Búsqueda   Aproximadamente 8 250 resultados.

Todo

▌Imágenes

Maps

Falta **contra** *el Madrid:* 8 250 resultados.

Falta **contra** *Cristiano:* 1 770 resultados.

Falta **sobre** *el Madrid:* 2 resultados.

Falta **sobre** *Cristiano:* 34 800 resultados.

Al parecer, las preferencias caen claramente del lado de 'contra' en el caso del equipo y claramente del lado de 'sobre' en el caso del jugador. ¿Por qué? ¿Tendrá algo que ver la diferencia en la manera en que nos representamos visualmente la comisión de una falta personificada en el campo de fútbol (*falta* **sobre** *Cristiano*), frente a la manera en que visualizamos una falta extendida metonímicamente al club al que pertenece el jugador (*falta* **contra** *el Madrid*)? ¿Por qué a un nativo –no dedicado a buscar falsos pecados en la lengua– le resulta tan fácil dar por natural la expresión *falta* **sobre** *el jugador* y tan aceptable la expresión *falta* **contra** *el Madrid*, pero le resultaría en cambio disparatado decir *falta* **sobre** *la ley* o **sobre** *la decencia* o **sobre** *la policía*?

Parece evidente (y quizá nunca mejor dicho) que asistimos a un *contínuum* gradual de aceptabilidad que se define estrictamente en términos de *concepción visual* del hecho: cuanto mayor sea la posibilidad de comprender la 'falta' como un movimiento de un elemento sobre otro, más probabilidad de que la preposición 'sobre' sea usada. En los ejemplos que hemos visto, podemos dividir este *contínuum* en tres cortes:

a) Si el término es una persona, y el contexto es el fútbol, la decisión ampliamente preferida es 'sobre': *Comete falta* **sobre** *Overmars*.

b) Si el término es una entidad no personal, pero admite una extensión metonímica del tipo 'la institución por el jugador', entonces la opción con 'sobre' será posible en esa estricta medida, aunque, en cualquier otro caso, la opción preferida es 'contra': *Comete falta* **contra** *el Madrid*.

c) Si el término, en cambio, es una entidad no personal ni personificable (ley, decencia) o es una entidad personal o personificable, pero el tipo de falta no es visualmente concebible como una superposición al término (un juez en un juicio, la policía), entonces la opción 'sobre' es plenamente rechazada: *Si haces eso, cometes una falta* **contra** *la ley, La minifalda es una falta* **contra** *la decencia, Cometió un falta* **contra** *el juez del encuentro, Fue hallado culpable de faltas* **contra** *la policía*.

Si el contraste entre simples partículas o morfemas gramaticales puede verse fácilmente como una cuestión de representación perceptiva de una realidad concebida en términos sensoriales, otro tanto sucede con las construcciones gramaticales. Consideremos, por ejemplo, esa ubicua regla que prohíbe el uso de posesivos con partes del cuerpo, con la buena intención de evitar entre el alumnado esos fáciles *Rompí mi pierna* o *Ha tocado su cabeza*. Pero, ¿realmente los posesivos no se usan con partes del cuerpo?

Imagine que es usted un creativo publicitario, y necesita un lema que venda bien su producto, por ejemplo, un champú. ¿Por cuál de las dos siguientes formulaciones se decidiría?

   a) *Lorenasil me deja el pelo fantástico.*
   b) *Lorenasil deja mi pelo fantástico.*

Si usted perteneciera a la plantilla de la Fundación del Español Urgente (en adelante Fundéu) o similar, la cosa sería muy simple: excusado de detenerse en entender qué se dice con lo que se dice mediante el lenguaje, rechazaría de plano la segunda opción como una incorrección o un anglicismo, y usaría la opción considerada *correcta* por defecto. En cambio, si usted es un usuario eficaz del español y actuara como tal, inmediatamente notaría que no es igual decirlo con la primera formulación que con la segunda, así que tendría que elegir entre dos *imágenes lingüísticas* ligeramente diferentes que provocan dos *percepciones* diferentes de los mismos elementos:

   a) *Lorenasil **me** deja* (a mí, ¿y a usted?) *el pelo fantástico.* El tema es 'yo', y las potenciales clientas se sentirán movidas a comparar a la chica (con su pelo) con **ellas** mismas (y su pelo).

   b) *Lorenasil deja **mi pelo*** (¿y el suyo?) *fantástico.* El tema es 'el pelo', lo que hace que sugiera a las potenciales clientas que fijen su atención más bien en el pelo de la chica en sí mismo, que en el pelo como atributo de la chica, y comparen *su pelo* (de la chica) con *su pelo* (de ellas mismas).

Por supuesto, puede haber razones bien fundamentadas para elegir una u otra opción, pero lo que no ofrece duda es que la elección no constituye una simple cuestión de corrección, sino que implica la transmisión de dos significados representacionalmente muy diferentes, con los efectos que ello puede conllevar: uno busca que la espectadora o lectora compare a la modelo con ella misma; el otro, que esta comparación se limite al pelo de ambas[5].

Para acudir en corrección de la posible idea de que todo esto puede no ser más que sutilezas estilísticas del lenguaje, perfectamente prescindibles en el aula de español, en primer lugar recordaremos con algunos ejemplos que la opción «oficialmente des–recomendada» convive perfectamente con la recomendada, al servicio de ese ligero cambio de foco que produce:

   ¿Por qué mi brazo y mi pierna izquierda se duermen cuando me acuesto?

---

5 Con un ejemplo ahora de persecución de efectos estéticos –en lugar de comerciales–, la breve descripción de un beso que constituye el capítulo 7 de *Rayuela*, de Julio Cortázar, hace uso extensivo de esta estrategia de singularización de las partes del cuerpo (*Toco tu boca, con un dedo todo el borde de tu boca, voy dibujándola como si saliera de mi mano, como si por primera vez tu boca se entreabriera…*), a través de la cual consigue que la imagen objetiva de dos personas que se besan se perciba atomizada en un ir y venir de bocas, dedos, ojos o lenguas con aparente vida propia.

Después de la operación así se quedó mi brazo.

Dame tu brazo, Isabelita.

Y, mucho más destacable, que existen múltiples casos en que la opción no recomendada no es ni siquiera una opción, sino la única posibilidad, dado un determinado contexto en que la representación singular de la parte del cuerpo es exigida. Valga, para ilustrar esto, el siguiente ejercicio. ¿Cuál es la opción más adecuada en cada caso? ¿Cómo explicar que la opción b), la que sigue la regla, no es la mejor en ningún caso?

A Leo le da miedo tener la lagartija en la mano. ¿Dónde la pongo?

a) *Pues ponla en mi mano.*

b) *Pues pónmela en la mano.*

Aquí ha entrado alguien. La mochila de Elena no está...

a) *También han robado mi bolso.*

b) *También me han robado el bolso.*

El pobre es muy pequeño, y no entiende. Él me vio allí tumbado, y...

a) *usó mi cabeza como una pelota.*

b) *me usó la cabeza como una pelota.*

La comunicación lingüística, da la impresión, se parece demasiado a un *pictionary* para no concluir que lo *es*. O al estudiante se le permite manejar los significados lingüísticos precisamente como lingüísticos o las reglas del juego gramatical que le suministramos seguirán siendo meras observaciones de lo que a veces es así y a veces al contrario, sin que nunca se sepa bien cuándo ni porqué. ¿Qué pasaría si invitáramos al estudiante 'regurgitador' obediente de usos a convertirse en creativo dibujante de ideas? ¿Qué tal si cambiáramos su *obligación* de acertar en las dianas de los huecos en un ejercicio por su *responsabilidad* de comprender y hacer comprensibles esos trazos que dibujamos con sonidos? Es más: ¿qué tal si lo invitamos a ser, otra vez, dueño de la lengua?

3. Memoria y lógica

¿Se aprende mejor memorística o lógicamente? ¿Cuánta lógica piden los estudiantes de lenguas y cuánta memoria? ¿Cuánta usan? Seguramente se puede generalizar sin mentir diciendo que la lógica, la explicativa y la operativa, el porqué y el cómo de las cosas, es objeto de deseo en cualquier aula de cualquier materia, y también en la de lengua. O especialmente, en el sentido de que quizá la historia se avenga bien a un aprendizaje y a una recuperación memorística, mientras que el aprendizaje de una lengua, como habilidad, y su recuperación en el acto de comunicación no se compadecen demasiado con una disposición estática de datos en la memoria y, más bien, piden una determinada organización lógica de esos datos destinada a tomar decisiones en tiempo real. Tener lógica en el aula de lengua, en definitiva, es el primer paso formal para *llegar a sentir* el significado de sus formas (no a *recordar* sus formas) y poder automatizar así la creación de significados por medio de ellas.

Pero, ¿es la gramática del español realmente lógica? Pregúntenselo ustedes o pregúntenselo a sus estudiantes. El pico del resultado estadístico estará entre el rotundo 'no' y los dubitativos 'a veces' y 'no siempre'. Sin embargo, alejándonos un poco de nuestra experiencia con la gramática, coincidiremos en que todo sistema que produzca resultados constantes y eficaces tiene que estar basado en una lógica estricta. Otra cosa es que en el caso de la gramática no hayamos dado con esa lógica, al menos para la mayoría de sus fenómenos.

Pero hay un segundo problema cuando tratamos de responder a estas cuestiones: ¿qué entendemos por lógica cuando dudamos de la lógica gramatical? Muchos estarán pensando en esa lógica de tipo matemático que hace evidente que dos y dos son cuatro, otros en la lógica proposicional en términos de valores de verdad que predica que si todos los dirigentes políticos son buenos, y Hitler era un dirigente político, Hitler era bueno. Por suerte o por desgracia, la lógica de las lenguas humanas no es de ninguno de estos dos tipos: es una lógica propia, conceptualmente basada en nuestra experiencia vital e instrumentalmente limitada por el carácter vocal y lineal del habla.

En realidad, la lógica de la lengua está tan alejada de esas otras lógicas que tan fácilmente se nos vienen a la mente por el sencillo hecho de que cada una de estas lógicas alimenta *un lenguaje diferente*. Por tanto, cuando valoremos si la gramática es lógica o no, deberíamos separar la lógica lingüística de la lengua de la lógica aritmética de las matemáticas o la lógica proposicional del lenguaje formal filosófico o computacional.

Si la lengua es un *pictionary* (y todo parece indicar que nuestras intuiciones ganan en capacidad explicativa si lo consideramos así), su lógica es de naturaleza experiencial y representacional. No podremos explicar fácilmente por qué en la oración (a) el complemento directo 'el equipo' va precedido de 'a', pero sin la preposición en (b), a menos que reparemos que, en el primer caso, lo estamos entendiendo como grupo de personas y, en el segundo, como objeto:

(a) *Miles de hinchas acudieron para animar **a** su equipo.*

(b) *El entrenador dice haber creado Ø su equipo ideal.*

No podremos explicar la diferencia gramatical entre los pares de (c) y (d) a menos que instrumentemos nociones como foco y perspectiva de la representación (como vimos en «Gramática y perspectiva», 1.3.):

(c) ¿Cómo te **llamas**? / ¿Cómo te **llamabas**?

(d) **Yo** llamé a Juan / **A Juan** lo llamé yo.

No podremos entender como lógica la doble negación de (e) frente a la simple de (f) a no ser que pongamos en evidencia una convención del español, relativa a la naturaleza lineal del habla, que consiste en informar de la naturaleza positiva o negativa de los predicados *antes* de pronunciarlos. De ahí que cuando usamos una expresión que deja claro el carácter negativo del predicado antes de pronunciarlo, esta marca baste (f), mientras que si esta expresión va al final, es necesario colocar una negación extra antes del predicado (e):

(e) *No se lo he dicho a **nadie**.*

(f) *A **nadie** se lo he dicho.*

No podremos, en fin, encontrar lógica ni regalar lógica a nuestros estudiantes en tanto el significado que damos a esta palabra no esté definido en términos estrictamente lingüísticos, es decir, representacionales. Pero para que la gramática no sea lógica solo en su definición, sino muy especialmente en la práctica operativa del estudiante que tiene que tomar decisiones gramaticales, es preciso que sus significados estén unívocamente establecidos y sean operables de una manera mecánica.

3.1. La gramática es mecánica

La caracterización de cualquier ejercicio como 'mecánico' provoca rechazo frontal en unos y nostalgia en otros. Los primeros son los que sienten que ya han superado la instrucción conductista que parecía tratar al estudiante como Pavlov trataba a sus animales en el laboratorio. Los segundos son los que encuentran que los viejos métodos contenían verdades como puños.

Sin duda, ambas posturas tienen parte de razón. Es innegable, por una parte, que el aprendiz necesita una cierta lógica y rigor en los procedimientos que debe aplicar para alcanzar un conocimiento, un sentimiento que está en la base de la confianza que ciertos ejercicios repetitivos regulados por listas de reglas producen en gran parte del alumnado. Pero también es innegable que la incorporación del significado y la intención comunicativa al aula ha acercado inmensamente la *asignatura* de Lengua a la *realidad* de la lengua.

Si el estudiante agradece tanto la relación de lo que aprende con la lengua real como el rigor, la claridad y la univocidad de los procedimientos, ¿por qué no intentar combinar ambas cualidades en la instrucción y administración de la gramática? ¿Por qué no intentar una *mecánica del significado*? Y mucho más evidente: ¿es posible esa mecánica del significado, es decir, una gramática mecánica que conduzca por caminos rectos al uso real? Intentemos despejar esta incógnita con un ejemplo de mecanicismo clásico: las llamadas 'concordancias temporales' entre indicativo y subjuntivo en subordinadas. El aspecto de la instrucción formalista suele ser parecido a este:

Verbo de la oración principal	Verbo subordinado
Presente de indicativo Futuro simple Futuro compuesto Pretérito perfecto de indicativo Imperativo	Presente de subjuntivo o Pretérito perfecto de subjuntivo

	Pretérito imperfecto de indicativo	
	Pretérito indefinido	Pretérito imperfecto de subjuntivo
2	Pretérito pluscuamperfecto de indicativo	o
	Condicional simple	Pretérito pluscuamperfecto de subjuntivo
	Condicional compuesto	

Esta aparente claridad permite una batería de ejercicios puramente mecánicos donde el estudiante pueda afianzar la asimilación de la estructura. Los enunciados que encontraremos en estos ejercicios son similares a estos:

Quiero que vengas.

Me *encantará* que vengas.

Quería que vinieras.

Sería estupendo que vinieras.

El problema de esta aproximación al rigor y la supuesta concordancia que nos hará 'correctos' no es solo que el estudiante no tenga acceso a la lógica de esta mecánica, que se queda en lo puramente formal, sino que, y sobre todo, esta mecánica tan tranquilizadora no responde, en realidad, al uso que los hablantes hacen de estas formas. En el almacén de ejemplos quedaron otras muchas posibilidades, por ejemplo, enunciados como estos, solo porque su presencia habría hecho saltar por los aires el esquema:

Me *preocupa* que no **llegara** a tiempo.

Me **ha sorprendido** que no te **regalara** nada para tu santo.

Piensa que te lo **hubieran dicho** a ti, ¿qué harías?

Se lo conté, y se **alegró** mucho de que **estés** feliz.

Repitamos la pregunta que nos ha traído hasta aquí: ¿es posible mantener la elegancia mecánica de la regla y responder a la realidad al mismo tiempo? La respuesta empezará a decantarse hacia el sí en la medida en que comprendamos que el verbo de una oración principal no concuerda con el verbo de una subordinada como el adjetivo concuerda con el sustantivo. El enunciado *Las cortinas blancas* establece una relación obligatoria, es decir, una concordancia entre sustantivo y adjetivo, pero en *Yo creo que lo sabes* hay dos oraciones, a cada una de las cuales el hablante puede darle una orientación temporal y modal diferente, ya que son dos predicados diferentes. Que coincidan en tiempo y modo es, por tanto, solo eso: una coincidencia.

En la línea de esa valoración operativa de las formas a que nos venimos refiriendo, la solución pasa por entender que cada tiempo verbal tiene una capacidad referencial determinada y que, cuando subordinamos un verbo a otro, no hay imperativos de concordancia: en cada caso tenemos que elegir el tiempo verbal que satisfaga nuestra voluntad de referencia. En este contexto de oraciones subordinadas con subjuntivo, la única mecánica que subyace a esas decisiones es la *correspondencia* (no la correlación) temporal entre formas de indicativo o de subjuntivo, que se podría establecer así:

	Indicativo		Subjuntivo
Presente-futuro	Canto	Cantaré	Cante
Pasado	Cantaba/canté	Cantaría	Cantara

Añadiendo las formas compuestas y con ejemplos más interpretables, este es el aspecto que tiene la 'máquina de correspondencias':

Si para afirmar decimos...	**para suponer decimos...**	**y para negar (con subjuntivo) decimos...**
Tiene *fiebre.*	**Tendrá** *fiebre.*	No creo que **tenga** *fiebre.*
Ha tenido *fiebre.*	**Habrá tenido** *fiebre.*	No creo que **haya tenido** *fiebre.*
Tenía *fiebre.* **Tuvo** *fiebre.*	**Tendría** *fiebre.*	No creo que **tuviera** *fiebre.*
Había tenido *fiebre.*	**Habría tenido** *fiebre.*	No creo que **hubiera tenido** *fiebre.*

A partir de esta mecánica del significado, combinaciones como las siguientes no solo se pueden dar por meramente correctas, sino que se pueden explicar y entender como la expresión lógica de cuatro actos referenciales diferentes. Contradiciendo a la regla mecánica formalista, no tendremos ningún problema en declarar creencias sobre hechos del pasado, del presente o del futuro:

No **creo** (ahora)	*que* llegue *a tiempo* (presente-futuro)
	que haya llegado *a tiempo* (pasado del presente)
	que llegara *a tiempo* (pasado)
	que hubiera llegado *a tiempo* (pasado del pasado)

Igualmente, ejemplos como los siguientes no se rechazarán por meramente incorrectos, sino por comprensiblemente ilógicos: ¿cómo se puede pedir a alguien que haga algo en el pasado?

Te **ruego** (ahora)	*que* llegues *a tiempo* (presente-futuro)
	PERO:
	que hayas llegado (¿pasado del presente?)
	que llegaras *a tiempo* (¿pasado?)
	que hubieras llegado (¿pasado del pasado?)

3.2. Lo composicional es lógico

En los salones donde departen los lingüistas suele ser tema de debate si la generación de lengua tendrá un carácter completamente composicional o no, es decir, si el significado global de un enunciado puede ser extraído de la suma de sus partes o, si en el momento en que unimos todas esas piezas, el efecto resultante es completamente diferente y deja de obedecer a esos significados aislados. Podría parecer que esta discusión pierde su sentido cuando ponemos el pie en el aula. No obstante, quizá sí tenga sentido y, especialmente, en el aula: puede que la *composicionalidad* sea la única garantía de lógica en la creación de lengua por parte del estudiante. ¿Por qué? Decida el lector cuál de los siguientes escenarios describe mejor la realidad de la gramática que tenemos que enseñar en el aula:

a) Las formas gramaticales son polisémicas. Cada pieza lingüística tiene multitud de significados diferentes en sí misma, de modo que no podemos asegurar que la forma X significa exactamente Y y solo Y. Cuando combinamos dos o más de ellas, los posibles efectos de significado se multiplican exponencialmente. Solo podemos enseñar a base de repetición y variedad de ejemplos.

b) Las formas gramaticales no son tan polisémicas como parecen. Se puede establecer un número reducido de valores para cada una de ellas, de modo que sea posible distinguir cuándo usar una u otra en contextos muy controlados. Sin embargo, cuando extendemos los contextos en que se usan, resulta imposible muchas veces mantener esos valores y hay que admitir que pueden adquirir valores muy diferentes de los iniciales. Lo mejor es dar listas de valores de cada forma, aunque la mayoría de las formas acaben etiquetadas con valores idénticos a los de otras formas.

c) Cada forma gramatical tiene un significado y solo uno. Cuando establecemos un enunciado, o cadenas de formas, el significado de ese enunciado puede deducirse del significado estricto de cada uno de los elementos que lo componen como un producto lógico de los mismos. El estudiante puede ser instruido en estos valores permanentes (sin enmiendas ni excepciones) y, a partir de ahí comprender por qué, al combinarse con el significado particular de otras formas, pueden conseguirse diferentes efectos. El estudiante no tiene que aprender listas de memoria: él mismo puede crear listas de usos aplicando la lógica de la composición.

Las tres opciones suponen tres grados de confianza, en orden creciente, en una gestión lógica de la inmensa variedad de usos que cada forma gramatical muestra. ¿Cuál es su grado actual de 'optimismo composicional'? ¿Piensa que la tercera opción es utópica? ¿Realmente es posible mantener un solo valor para cada forma? Intentemos descubrirlo con un ejemplo. Decidamos dar al presente de indicativo un valor modal supuestamente permanente de *declaración positiva* o afirmación. ¿En cuáles de los siguientes casos parece que este valor se pierde?

	'está' **es** una afirmación	'está' **no es** una afirmación
(a) *Pepe* **está** *muy contento.*		
(b) *¿***Está** *contento?*		
(c) *No* **está** *contento.*		

(d) **Está** contento, parece.		
(e) Si **está** contento, me alegro.		
(f) **Está** contentísimo. (cuando está muy triste)		

No cabe duda de que sería estupendo poder decirle a un estudiante que el presente siempre se usa para afirmar o, de otra manera, que el presente siempre (sin excepción) significa «afirmación». Muy probablemente, en una interpretación holística de algunos de estos enunciados puede darnos la impresión de que con el verbo en presente no estamos efectuando una auténtica afirmación: el hablante afirma en (a), pero pregunta en (b), niega en (c), supone en (d), condiciona en (e) e ironiza en (f). La pregunta es: ¿son estos efectos incompatibles con la afirmación?, es decir, ¿no puede sostenerse que en todos los casos el presente sigue significando «afirmación»? Una respuesta negativa nos conduce a la conclusión didáctica de que solo podemos facilitar al estudiante listas de usos:

Usamos el presente para:

a) Afirmar hechos

b) Hacer preguntas

c) Negar hechos

d) Hacer suposiciones sobre un hecho

e) Establecer condiciones factuales

f) Ironizar

g) …

Pongámonos, por el contrario, en el papel de un composicionalista, un reduccionista empedernido, y veamos si esta perspectiva puede mantener en todos los casos el mismo significado sin excepción, es decir, si puede explicar que estos diferentes efectos responden al mismo significado de base (y con ello, por qué la lista de usos es innecesaria):

a) Usamos *está* contento para **afirmar** que *está* contento.

b) Para saber si alguien *está* contento, sometemos la **afirmación** *está* contento a la confirmación de nuestro interlocutor.

c) Para negar que alguien *está* contento, colocamos el adverbio 'no' ante la **afirmación** *está* contento (A preexiste a no A).

d) Podemos **afirmar** que alguien *está* contento, y seguidamente rebajar la fuerza de nuestra afirmación con verbos como *parece, supongo, dicen*, etc. Si *está* no fuera una afirmación, no necesitaríamos atenuar después lo dicho.

e) Para plantear una condición con la conjunción 'si' usamos el presente de indicativo cuando es factual y el imperfecto de subjuntivo cuando es contrafactual. Para que la percepción de la diferencia entre ambas sea clara, usamos para la condición contrafactual una forma no afirmativa (*Si viniera…*) y para la condición factual una forma **afirmativa** (*Si está…*). El sentido hipotético lo aporta la conjunción 'si'.

f) Por definición, la ironía consiste en afirmar lo contrario de lo que se quiere decir. Si no **afirmamos** que *está contento*, es imposible hacer una ironía.

Sin pretender llegar a solemnes conclusiones, posiblemente hayamos empezado ya a sospechar que quizá hay una esperanza de inyectar cierta lógica en las decisiones gramaticales del estudiante, es decir, para hacer que su asimilación del español gane en operatividad.

3.3. La importancia de llamarse *operativo*

Cuando una gramática prescriptiva censura un «condicional de rumor» como el de *El grupo habría dado cobertura a los huidos*, alegando extranjerismo y proponiendo soluciones como *Según dicen, había dado cobertura*, nos esconde que la opción correcta no es más o menos correcta que la incorrecta, sino «una forma diferente» de expresar la idea que (con razón) los periodistas encuentran menos apropiada a sus intenciones. La gramática, según esta perspectiva, no es más que una enorme lista de opciones correctas y otra de incorrectas.

Cuando una gramática normativa aconseja decir *Estuvo allí tres años* en lugar de *Estuvo allí por tres años*, está poniendo en cuestión el legítimo uso de la gramática que hacen millones de hispanohablantes y, cuando humildemente reconoce, aunque sea en parte, el derecho de los hablantes a usar así el sistema, no comprende ni explica el sistema: las opciones disponibles en español son tan solo una larga lista que se distribuye por países o capas sociales.

Cuando una gramática tradicional bautiza uno de los usos del presente como «presente histórico», está ocultando un mecanismo sistemático que afecta a cinco formas verbales más, que a partir de aquí no podrán explicarse, solo listarse grotescamente como seis «tiempos históricos» [6]:

> *Julio César no* **cree** *en las noticias que le* **han llegado** *sobre esta hipotética conjura. Convencido de que sus tropas* **habrán logrado** *salvar los obstáculos y* **estarán** *avanzando sin resistencia, decide esperar a que los generales que se* **hayan implicado** *en la rebelión se* **manifiesten**.

Cuando una gramática nociofuncional nos da una lista de fórmulas de cortesía, nos está ocultando los mecanismos sistemáticos que las autorizan y que permiten la creación de otras nuevas. Por ejemplo, el mecanismo según el cual el uso de la forma no actual correspondiente a la forma actual de cualquier predicado referencial lo convierte en hipotético [7]:

Referencial (yo)	Hipotético (si yo fuera tú)
Yo no **voy**.	*Yo no* **iba**.
Bueno, **iré**.	*Yo no* **iría**.
No creo que **vaya**.	*No creo que* **fuera**.

---

6 Este mecanismo sistemático de «reactualización» responde a la siguiente lógica: toda forma *actual* del sistema (véase Ruiz, 1999) usada en un espacio temporal no actual (pasado) producirá un efecto de reactualización del pasado.

7 Para esta «ley de superposición», véase Ruiz 2008, p. 29.

Cuando una gramática cualquiera nos ofrece dos listas de formas que 'piden' otras formas (qué va con perfecto o indefinido, qué va con ser o estar, qué va con indicativo o subjuntivo…), nos está ofreciendo una visión de la gramática formal, taxidérmica, ciega al significado, ilógica, incoherente consigo misma, que solo tiene de sistemático, en muchos casos, el hecho de conducir sistemáticamente al error. Y en todo este gran despliegue descriptivo, nos está ocultando los significados de las formas que justifican los usos que misteriosamente las agrupan en listas[8]:

Con indicativo:	Con subjuntivo:	Con ambos:
Creo que…	No creo que…	Digo que…
Es verdad que…	Es mentira que…	Aunque…
Es evidente que…	Es lógico que…	Supongo que…
Me imagino que…	Es posible…	Quizás…
…	…	…

Una gramática operativa, por tanto, y básicamente, no es una gramática de listas. Es una gramática de sistema. No promueve la memorización, sino la comprensión. No dirige la atención hacia el resultado de la elección gramatical, sino hacia la lógica que lo causa.

¿Supone esto una irreductible doble opción en la concepción de la gramática en el aula? La oposición lógica/lista, es decir, la discusión sobre si es preferible trabajar desplegando listas de uso o trabajar con valores gramaticales unívocos que compriman y expliquen esas listas desde un significado único de la forma en cuestión, puede ser tildado fácilmente de falacia. Seguramente la verdad en este caso, como casi nunca, esté en el centro.

En efecto, la solución, como se ha anticipado casi innecesariamente, puede que pase por el sentido común: aprovecha las ventajas de cada enfoque y elimina lo inconveniente. En este caso concreto, todo puede reducirse a la naturaleza de la propia lista:

a) Una *lista aleatoria* de usos no es una buena lista, porque no responde a ningún significado gramatical que la genere.

b) Una *buena lista* es una colección de demostraciones de que el significado que hemos asignado a una forma gramatical es bueno.

Pero, ¿cuál debe ser el alcance del significado gramatical que proporcionemos al estudiante? ¿Debe explicar absolutamente todos los casos o vale con que explique algunos? El límite de la estrategia está, de nuevo y nada sorpresivamente, en el sentido común: proporciona el significado más comprensivo posible que resulte también rentable en términos didácticos. Es decir, muestra la columna más próxima al valor de operación que mejor se adapte al momento de aprendizaje en que tus estudiantes se encuentran:

---

8 Este misterio puede ser resuelto, por ejemplo, por el concepto de *declaración* como significado modal (véase «Indicativo-subjuntivo», Capítulo III, 3.)

Valor de operación o
significado de sistema

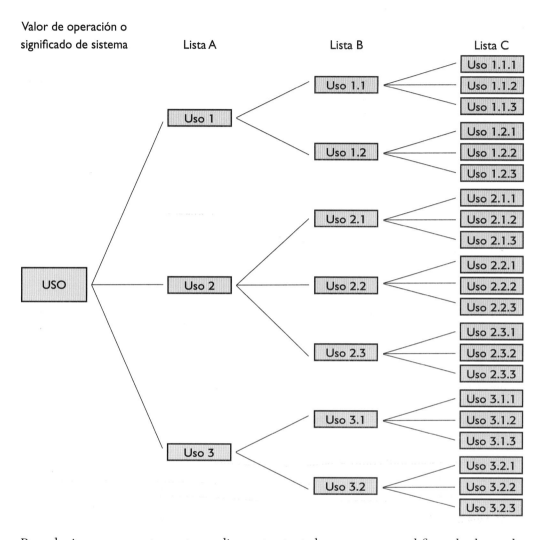

Para alguien que, en este punto, pudiera estar tentado a pensar que, al fin y al cabo, es lo que venimos haciendo desde siempre, recordemos una diferencia sustancial entre las listas de usos descriptivas y las listas generadas desde valores de operación. Con la estructuración «por usos» (descriptiva) colocamos al estudiante ante una lista de enclaves que tendrá que aprender de memoria, sin que las conexiones de unos con otros o el camino que lleva de uno a otro sean, en la mayoría de los casos, evidentes. Le dejamos a él solo, pues, la responsabilidad de descubrir cómo llegar de una ciudad a otra. Con una estructuración «operativa» (explicativa), por el contrario, le damos al estudiante un *mapa de carreteras*: posiblemente en principio solo de una ciudad, luego de una provincia y, así, hasta tener el mapa completo. La diferencia, pues, es que situamos al estudiante *en el camino* del significado que tendrá que recorrer a lo largo de su aprendizaje, en lugar de dejarlo perdido en Jaén al final del nivel A2 para llevarlo en helicóptero en el B1 hasta Ciudad Real. Si no lo hacemos así, el estudiante tenderá a sacar la conclusión de que se puede ir de un sitio a otro en línea recta sin saber que se va a encontrar con cerros bien altos y abruptos y será, además, ignorante de cuál es realmente el camino que le permitiría sortear esta dificultad y conectar ambos contextos.

En suma, se trata de mostrar no solo muestras dispares del terreno de los contextos en que nos movemos, sino de indicar las vías de acceso disponibles para cada uno de ellos y las distancias que los separan o los unen. Es, gráficamente, la diferencia que podría apreciarse entre estas dos formas de enseñar las capitales de España:

OPCIÓN LISTA	OPCIÓN MAPA
Madrid Valencia Zaragoza Bilbao Pontevedra Ciudad Real Alicante Sevilla Badajoz…	

4. Teoría y práctica

4.1. Atención a la forma: descontextualizando

Cuando el enfoque comunicativo instauró el imperio del significado sobre la forma, la gramática resultó despreciada porque el tipo de significado que se tenía en mente era el significado léxico clásico y, sobre todo, porque se disponía del nuevo juguete del significado discursivo y pragmático. Sin embargo, toda una corriente de investigación salió al paso de esta injusta discriminación hacia la gramática reivindicando el *significado gramatical*.

La denominación *focus on form* (*atención a la forma*) la acuñó por primera vez el lingüista Michael Long a finales de los años 80, con la idea de buscar un hueco apropiado para la gramática dentro del enfoque comunicativo. Lo que en aquel entonces estaba de moda era el Enfoque natural propuesto por Krashen que, básicamente, establecía que el *input* comprensible era suficiente para fomentar la adquisición. Sin embargo, por aquella época poco a poco comenzaba a tomar forma y a atraer la atención de los investigadores la idea de tener una metodología que superara las numerosas limitaciones que los aprendientes parecían tener, a pesar de estar recibiendo *input* comprensible y de tener numerosas oportunidades de trabajar en situaciones comunicativas. ¿Cuáles pueden ser las razones de esta especie de ceguera del estudiante ante el significado gramatical, aun estando expuesto a múltiples ocurrencias de la misma forma?

Fundamentalmente, el problema reside en uno de los principios de identidad del enfoque comunicativo: la *contextualización*. Y es tal el alcance de este obstáculo que, incluso, podemos formular una máxima a su propósito:

Cuanto más amplio y rico sea el contexto, menor atención se prestará a la forma.

Efectivamente, si pensamos que la lengua no se manifiesta realmente, sino en un contexto determinado y observamos, de hecho, que ese contexto visiblemente determina las formas gramaticales, parece necesario admitir una severa limitación en los métodos formalistas tradicionales que despreciaban el contexto: su instrucción se basaría simplemente en una mentira. Por lo tanto, parece necesario que las muestras de lengua estén lo más contextualizadas posible. Sin embargo, cuando el estudiante se enfrenta a una forma perdida en un mar contextual, es perfectamente lógico que acabe ignorando el valor de la escuálida forma a favor de las riquísimas pistas que le da el contexto o, peor, que acabe adjudicando a la forma el valor que en realidad no aporta ella, sino el contexto.

Veámoslo con un ejemplo sencillo. Imaginemos que estamos instruyendo al estudiante en el valor gramatical del contraste indicativo/subjuntivo en cláusulas relativas. Un ejercicio típicamente formalista podría tener este aspecto:

Completa con indicativo o subjuntivo, según convenga:

a. *Quiero una casa que* (tener) _____ *calefacción.*
b. *He comprado un televisor que no* (ser) _____ *muy caro.*
c. *El otro día vi la casa que te* (gustar) _____ .
d. *Hay coches que* (funcionar) _____ *con electricidad.*
e. *Busco una secretaria que* (hablar) _____ *inglés.*

Como resulta evidente, la operación que el estudiante tiene que llevar a cabo dista de ser una en la que establezca una relación unívoca —o relación alguna en absoluto— entre la forma (modo del verbo) y su significado gramatical, que brilla por su ausencia. El puzle se resuelve simplemente asociando ciertas pistas formales a uno y otro modo: 'tengo' con indicativo, 'busco' con subjuntivo; 'una' (casa) con indicativo, 'la' (casa) con subjuntivo, o bien sobre la base de nociones como la existencia o no existencia del antecedente ('hay' con indicativo, 'busco' con subjuntivo).

Una ejercitación más comunicativa debería buscar un contexto en el que verosímilmente alguien pueda necesitar esta distinción, y proponer al estudiante sumergirse en ese contexto para su práctica formal. Por ejemplo:

Quieres conseguir pareja y escribes a una agencia matrimonial. Formula tu oferta en indicativo y tu demanda en subjuntivo, como en el ejemplo.

OFERTA:
*Soy una persona que **adora** la música.*

....

....

....

> DEMANDA:
> *Busco a alguien que **sea** cariñoso.*
>
> ....
> ....
> ....

No cabe duda de que hemos ganado en verosimilitud y que el estudiante, ahora, está desarrollando su empleo del modo en una situación en la que normalmente es usado. Pero la pregunta sobre el aprendizaje formal permanece: ¿Está realmente el estudiante procesando el valor gramatical del modo? Quizá sí, quizá no, ya que en suma lo que se le pide al estudiante es poner indicativo en la parte de oferta y subjuntivo en la de demanda.

¿Mejorará la fusión entre la forma y el significado que la misma aporta a la comunicación el hecho de aumentar las características comunicativas del ejercicio? Hagamos que los estudiantes entreguen sus papeles de oferta y demanda por separado, organicemos grupos de alumnos en el papel de miembros de una agencia matrimonial, repartamos aleatoriamente los formularios y pidamos que cada grupo haga, en un tiempo determinado, el mayor número posible de «matrimonios», justificándolos. La tarea será motivadora, será divertida, cada participante estará interesado en ser bien entendido en la discusión en la que se decide quién se casa con quién y por qué, y en la base de todo ello estarán usando el indicativo y el subjuntivo en un contexto sumamente realista y muy apropiado al uso del contraste modal. ¿Estarán usándolo, en realidad? Por lo general, aunque en los comienzos de la tarea podamos ser testigos de un esfuerzo por formular el verbo en el modo adecuado en cada caso, suele tomar tan solo unos minutos la toma del poder, como un *tsunami*, del indicativo. ¿Qué ha pasado? ¿Cómo es posible que cuanto más comunicativa hemos hecho la tarea, menos espacio quede para la gramática? ¿Por qué ahora Jenny va diciendo *Yo quiero una persona que tiene dinero*?

La respuesta es simple: Jenny no necesita el subjuntivo, de entrada, porque si dice 'quiero' todo el mundo entiende que la característica 'tener dinero' es virtual, sin necesidad de usar el subjuntivo para marcarlo. Y mucho menos lo necesita en la medida en que la contextualización comunicativa proporciona pistas que abundan en la irrelevancia efectiva del modo: Jenny se ha hecho cargo de los formularios de búsqueda y todo el mundo en el grupo interpretará siempre que lo que ella *dice* es algo que *pide*; alguien pide a alguien que cumpla una característica y entonces lo que diga el que ofrece esa característica será interpretado como cualidad que posee uno de los candidatos sin necesidad de comprobar esto en el modo indicativo, o alguien ofrece a alguien una característica y la respuesta de otro se interpretará en la línea de virtualidad que marca el subjuntivo sin necesidad de formularlo en subjuntivo, etc.

¿Qué es, pues, lo que puede obligar al alumno a ejercitar la asociación entre forma y significado? Si la descontextualización formalista resulta en una práctica que falsea el uso real de la lengua y la contextualización comunicativista emperifolla el plato tanto que no se ve la comida, quizá la solución venga de lo que podríamos llamar una *descontextualización relativa*, que respondería a la siguiente máxima:

Dado un contexto verosímil, remueve de sus muestras de lengua todo aquello que contribuya a la interpretación del significado de la forma objeto de interés que no sea la propia forma, de modo que esa forma resulte ser la única responsable de ese significado.

El resultado práctico de esta premisa es, como se puede fácilmente imaginar, ofrecer al estudiante una tipología de ejercicios que le obliguen a establecer una asociación unívoca y exclusiva entre forma y significado. Para el caso que nos ocupa, este podría ser un modelo muy simple de ejercicio:

> Jorge Asislacosa está encantado con las cosas que tiene, y solo habla de ellas. En cambio, Jennifer Nomimporta es inquieta y soñadora. ¿Puedes adivinar quién habla en cada caso?
>
> a. *Un amigo que me quiera.*
>
> b. *Un coche que tiene 12 ruedas.*
>
> c. *Una televisión que se vea en color.*
>
> d. *Un profesor que me entiende.*
>
> Ahora describe tú **objetos** a otros compañeros de clase. Ellos adivinarán si eres un Jorge o una Jennifer.

Como se ve, en este ejercicio no solo se han removido las pistas formales externas al modo verbal que llevarían al estudiante a tomar la decisión adecuada sin necesidad de prestar atención al modo verbal. Además, algunas de las situaciones que describen las muestras se han extremado para evitar que el alumno utilice el sentido común como atajo en su decisión. Si hacemos concordar los temas típicos de un soñador o un realista con los ítems correspondientes a cada uno de los personajes, solo por esa idea sería posible tomar la decisión correcta. En cambio, si ponemos en boca de Jorge, por ejemplo, una referencia a algo tan inverosímil como un coche con 12 ruedas con indicativo (es decir, como algo que *tiene*), situamos el modo verbal justo enfrente del sentido común que nos sugiere que esto sería un objeto de deseo y hacemos que la interpretación correcta dependa exclusivamente de criterios gramaticales.

En cualquier caso, adoptar una metodología de *atención a la forma* no significa negar la importancia del contexto en una consideración global del hecho comunicativo. Tan solo es un paso al frente en la necesidad técnica de adentrarse en el bosque para poder ver los árboles de uno en uno[9].

4.2. La utilidad del *mentalés*

En lo que antecede hemos insistido en numerosas ocasiones en las ventajas de una gramática más destinada a ser comprendida que memorizada, y hemos discutido algunas estrategias y procedimientos que pueden contribuir a esta concepción lógica de los aspectos formales.

---

9 Para más información sobre principios del *Procesamiento del input*, véase VanPatten 1996, 2004, 2007.

Entre ellos debe incluirse, de manera especialmente destacada, el recurso a lo que en el Capítulo I presentamos como lenguaje del pensamiento o *mentalés*.

El *mentalés* es útil en el aula en la medida en que permite llevar a una arena común la reflexión sobre la lengua como mecanismo de representación de la experiencia humana. Una arena común en el sentido de que no nos quedamos en pedir al estudiante *que piense en español*, ni lo dejamos comparando el español con su lengua materna. En lugar de eso, subimos un escalón y nos situamos en la manera en que, sea cual sea nuestra lengua materna, *pensamos* y *entendemos* el mundo y, desde ahí, resulta mucho más fácil, y decididamente comprensible, entender el español no simplemente como otra lengua, sino como una manera particular de representar las mismas categorías, conceptos y percepciones que representa la lengua materna del estudiante mediante formas lingüísticas diferentes.

En la práctica, este aparentemente abstracto asunto del *mentalés* proporciona una herramienta tangible con la que es posible empezar a trabajar de inmediato en persecución de ese objetivo tan escurridizo de 'entender' la gramática, como veremos a lo largo del Capítulo III a propósito de temas concretos. Baste aquí considerar un ejemplo que dé una idea de qué aporta esta atención al significado cognitivo universal que está en el corazón de las formas: ¿significa el subjuntivo algo que pueda ser identificado por el estudiante como algo que él tiene en cuenta en su propia lengua, aunque su lengua no tenga subjuntivo?

Un intento de quitar la sábana a ese fantasma que se esconde detrás del subjuntivo es el concepto de no declaración con que más adelante abordaremos pormenorizadamente el problema de la selección modal en español (véase «Indicativo-subjuntivo», Capítulo III, 3.). Y la siguiente secuencia de enunciados posibles e imposibles es una muestra muy simple de cómo podemos convencer a nuestros estudiantes de que ellos pueden comprender en su propia lengua cuándo algo constituye declaración formal o bien una inhibición declarativa. ¿Por qué los enunciados en negrita son posibles y los marcados en gris no?

Sé que él la ama.	*Él la ama, lo sé.*
Creo que él la ama.	*Él la ama, creo.*
Me imagino que él la ama.	*Él la ama, me imagino.*
No creo que él la *ama (**ame**).	*Él la ama, no creo.* (???)
Es imposible que él la *ama (**ame**).	*Él la ama, es imposible.* (???)
Quiero que él la *ama (**ame**).	*Él la ama, quiero.* (???)
I know he loves her.	*He loves her, I know it.*
I think he loves her.	*He loves her, I think.*
I guess he loves her.	*He loves her, I guess.*
I don't think (that) he loves her.	*He loves her, I don't think.* (???)
It is impossible (that) he loves her.	*He loves her, it is impossible.* (???)
I want him to love her.	*He loves her, I want.* (???)

Ich weiss, dass er sie liebt.	*Er liebt sie, <u>ich weiss es</u>.*
Ich glaube, dass er sie liebt.	*Er liebt sie, <u>ich glaube es</u>.*
Ich nehme an, dass er sie liebt.	*Er liebt sie, <u>ich nehme es an</u>.*
<u>Ich glaube nicht</u>, dass er sie liebt.	*Er liebt sie, <u>ich glaube nicht</u>.* (???)
<u>Es ist unmöglich</u>, dass er sie liebt.	*Er liebt sie, es <u>ist unmöglich</u>.* (???)
<u>Ich möchte</u>, dass er sie liebt.	*Er liebt sie, ich <u>möchte es</u>.* (???)

Cuando se inicia una frase con *Yo sé / Yo creo / Me imagino* (en cualquier lengua), se está introduciendo una declaración (que la ama), mientras que cuando se inicia una frase con *No creo / Es imposible / Yo quiero* (en cualquier lengua), lo que sigue no es lo que quiero declarar (no quiero declarar que la ama, solo quiero ponerlo en duda, negarlo o pretenderlo). La única diferencia entre el español y lenguas como el inglés o el alemán es la forma de marcarlo gramaticalmente: en alemán no hay marca alguna; en inglés no hay marca o bien se hace uso del infinitivo; en español se marca con subjuntivo todo aquel predicado que (en cualquier lengua) está inserto en una estructura conceptual donde no representa un acto de declaración formal.

En general, un acercamiento a la gramática que tenga en cuenta que las lenguas se fundamentan en los mismos cimientos cognitivos puede ser capaz de llegar con mayor efectividad a los aprendientes, ya que les pone en contacto con aspectos reconocibles, comprensibles y comunes entre su L1 y la LE que pueden comparar, trasladar y comprender en términos de nociones o conceptos universales. El *mentalés*, esa lengua en la que parece que todos pensamos el mundo y codificamos la experiencia con independencia de cuál sea nuestra lengua física, representa bien esos cimientos.

4.3. Una imagen vale más que mil reglas

Ese lugar común de que la imagen es mucho más expresiva que la lengua, infructuosamente combatido por algunos grandes amantes de la literatura y la retórica, es hoy en día tan solo uno de tantos boletos de lotería popular milenaria que han sido agraciados con el premio de la sanción empírica que otorga el conocimiento científico. Nuestro modo de acceso conceptual al mundo está tan ligado a nuestra experiencia sensorial en el espacio que incluso los ciegos de nacimiento desarrollan patrones *visuales* no solo del entorno físico, sino de los propios esquemas cognitivos con los que piensan. Los hechos proporcionan, pues, una explicación coherente de la popularidad de ese dibujo de tiza, tantas veces improvisado, que suele acompañar a una explicación gramatical o léxica en las aulas de lengua. Hoy en día estamos en condiciones de afirmar que la imagen no solo puede ser una buena 'ilustración' de una regla, puede ser, de hecho, *la regla misma* con la que el estudiante queda equipado para tomar ulteriores decisiones gramaticales.

¿Debemos alegrarnos de tener una nueva herramienta para enseñar gramática? Nadie diría que tener una herramienta más sea algo de lo que quejarse, sino al contrario. Sin embargo, como tal herramienta, la cuestión es cómo incorporarla eficazmente al proceso de enseñanza y aprendizaje. Por tanto, las mismas condiciones de operatividad y carácter didáctico que se aplican a la formulación verbal de reglas deben aplicarse a la formulación figurativa. Una mala regla no mejora si en lugar de verbalizarla la dibujamos. Pero una buena regla sí mejora al convertirse (o reducirse) a una imagen. Porque la imagen es previa al habla y, por lo tanto, más universal, más compartible y más inteligible.

Bajo el pseudónimo de Transgordo, un dibujante difundió en Internet una original colección de viñetas que representan bajo la óptica del humor una serie de expresiones lingüísticas habituales en español. Dos de ellas nos pueden servir para calibrar, con un poco de reflexión, en qué sentido y medida un estudiante extranjero puede hacerse significativamente con la idea de las frases hechas *ser un pez gordo* o *ir pisando huevos*, en comparación con el simple aprendizaje memorístico que proporciona su definición verbal de diccionario (persona importante e ir despacio):

pez gordo   ir pisando huevos

http://transgordo.blogspot.com

Evidentemente, la imagen mental produce un mayor y más duradero impacto en el primer caso que el simple reconocimiento del referente real, pero, sobre todo, lo más interesante es poder hacer *significativo* el proceso de memorización con la lógica que subyace y soporta la expresión, como sucede en el caso segundo: «lógicamente» alguien que anda pisando huevos no puede andar muy rápido.

Todo lo discutido hasta aquí se aplica igualmente al ámbito de la gramática, no por más abstracto menos capacitado para acoger la herramienta de la representación figurativa. Pongamos por caso la típica dificultad que muchos estudiantes muestran ante el uso de 'ir' frente a 'irse' e imaginemos que les proponemos el siguiente esquema visual:

En el esquema, el significado de 'destino' de la preposición 'a' se ha codificado mediante una flecha recta o *transitiva*, en tanto que el pronombre reflexivo está representado por una flecha *reflexiva* que parte del sujeto y acaba en él mismo, 'empujándolo'. Para una misma escena objetiva en la que se produce un movimiento desde un origen a un destino, el español ofrece al menos tres posibilidades de representación verbal de la escena:

- Abandono el origen.
- Me dirijo a un destino.
- La suma de las dos: abandono un origen para dirigirme a un destino.

Evidentemente, la mayor dificultad en la decisión estriba en establecer cuál de estos tres posibles esquemas conceptuales quiere el hablante aplicar a esa realidad 'objetiva', de acuerdo con el contexto discursivo y situacional en que se encuentre en cada caso. Deberá ser consciente, de hecho, de que su decisión implicará la transmisión de uno de los siguientes significados:

1. Quiero destacar el destino.
2. Quiero destacar el abandono del origen.
3. Quiero destacar el abandono del origen, indicando, además, el destino.

Y deberá hacerse responsable de ellos. Eso significa que cuando Jennifer diga: *Adiós, voy*, se le podrá enfrentar a la dura realidad gráfica de lo que ha dicho: ¿De verdad, Jennifer, quieres dejarme con esta imagen?

¿No te parecería más educado, si no quieres decirme dónde, evitar que yo me represente un dónde que no me dices dándome esta otra imagen?

Y cuando Jennifer se pregunte, como siempre que llega el día en que se pregunta, por la aparentemente caprichosa e indeferenciada doble posibilidad entre *Me voy al cine* y *Voy al cine*, la imagen-concepto quizá pueda ayudar, incluso en versiones no puramente espaciales del esquema:

¡No me puedo creer que hayamos terminado los exámenes! ¡Voy a dormir como una loca! (INTENCIÓN de dormir).

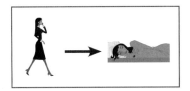

*¡No me puedo creer que hayamos terminado los exámenes! ¡**Me voy** a dormir como una loca!* (ACTO de abandonar el lugar de origen para irse a dormir).

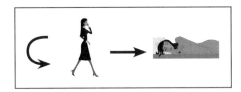

Como se ve, la imagen no es más (ni menos) que un esquema de representación, un *patrón* cuya aplicación a situaciones concretas tendrá que ser valorado reflexivamente por el estudiante en cada caso.

Ciertamente, la idea de pensar y hacer pensar no ha estado muy de moda en la enseñanza de la gramática, pero quizá aceptemos reconsiderarla si reparamos en una realidad imposible de esconder: o el estudiante capta por sí mismo y por su exposición al español estos mecanismos esquemáticos hasta cierto punto abstractos, o se lo hacemos captar como instructores, porque ninguna regla formal es capaz de dar una solución 'mecánica' a la elección de una de estas dos representaciones.

Para concluir estas apreciaciones sobre el valor de la imagen, consideremos un ejemplo de la complicación cognitiva a la que deberá llegar un día el estudiante si quiere usar estos esquemas de manera similar a un nativo: ¿Por qué decimos (a), pero no podemos decir (b) en el siguiente contexto?

Digas lo que digas, Silvia no tiene educación. Ayer, sin ir más   (a) se fue
lejos, _____ a su casa sin decir ni adiós.   (b) fue

La explicación podría parecerse a esta: solo se puede criticar a una persona por «no despedirse» cuando está abandonando un lugar (***Se fue*** *sin decir adiós*). Es ridículo pretender que alguien se despida cada vez que se dirija a otro lugar (¿***Fue*** *al baño/al mostrador... sin decir adiós?*):

Adiós...
Me voy a...
Voy a...

En una era definida por la imagen, la imagen empieza a definir también la gramática. El gran *pictionary* del aprendizaje de lenguas.

5. Actividades de reflexión

Pensamiento y lenguaje (apartado 1)

Actividades 8, 9 y 10.

Forma y significado (apartado 2)

Actividades 11 a 16.

Memoria y lógica (apartado 3)

Actividades 17 y 18.

Teoría y práctica (apartado 4)

Actividades 19 y 20.

Qué gramática enseñar

1. Problemas gramaticales de toda la vida

A lo largo de la historia, una de las epifanías más frecuentes de la gramática ha sido la de *conjunto de reglas* lo que, inevitablemente, le ha granjeado la desconfianza –cuando no el rechazo– de cualquier propuesta pedagógica en la que la creatividad del aprendiente, los procesos naturales de adquisición o la atención a factores afectivos ocupasen un papel relevante. La noción de *regla* se asocia a la de *límite*, a la autoridad externa. La noción de *regla* posee un matiz coercitivo, amenazador. No en vano, la palabra 'regla' posee la misma etimología que la palabra 'reja': algo que se interpone entre el individuo y la libertad.

Desde esa perspectiva, es comprensible que para muchos estudiantes –y profesores– de español, la relación con la gramática haya comenzado mal desde primera hora. En el imaginario popular ha quedado establecido que en casa de la gramática, incluso en fin de semana, se madruga mucho, se sonríe poco, todo huele a viejo y se vota a un partido muy conservador. La gramática simboliza para una parte de los humanos que aprenden o enseñan lenguas extranjeras, la negación del progresismo pedagógico. Sin embargo, nada más gratuito y lejos de la realidad que esa concepción represora de la gramática. El aprendizaje comunicativo de una lengua extranjera es impensable sin una atención adecuada a una herramienta de creación de significado tan poderosa, precisa y sofisticada como la gramática.

Para empezar a superar esa concepción folclórica de la gramática, lo primero es deshacernos de ciertos prejuicios. Por ejemplo, la gramática no es un conjunto de reglas, ni tampoco es una colección de consejos para hablar *sin errores*. El concepto *corrección* no tiene una relación más estrecha con el concepto *gramática* que, por ejemplo, con el concepto de *kinesia, proxemia* o *referente sociocultural*. La gramática es, esencialmente, una herramienta comunicativa y está presente en todo acto de comunicación. Cuando empleamos una determinada palabra o realizamos algún gesto con la mano, lo hacemos condicionados por el significado que sabemos que posee esa palabra o ese gesto. Con la gramática ocurre exactamente lo mismo.

A nuestros alumnos no les damos un conjunto de reglas para usar correctamente la palabra 'mar', ni tampoco se nos ocurriría pensar que el empleo de esta palabra en el enunciado *El barco sobre la mar* es el resultado de la acción de un monitor postizo, que desempeña la función de guía y corrector de las palabras, activado a base de repeticiones y énfasis en la corrección. Tampoco se nos ocurre pensar que el enunciado *El barco sobre la mar* es más correcto que el enunciado *El barco sobre el río*. Simplemente, tienen significados diferentes. Usamos la palabra 'mar' porque sabemos qué significa, sin acudir a reglas del tipo *La palabra 'mar' se usa cuando...* ni monitores instalados a base de memorizar contextos correctos para el uso de esa palabra. Sabemos qué significa 'mar' y empleamos el término cuando nos hace falta, eso es todo. En cambio, ¿enseñamos a nuestros alumnos a emplear el subjuntivo cuando les hace falta o, más bien, a que lo usen cuando la oración principal está compuesta por un verbo de determinadas características más una conjunción 'que'? En otras palabras, ¿enseñamos el significado del subjuntivo como enseñamos el significado de 'mar' o proporcionamos descripciones más o menos exhaustivas de contextos en los que es previsible la aparición de un subjuntivo, con su correspondiente lista de excepciones?

Nuestro empleo de la gramática, como hablantes nativos, no difiere en absoluto de nuestro empleo del léxico o de los gestos: usamos las formas gramaticales porque sabemos lo que significan. Solo podremos prescindir de las reglas gramaticales y, consecuentemente, abrir un espacio en el que el alumno pueda aprender lengua usándola de manera creativa, cuando operemos con el significado de las formas gramaticales. Con la gramática deberíamos hacer, exactamente, lo mismo que hacemos con las palabras, los gestos, las distancias, las pausas, las expresiones idiomáticas o los referentes socioculturales: enseñar a partir del significado.

Pero los significados gramaticales no son fáciles de aislar. Son significados abstractos, escurridizos, conceptualmente simples en sí mismos, que además se presentan diluidos en la complejidad del mensaje. Esa dificultad a la hora de delimitar el valor de operación de la forma lingüística, ha motivado que la gramática tradicional se haya decantado más bien por la paciente, y a veces cansada, descripción de usos y contextos. En consecuencia, la gramática ha sido muy poco estudiada en la intimidad de su propio significado. Lo común es que el estudio de lo gramatical aparezca contaminado de significados procedentes de otros elementos comunicativos, elementos léxicos, pragmáticos o sintagmáticos, y así se dificulta o directamente se imposibilita que el alumno llegue a discernir el valor de la forma gramatical *per se*. Imaginemos un análisis de sangre en el que el enfermero extrayese una muestra de sangre a toda la familia de un paciente y a parte del vecindario, lo mezclase todo bien en un tarrito y lo llevara al laboratorio para el posterior análisis. Los resultados del hemograma serían, previsiblemente, bastante confusos.

Vamos a suponer que se nos proporciona el significado de una serie de palabras ('niño', 'caer', 'piscina' y 'agua') en una lengua desconocida. A continuación, se nos pide que con ese léxico y con lo mejor de nuestro lenguaje corporal, expresemos los tres mensajes que aparecen en el cuadro de abajo:

Tienes que comunicar esta idea:	Contexto
Cae agua de la piscina del niño.	Alguien se ha olvidado de cerrar la manguera con la que llenaba la piscina de juguete del niño, que está en la terraza; el agua ha rebosado y chorrea edificio abajo.
El niño se va a caer dentro de una piscina sin agua.	Estás viendo una película en la que un niño corretea por un polideportivo abandonado y anticipas lo que crees que va a pasar.
El niño de la piscina se cayó al agua.	El niño que conocimos esta mañana en la piscina del yate, se cayó al mar y nos dio a todos un susto de muerte.

Es cierto que con paciencia y buena voluntad de entendimiento, podríamos obtener un cierto nivel de comunicación, especialmente en los contextos más previsibles. Pero es igualmente cierto que se trataría de un nivel de comunicación esencialmente precario, que llegar a él supondría un esfuerzo considerable para hablante y oyente, y que, además, existiría un grado de probabilidad muy elevado de absoluto fracaso comunicativo en los contextos menos previsibles. En esos artículos del tipo *¿Sabía usted que...?* que todos hemos leído alguna vez, se afirma que más de la mitad de lo que decimos lo decimos sin palabras. Por si fuera poco, hemos dispuesto de todo el léxico de esa lengua desconocida y nuestro oyente, además, de toda su inferencia pragmática; no obstante, el proceso comunicativo avanza a duras penas o directamente se colapsa. ¿Cómo es posible? El motivo es evidente: hemos prescindido parcialmente de la gramática, la herramienta comunicativa que permite perfilar de manera exacta las funciones de cada uno de los actores dentro del enunciado, y decimos parcialmente y no totalmente, porque al colocar los sustantivos en un orden determinado, ya estamos realizando gramática. En rigor, en el ejemplo que acabamos de ver, de lo único que se ha prescindido ha sido de la morfología.

En resumidas cuentas, la comunicación no es concebible al margen del hecho gramatical, por lo que debemos de empezar a reconciliarnos con ella, a observarla como un fenómeno natural y espontáneo con presencia en todas las lenguas conocidas del planeta, vivas o muertas. Es cierto que los métodos estructurales estaban a años luz de tener una concepción significativa de la gramática, pero en ese sentido, podemos asegurar que no existe diferencia o evolución alguna con otras posturas dentro de enfoques más modernos, o por lo menos, más recientes en el tiempo.

Lo relevante del enunciado *El niño cayó a la piscina sin agua* no es que sea más o menos correcto que el enunciado **niño piscina no agua caer*, lo relevante es que es más significativo. Sin embargo, es frecuente constatar, en trabajos teóricos y prácticos de indudable orientación comunicativa, que la gramática es concebida como una mera productora de enunciados *correctos*. De esta concepción se desprende que el hablante puede ser competente desde un punto de vista comunicativo, sin necesidad de alcanzar un grado absoluto de corrección *formal*, lo que es totalmente cierto. Pero es igualmente cierto que el acto comunicativo puede llegar a buen término sin necesidad de alcanzar un grado absoluto de corrección pragmática, kinésica, léxica, proxémica o de cualquier otro aspecto que influya en la comunicación. Todos los elementos que intervienen en el proceso comunicativo se rigen por los mismos parámetros. Todos permiten un cierto margen de error y todos ellos son igualmente esenciales.

Desde una perspectiva comunicativa del asunto, la gramática es mucho más que un monitor o un simple barniz de corrección, concepto que tiene más que ver con la pervivencia del conductismo en posturas innatistas, nada novedosas por otro lado, que con un análisis detenido del hecho comunicativo. Una enseñanza comunicativa de la lengua pasa, obligatoriamente, por la interpretación en clave de comunicación de todos los aspectos que conforman el acto comunicativo, y eso incluye a la gramática. La gramática es una herramienta de comunicación.

En el presente capítulo trataremos de ofrecer propuestas de integración de la gramática mediante y a partir del significado de sus formas. No es más ni menos comunicativo un tratamiento explícito de la gramática que un tratamiento implícito, ni un tratamiento inductivo que un tratamiento deductivo. La consideración de variables como los perfiles de aprendizaje de nuestros alumnos, el nivel, la edad, el aspecto gramatical a ser tratado en el aula, entre otros diversos factores, permitirán al docente realizar un diagnóstico sobre cuál es el procedimiento pedagógico más adecuado en cada caso y obrar en consecuencia.

Trataremos en este capítulo seis problemas clásicos de la gramática de ELE, siguiendo el mismo esquema: en *Cuestiones previas* se expondrán una serie de cuestiones que es necesario considerar a la hora de plantear una propuesta pedagógica. En *Los problemas del docente y del alumno* haremos una reflexión sobre las situaciones de conflicto más comunes asociadas al problema gramatical que se está estudiando. En *Una propuesta para enfrentarse al problema* se específica la propuesta pedagógica en sí. Y, por último, en *Por la vía rápida: ficha-resumen* se ofrece un resumen de las ideas centrales expuestas en los puntos anteriores.

2. Presente perfecto[1]-indefinido

2.1. Cuestiones previas: el presente perfecto y el mito peninsular

La enseñanza del presente perfecto 'he cantado' frente al indefinido 'canté' es uno de los primeros problemas gramaticales a los que tiene que enfrentarse cualquier profesor de español. Incluso en los niveles de referencia para el español del *PCIC*, se encuadra en el nivel A2, es decir, en una fase inicial del aprendizaje.

La leyenda urbana más extendida sobre las diferencias entre uno y otro tiempo verbal es la siguiente: el presente perfecto va con unos adverbios o locuciones adverbiales que suelen llamarse *marcadores de presente* y el indefinido con otros, llamados *marcadores de pasado*. Pero antes de entrar a valorar esta creencia, es necesario detenerse por un momento en una leyenda urbana quizás no menos extendida: el presente perfecto solo se emplea en España. Y además, no en toda España, porque canarios, gallegos, asturianos y vascos tampoco lo emplean. De esta manera, a veces se llega a sentir la presencia de ese tiempo casi extinguido, el presente perfecto, como una especie de imposición de manuales y materiales de clase poco sensibles a la variedad geolectal del español.

Todo docente se habrá topado alguna vez, en encuentros entre profesores de ELE o foros de discusión, con debates sobre la cuestión del presente perfecto. Pero si se profundiza un poco en la cuestión, parece que, con cierta frecuencia, las posiciones se cimientan en planteamientos poco ventajosos para el razonamiento lingüístico, como, por ejemplo, juzgar la normalidad o gramaticalidad en función de la variedad geolectal propia o generalizar sobre las peculiaridades de las variedades ajenas. No obstante, una simple ojeada a un atlas lingüístico de cualquier región de cualquier país hispanohablante es suficiente para

---

1 Este tiempo también es conocido como *pretérito perfecto*. En realidad, teniendo en cuenta el presupuesto teórico del que partimos, todas esas etiquetas, basadas en una noción temporal, son escasamente satisfactorias. A pesar de que la palabra 'pretérito', etimológicamente, responde al concepto espacial de *dejar atrás, pasar*, en español moderno tiene un valor estrictamente temporal, asociado siempre a la idea de *pasado*. Ante las dos opciones a la hora de etiquetar la forma 'he cantado', creemos que la de *presente perfecto* expresa un poco mejor el valor de proximidad implícito en este tiempo verbal. En cualquier caso, se trata de meras etiquetas y, por lo tanto, no creemos que el debate sobre cómo llamar a la forma verbal sea sustancial. Nuestra sugerencia es que cada docente escoja la etiqueta que considere más rentable en su aula.

percatarse del riesgo de hipergeneralización. Por otro lado, un análisis en profundidad nos muestra la coherencia de la variedad con las leyes de significado en las que se basa la lengua. En este sentido, la distribución de funciones de presente perfecto e indefinido no es ninguna excepción.

Los datos objetivos muestran que el presente perfecto está vivo en todas las áreas geolectales del español, si bien con diferente grado de presencia y diferentes funciones específicas según la región. Lógicamente, no vamos a entrar aquí en la descripción de esos aspectos específicos de uso según la zona, ya que ello nos llevaría al terreno de la dialectología; lo que nos interesa en este capítulo es, más bien, llevar al lector a reflexionar sobre el *significado de sistema* o *valor operativo* del presente perfecto e indefinido, es decir, el significado esencial de estas formas, fuente de la que nacen los distintos usos, y que establece las bases de su variada distribución.

2.1.1. Qué entendemos por *significado de sistema*

En una variedad dialectal X, llámese español salvadoreño, y en una variedad dialectal Y, llámese español de la península de Yucatán, los significados de sistema, eso que de alguna manera viene a ser el ADN de una lengua, son los mismos. En el ejemplo que estamos usando, el presente perfecto, el significado de sistema es el siguiente: *acción que está concluida y que el hablante sitúa, discursivamente, cerca de su espacio inmediato*. La lectura literal del presente perfecto nos puede ayudar a entender esto, lectura que podría parafrasearse de la siguiente manera:

Aquí lo tengo,	acabado
He	participio

Partiendo de ese significado de sistema, cada comunidad de habla establece luego una serie de usos y funciones que, lógicamente, puede presentar alguna divergencia si se compara con la serie de usos y funciones de otra comunidad:

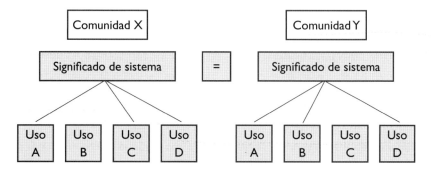

El significado de sistema es el mismo en ambas variedades dialectales, lo que cambia son los usos que se han hecho comunes en la comunidad de habla X y los que se han hecho comunes en la comunidad de habla Y. Como vemos en el esquema, el uso B no ha prosperado en la comunidad X: no se emplea el presente perfecto para la función B, se emplea otra forma. En cambio, en la comunidad Y, es para la C para la que no se utiliza el presente perfecto.

2.1.2. La unidad del español o la gran baza de nuestra lengua

El profesor de ELE trabaja con una lengua, el español –o si se prefiere, el castellano– de una gran riqueza y variedad, siendo al mismo tiempo una lengua cohesionada y compacta. Sería interesante reflexionar sobre esto por algunas razones:

a) Primeramente, porque esa es la realidad de nuestra lengua, tal cual es. No solo lo demuestra el hecho de que sus cientos de millones de hablantes nos intercomuniquemos entre nosotros con total solvencia, también los estudios de campo ponen de manifiesto la unidad y cohesión del español, dentro de la variedad de sus hablas.

b) Además, uno de los motivos que más interés despierta del español es su proyección como lengua de comunicación internacional. Si los propios profesionales de ELE, en lugar de poner el acento en la universalidad de la lengua española, lo ponemos en aspectos particulares e idiosincrásicos, tal vez estemos haciéndonos a nosotros mismos un flaco favor. Evidentemente, partiendo de un objetivo instrumental de comunicación, resulta más atractivo para un potencial alumno aprender una lengua con la que pueda comunicarse en 15 o 20 países, que una lengua con la que solo pueda comunicarse en uno o en parte de uno.

c) Por último, consideramos que señalar las diferencias geolectales como barreras para la comprensión entre distintos hablantes de español, más que estimular el aprendizaje, puede generar ansiedad en el alumno. Circulan por Internet correos electrónicos, difundidos masivamente, en los que se recoge una conversación entre hablantes de bajo nivel formativo y que habitan zonas rústicas de tal o cual país hispanohablante. Si a eso se une una calidad de sonido deficiente y una absoluta descontextualización de dicha conversación, el resultado suele ser que no se entiende casi nada. Claro que hasta los propios familiares de los protagonistas de dicha conversación no entenderían gran cosa. Otras veces recibimos largas listas de unidades fraseológicas de color más o menos local (a veces bastante menos de lo que imaginamos), que comienzan con aquello de: un tucumano no se pone contento, *salta en una pata*... Sin duda, sería más coherente decir que un tucumano no solo se pone contento, sino que también *salta en una pata*.

Pero claro, ese tipo de materiales no está concebido para su empleo en clase, como tampoco lo está el clásico diccionario del habla de tal o cual pueblo, editado por el ayuntamiento del municipio, sino para pasar un buen rato, para divertirse con la observación de la peculiaridad propia o ajena. Pero ese interés por lo otro, que para el hablante nativo puede tener un carácter lúdico y, por qué no, enriquecedor, administrado en el aula sin precauciones, desde la óptica de lo estrictamente divergente, corre el riesgo de hacer creer al alumno que hay unas variedades del español mejores que otras o que la intercomprensión entre los hablantes de español es parcial. Estas ideas y otras semejantes a estas, además de no corresponderse con la realidad, pueden generar dudas entre el alumnado sobre la universalidad de lo que está aprendiendo. Por todo esto, partimos de un planteamiento panhispánico en la presente obra: el español es el patrimonio común de una comunidad lingüística compuesta por, aproximadamente, cuatrocientos millones de usuarios.

Esta propuesta integradora de las variedades del español no se limita solo al léxico, también debe contemplarse en el nivel fonético-fonológico y, por supuesto, en el gramatical, que es el que nos ocupa aquí. En el caso concreto del presente perfecto, es conveniente empezar señalando que es una estructura verbal que existe en nuestra lengua común, que existe con rasgos propios según la zona, que existe en ambas orillas del Atlántico y que su presencia se extiende hasta el Pacífico.

2.1.3. Algunos datos sobre la extensión del empleo del presente perfecto

Sobre la presencia del presente perfecto en América, Bob de Jonge (2001) nos ofrece datos que a más de uno pueden sorprender. Según este autor, el empleo de este tiempo en la ciudad de Buenos Aires es, porcentualmente, más o menos el mismo que en la ciudad de Madrid o Caracas:

Tal como ya se ha indicado en varios estudios sobre el tema, la distribución de los tiempos de pasado difiere significativamente entre el español peninsular y el americano, lo cual tiene que ser indicativo de una diferencia de significado. Pero, tanto de Berschin (1975) como de Lope Blanch (1961) no ha quedado claro, a mi modo de ver, en qué aspectos se diferencian los usos del presente perfecto en España y América, pero sí ha quedado claro que este tiempo está muy vivo en por lo menos dos países hispanoamericanos.[...]

Primero tenemos que confirmar que, efectivamente, el presente perfecto no está en desuso en el español americano. Para averiguar eso, se han recogido exhaustivamente las ocurrencias de presente perfecto y pretérito indefinido en parte de cuatro córpora publicados en el marco de PILEI. Estos datos se dan en la tabla 1.

N/%	Presente perfecto	Pretérito indefinido
Madrid	50/26%	140/74%
México	2/1%	220/99%
Caracas	73/24%	226/76%
Buenos Aires	42/22%	146/78%

Tabla 1: distribución de apariencia de presente perfecto y pretérito indefinido en conversaciones con hablantes cultos de cuatro ciudades hispanohablantes[2].

La tabla 1 indica que en el español caraqueño y bonaerense, el presente perfecto tiene una frecuencia casi igual al español madrileño. Solo el español mexicano parece tener un uso mucho menos frecuente del presente perfecto. Por lo tanto, según los resultados de la tabla 1, el presente perfecto no está en vías de desaparición en, por lo menos, el español caraqueño y bonaerense, y según Lope Blanch (1961) y Berschin (1975), tampoco en el español mexicano y colombiano. Además, un estudio más extenso del corpus de México ha demostrado que los dos casos de la tabla 1 no son casua-

---

2 Los datos han sido sacados de córpora hechos en el marco de PILEI, a saber, Lope Blanch (1968), Rosenblat (1979), Esgueva & Cantarero (1981) y el Instituto de Filología y Literaturas Hispánicas Amado Alonso (1987). Se han usado conversaciones de temas parecidos de informantes de la primera generación (hasta los 35 años de edad).

lidad: este estudio ha arrojado más ejemplos del presente perfecto, casos que se usan en este trabajo para determinar el valor del presente perfecto americano frente al peninsular.

Independientemente de las hipótesis sobre el empleo de una y otra forma que puedan proponerse a partir de estos datos, la cita no deja lugar a dudas sobre lo que venimos comentando: el presente perfecto no es un rasgo exclusivo de ciertas zonas del español peninsular, sino que está presente en amplias zonas de América. Su enseñanza, por tanto, parece obligada en el aula de ELE, como también lo es su aparición en obras como los niveles de referencia del español y en pruebas oficiales de nivel de competencia, como el Diploma de Español como Lengua Extranjera (DELE) o el Certificado de Español: Lengua y Uso (CELU). Queda, por tanto, a juicio del docente, decidir cómo compensar la eventual falta de información en el manual que emplea en clase respecto al empleo específico del presente perfecto en su comunidad de habla.

2.2. Los problemas del docente y del alumno

El docente se enfrenta a varios problemas en la enseñanza del presente perfecto frente al indefinido. Cuando se habla sobre el asunto, es frecuente oír comentarios de este tipo:

- Mis alumnos prefieren emplear el presente perfecto al indefinido, porque este último tiempo presenta una gran cantidad de irregularidades que el presente perfecto no tiene. Morfológicamente, el presente perfecto reviste una menor complejidad.

- En realidad, y aunque me invente algo para salir del paso en clase, no sé muy bien por qué se puede decir tanto *Lo vi esta mañana* como *Lo he visto esta mañana*.

- Cuando se trata de gramática, en mi formación como docente me han hablado bastante de contextualizar funcionalmente, del aprendizaje de la gramática como consecuencia de la exposición a situaciones de comunicación, del aprendizaje como fin y como medio, y de otras posturas basadas en postulados innatistas, pero de Teoría del Lenguaje, sé poco. Se supone que no es necesario ser un experto en gramática para enseñar una segunda lengua. Lo que sé sobre gramática lo he aprendido, en general, de la siguiente manera:

  a) Durante la educación general básica y el bachillerato.

  b) Oyendo lo que se comenta en la sala de profesores.

  c) De los manuales de clase y las gramáticas para estudiantes.

  d) De algún que otro taller de actualización pedagógica que he recibido.

A veces se tiende a pensar que un profesor que posea una licenciatura en Filología, preferentemente en Hispánicas, no pasa por estos problemas. Pero el hecho es que eso no es del todo cierto. Buena parte de los departamentos de Lengua Española de las facultades de Filología permanecen adscritos a la tradición estructuralista que, como iremos viendo, no creemos que sea la base teórica que mejor case con la enseñanza comunicativa de la lengua. Pero también es cierto que haber estudiado gramática durante los años de carrera, y estar familiarizado con determinados conceptos y teorías, facilita el desarrollo de un pensamiento lingüístico abstracto y, sin duda, puede ser una valiosa ayuda para compensar el aún relativo escaso interés que el tema gramatical suscita en planes de formación de profesores de ELE.

2.2.1. El mito de los marcadores temporales

Para encarar el pantano didáctico del presente perfecto frente al indefinido, los procedimientos pedagógicos tradicionales son los que todos conocemos. Unos llegan a él leyendo manuales al uso y otros quizá lo descubren con la práctica pedagógica cotidiana, pero el resultado final es el mismo: el recurso a los *marcadores de tiempo*.

Hay que reconocer que se trata de un recurso de fácil aplicación, ya que no nos obliga a entrar en explicación alguna: el asunto se limita a usar presente perfecto con marcadores del tipo: *hoy*, *esta mañana*, *esta semana*, *hace poco*, etc., y a usar indefinido con marcadores del tipo: *ayer*, *hace un mes*, *aquella semana*, *hace mucho tiempo*, etc.

Todos hemos visto alguna vez la lista de marcadores de tiempo que exigen el empleo de una u otra forma. Con este procedimiento, el docente vadea sin mayor dificultad el problema, y el alumno suele quedar satisfecho con la explicación, ya que es una regla razonablemente fácil de recordar y que no representa mayor dificultad de comprensión:

Perfecto	Indefinido
Hoy	Ayer
Hace un rato	Hace días
Hace poco	Hace mucho
Hace nada	Hace siglos
Esta mañana	Esa mañana
Esta semana	Esa semana
Este mes	Ese mes
Este año	Ese año
etc.	etc.

Este criterio de decisión, de tipo puzle (si aparece la unidad X emplea a continuación la unidad Y) es un buen ejemplo de criterio formalista o estructural, es decir, basado en la creencia de que la lengua es un conjunto de unidades, que se combinan en función de una serie de reglas que vienen determinadas por la propia estructura, y en la que el hablante no tiene gran margen de elección: la regla limita las opciones que se pueden seleccionar.

La mayor crítica que se le puede hacer a esa concepción de la lengua es que establece las leyes atendiendo a lo que *suele* ocurrir y no a lo que *puede* ocurrir, de ahí que, como todos sabemos, presenten un buen número de excepciones, que el alumno deberá aprender de memoria. Ejemplificándolo de manera muy sencilla, si en meteorología estableciéramos como ley que un día nublado trae lluvia, estaríamos haciendo exactamente lo mismo que hace la gramática estructural: es cierto que muchos días nublados presentan lluvia, y que con el cielo despejado no llueve, pero no es la mera presencia de nubes lo que causa la lluvia, sino un conjunto de factores. Las nubes cargadas de agua, por decirlo de alguna manera, solo pasaban por allí.

De manera análoga, es cierto que, en el discurso, el presente perfecto suele aparecer acompañado de los llamados *marcadores temporales de presente* y que el indefinido suele hacerlo acompañado de los llamados *marcadores temporales de pasado*; pero la recurrencia no hace ley, es justo al contrario: debe ser la ley la que explique tanto la recurrencia de ciertas asociaciones, como la aparición y validez de otras asociaciones no tan recurrentes.

Mientras que el alumno no registre casos de marcadores de pasado con presente perfecto o de marcadores de presente con indefinido, todo puede ir más o menos bien para el docente, que, en cualquier caso, debe plantearse qué actitud va a tomar: huir de los problemas o tratar de anticiparse a ellos. Tarde o temprano, el alumno acaba registrando contraejemplos a la regla de los marcadores temporales, problema que se acentúa cuando se registran ejemplos de uno u otro tiempo verbal, sin acompañamiento alguno de marcadores temporales de ninguna clase. ¿Cómo salir del paso?

Ante un contraejemplo, los recursos de emergencia son varios, uno de ellos es decirle al alumno que no se fije en esas minucias, que lo que le interesa es aprender a comunicar. Dirigir la atención por completo al significado, y tratar de venderle a un alumno que la mejor manera de aprender la gramática es mediante un tratamiento implícito, hablando y practicando mucho en lugar de prestar atención a la forma, puede funcionar con algunos, pero jamás con otros, que seguirán demandando del profesor —y con todo el derecho— una explicación satisfactoria. Todo dependerá de su perfil de aprendizaje. En este sentido, el docente no debe nunca olvidar que existe un espectro amplio de alumnos que va a frustrarse y desmotivarse si no obtiene respuestas convincentes a dudas formales. Además, no existe ninguna prueba de que el mejor procedimiento para aprender gramática sea el tratamiento implícito, por lo tanto, parece que lo más prudente es abstenerse de realizar cierto tipo de declaraciones.

Puestos a encarar el problema, podemos insistir en la regla de los marcadores, y recurrir al *empleo coloquial del lenguaje*, a *regionalismos* o, directamente, a la *incorrección lingüística* para salvar los muebles. Como salida de emergencia no está mal, pero tal vez habría que plantearse que es más fácil que se haya equivocado el gramático que hizo la regla, que millones de usuarios nativos. Nos guste más o menos, no nos queda más remedio que admitir la realidad: es frecuente el empleo de presente perfecto con marcadores de pasado y de indefinido con marcadores de presente, del tipo *Ayer he visto* y *Hoy vi*, en los que se contradice el principio de que los marcadores X van con el tiempo Y. Se registran entre hablantes cultos de distintos países hispanohablantes, se registran tanto en textos orales como en textos escritos y hasta el propio *Esbozo de una nueva gramática de la lengua española*[3] (en adelante *Esbozo*) se hace eco de ello. Por lo tanto, y ante tanta evidencia, quizá no sea mala idea ir más allá de la tradición estructural y estudiar nuevas propuestas para enfrentarse a un problema que, con las recetas actuales, no parece encontrar una respuesta satisfactoria.

---

3 RAE 2006, p. 466.

2.3. Una propuesta para enfrentarse al problema

La primera medida a adoptar sería darle a esos llamados *marcadores de tiempo* el estatus que les corresponde: simple y llanamente, anclar la acción en un punto determinado de la línea temporal. La decisión sobre qué tiempo verbal ha de aparecer a continuación es del hablante, en función de lo que se proponga comunicar. La lengua está al servicio del usuario y no al contrario.

Es normal que si se siente *cerca* el espacio en el que fue realizada una acción, también se sienta *cerca* la propia acción, pero que sea normal no quiere decir que sea así por ley. De hecho, con frecuencia no es así:

Lo vi esta mañana.

En este sencillo ejemplo, el espacio-tiempo está objetivamente cerca del hablante, *esta mañana*, pero el hablante ha optado por no otorgar a la acción en sí (ver a alguien) la marca de actualidad que le habría conferido el presente perfecto. ¿Por qué el hablante toma esa decisión y no la contraria? No podemos saberlo, pero tampoco es algo que nos haga falta saber. Estamos, simplemente, ante la manifestación lingüística de un proceso cognitivo del hablante, la elección personal de una perspectiva lingüística ante la escena: tal vez el hablante no considera que el hecho forma parte de su actualidad, tal vez porque lo considera trivial. Pero tal vez considere lo contrario, es decir, que el hecho forma parte de su actualidad, pero no desea marcar eso gramaticalmente; lo único que podemos asegurar es que el hablante ha codificado el hecho en el discurso mediante un indefinido, el tiempo por defecto para referirse a actos completos y archivados en su memoria, sin añadir nada más. De haber empleado un presente perfecto, el hablante habría hecho explícito formalmente el carácter actual del hecho en sí.

Como hemos visto en el capítulo anterior, el lenguaje humano es esencialmente metafórico, al igual que nuestra propia manera de conceptualizar el mundo que nos rodea. Si se tiene esto en cuenta, creemos que resultará algo más sencillo entender qué ocurre con el presente perfecto y el indefinido: para comprender el concepto *tiempo*, noción profundamente abstracta, el ser humano recurre a otra noción más inmediata a su experiencia psicomotora, la noción de *espacio*. Gracias a las metáforas basadas en la noción de espacio, el ser humano consigue representarse y expresar ideas relativas al tiempo. Veamos un ejemplo muy simple. En español decimos cosas tales como *De aquí en adelante vamos a hacer así las cosas*, donde 'aquí' y 'adelante', adverbios de *lugar*, nos sirven para referirnos al *tiempo* que se percibe como presente y al que se percibe como futuro.

Sentimos que el pasado es algo que quedó atrás, por tanto, lo representamos como algo alejado de nosotros, algo que está «allí». Por el contrario, el presente lo representamos como algo cercano o incluso inmediato, algo que está «aquí». De manera análoga, el presente perfecto ubica la acción concluida en un espacio inmediato al hablante, mientras que el indefinido no. El indefinido sitúa la acción acabada en su lugar natural, que es el espacio de lo concluido, de lo que ya ha pasado, de lo que ya no está en nuestro entorno inmediato, la sitúa «allí».

En cambio, mediante el empleo del presente perfecto, el hablante sitúa la acción en su entorno inmediato, lo que supone una marca lingüística de actualidad que le confiere relevancia al hecho en el espacio-tiempo en el que el hablante se encuentra. El hablante toma esta decisión de representación movido por muy diversos factores comunicativos o cognitivos, pero siempre que lo hace, lleva a cabo el mismo procedimiento discursivo: *acerca* metafóricamente a su «aquí» los hechos que menciona.

2.3.1. Las restricciones del concepto de relevancia en términos de actualidad

Observándolos con un poco más de detenimiento, veremos que los marcadores temporales, en realidad, de temporales tienen menos de lo que parece, por eso tal vez sería más adecuado considerarlos marcadores espacio-temporales. Toman su sentido del valor deíctico de los pronombres por los que están integrados, bien en sincronía, como pueda ser el caso de 'esta semana' (esta + semana), o bien en diacronía, como el caso de 'hoy', que en nuestros días parece uno de esos signos lingüísticos arbitrarios, pero que proviene del latín *hoc die*, es decir, 'este día'.

Si volvemos a la tradicional lista de marcadores que veíamos antes, observaremos que muchos de ellos están compuestos por los pronombres 'este, ese o aquel', pronombres que sitúan los objetos en un punto determinado del espacio a una distancia mayor, menor o intermedia del hablante. Mientras que 'este' supone una distancia mínima, 'aquel' implica una distancia máxima y 'ese', una distancia intermedia.

Pero la rentabilidad de la noción de distancia expresada por los pronombres no se limita a la ubicación espacial, en sentido literal. Partiendo de ese valor primitivo, nos servimos de ellos para generar otros muchos efectos. Por ejemplo, si el hablante decide acercar a su espacio inmediato el hecho pasado al que se refiere, ya hemos visto que optará por el presente perfecto. Siguiendo ese razonamiento, parece normal que el hablante considere que también está cerca del marco espacio-temporal en el que tuvo lugar la acción, y que también lo marque discursivamente como cercano a él:

Esta semana (la que tenemos más cerca) *ha sido agotadora.*

Esto explica por qué se emplea, frecuentemente, 'este/esta' para generar marcadores de cercanía o presente, y 'ese/esa/aquel/aquella' para generar marcadores de alejamiento. Pero aunque esto ocurra con frecuencia, no significa que haya de ser siempre así, y esto es una buena noticia, porque lo contrario sería asumir limitaciones en la capacidad expresiva de la lengua. Veamos algún ejemplo:

*Me **he casado** el mes pasado.*

*Me **he casado** hace diez años.*

En nuestro contexto social, es comprensible que el hecho de casarse pueda ser relevante en nuestra actualidad durante un mes, y quizá algo más, según el contexto en el que nos situásemos, pero no diez años después: lo relevante del matrimonio, diez años después, no es el hecho de haberse casado y el consecuente cambio de estado civil, sino las consecuencias lógicas de aquel acto. Por lo tanto, no parece que tenga mucha lógica que el hablante siga marcando, diez años después, el día de la boda como relevante en su actualidad, ya que en diez años se ha tenido tiempo más que suficiente para asumir todas las novedades del nuevo estado civil.

Otro hecho interesante a ser notado es que dependiendo de qué acción estemos hablando, podrá alargarse más o menos el empleo del presente perfecto a la hora de referirnos a ella:

He tenido un hijo.

He perdido un chicle.

Evidentemente, es muy probable que el hablante deje de percibir antes relevancia en su actualidad en la pérdida de un chicle que en el nacimiento de un hijo. En cualquier caso, hay siempre límites razonables de uso y el alumno debe de ser consciente de ello. De todas maneras, no podemos esperar que el aprendiente no cometa errores del siguiente tipo:

*Con trece años mi padre me **ha visto** fumando.*

Si se le recuerda que a sus 50 años resulta un tanto extraña la utilización del presente perfecto, puede argumentar que fue muy relevante para él la paliza que le dieron aquel día. Por eso es importante diferenciar lo que queremos decir con *relevancia*: estamos hablando de relevancia en términos de actualidad, no de relevancia sentimental o subjetiva. Una paliza paterna es un hecho actual durante unos cuantos días. Luego se convierte en un recuerdo, que puede ser muy relevante, pero como recuerdo, no como hecho actual. Es de esperar que, a medida que pase el tiempo, el aprendiente vaya afinando su percepción del juego de distancias que ofrecen presente perfecto e indefinido, y los errores sean menos frecuentes y de menor calado.

En cualquier caso, es necesario insistir en que el significado de sistema del presente perfecto es la representación de una escena concluida en un espacio epistémico cercano al hablante, en su «aquí», y no en la relevancia en términos de actualidad del hecho, que es **una de las múltiples causas** por las que el hablante puede decidir acercar a él la escena a la que se refiere. Por ejemplo:

*Yo me **he casado** en esta iglesia.*

*Me **he casado** cinco veces.*

En el primer caso, la cercanía con la que se ha representado la escena tiene una justificación clara: una asociación del espacio que se tiene justo delante, con el hecho que tuvo lugar en él. En el segundo caso, se está hablando de experiencias vitales acumuladas. Las experiencias vitales son hitos que jalonan la vida de una persona y que, por tanto, son susceptibles de ser en cualquier momento actualizados o atraídos al espacio en el que se desarrolla la conversación.

2.3.2. Qué motivos nos pueden llevar a acercar discursivamente hechos pasados

No siempre empleamos un cuchillo para cortar. Por ejemplo, dependiendo de su valor, podemos degradarlo a la función de retirar barro de un zapato o exhibirlo en una vitrina dentro de un museo o de una catedral del siglo XV. Pero, a fin de cuentas, este cuchillo es tan 'cuchillo' como el que empleamos en el almuerzo. A los tiempos verbales les pasa lo mismo: esencialmente son algo, significan algo, y así el presente perfecto significa *acción que está concluida y que el hablante sitúa, gramaticalmente, cerca de su espacio inmediato*. Este es el significado de sistema de este tiempo verbal; empleando una comparación con el sentido del gusto, *esto es a lo que sabe un presente perfecto si no lo mezclamos con nada más*. Luego los usos que puede tener, como el cuchillo, son muchos.

Hacíamos referencia al carácter metafórico del lenguaje hablado. Como ya sabemos todos por la literatura escolar, de los dos términos de la metáfora, término A y término B, A es el real y B el figurado. Nuestro término A es aquí una experiencia esencialmente primaria: la de moverse por el espacio. No podemos saber en qué está pensando exactamente nuestro perro cuando se queda mirando la televisión, pero suponemos que no debe de estar entendiendo mucho del documental sobre relojes suizos que ofrece el canal que estamos viendo. Sin necesidad de entender lo más mínimo sobre el concepto *tiempo*, el perro se mueve por la casa tan bien o mejor que nosotros. La percepción de espacio es un proceso cognitivo extremadamente simple y primitivo, y que ya estaba instalado en el cerebro de la especie humana cuando aparecieron otros conceptos más abstractos y complejos. Eso nos lleva a pensar que cuando el ser humano se llegó a representar la noción *tiempo*, lo hizo mediante metáforas conceptuales basadas en su percepción primitiva de la noción *espacio*.

Esto explicaría que, lingüísticamente, la noción *tiempo* se vea englobada y superada por la noción *espacio*, que sirve tanto para representar el tiempo, como para otras muchas cosas. Por ejemplo, lo que acercamos virtualmente a nuestro espacio inmediato, lo que está cerca, puede desempeñar las siguientes funciones a nivel discursivo:

- Que me refiero a un objeto o circunstancia que tengo en algún lugar cerca de mí: *Esto ha sido de la lluvia del otro día*.
- Que conforma mi currículo, mis experiencias vitales: *He dado clases en cuatro continentes, He pasado el sarampión…*
- Poner de manifiesto que ha pasado poco tiempo desde el transcurso de la acción: *Ha estado aquí*.
- Manifestar que el hecho se siente actual, noticioso: *Ha salido de la cárcel el mes pasado*.
- Subrayar discursivamente el impacto de las experiencias acumuladas del sujeto en su actualidad: *He pasado mucha hambre de niño*.
- Presentar los hechos como hitos de nuestra existencia, formando parte del espacio-tiempo actual: *He visitado un total de 183 países*.
- Poner de manifiesto que las causas siguen abiertas en un espacio-tiempo actual: *Jamás me has pedido perdón*.
- etc.

No se debe, claro está, confundir uso con regla: no es que siempre que yo lleve algo a gala deba emplear presente perfecto, lo que trata de establecerse es que llevar algo a gala es uno de los motivos que me pueden llevar a emplear el presente perfecto.

Es importante dejar claro que, para expresar que se siente orgulloso de algo o cualquier otro mensaje de los mencionados un poco antes, el hablante combina diversas unidades verbales (lexemas verbales y nominales, morfemas, adjetivos, preposiciones, etc.) y no verbales (gestos, ritmo del discurso, tono, etc.). Entre esas unidades verbales se encuentra el presente perfecto con su significado de sistema, que es tan solo uno más de los elementos del cóctel con que lo consigue.

2.3.3. Ante la duda, indefinido

Recapitulando, la diferencia de valor de operación o significado de sistema entre presente perfecto e indefinido, que hemos ya planteado, es que el primero acerca virtualmente una escena del pasado y el segundo la deja en el espacio alejado en el que, por defecto, se sitúan las acciones terminadas.

Como regla pedagógica es simple, pero eso no significa que el proceso de interiorización por parte del alumno vaya a ser inmediato o igual de simple. El docente tiende a vivir instalado en la búsqueda, más o menos inconsciente, de resultados a corto plazo, que le permitan constatar la eficacia del trabajo realizado en el aula. A veces, puede producir desaliento observar que el alumno, a pesar de haber realizado satisfactoriamente los ejercicios desplegados a lo largo del protocolo didáctico, no emplea de manera espontánea la forma gramatical aprendida. Desde nuestra perspectiva, todo esto es normal. Hay que darle tiempo al alumno para reorganizar su interlengua, y aclarar, en cualquier caso, al lector que una gramática pedagógica inspirada en criterios cognitivos no intenta ser milagrosa. Simplemente, intenta ser más operativa dentro del aula.

Es esencial que el alumno sea consciente de que al emplear el presente perfecto emite una señal lingüística de acercamiento, señal que no se emite cuando emplea el indefinido. Por lo tanto, no es mala idea aconsejarle que emplee el presente perfecto solo cuando esté seguro de que está justificado hacerlo, que existen razones suficientes para operar un acercamiento discursivo a la escena. En caso de duda, lo mejor es optar por el indefinido.

En este sentido son un buen ejemplo las variedades del español que no emplean el presente perfecto para referirse a hechos que han tenido lugar hace poco tiempo:

Llegué hace un minuto.

En este y otros muchos casos similares es tan evidente, por el contexto lingüístico o el extralingüístico, que el hecho al que el hablante se refiere está cerca de donde él se encuentra, que no hace falta marcarlo gramaticalmente. Se puede hacer si así se desea, pero en ese sentido el español peninsular es evidentemente redundante o, simplemente, practica una especie de armonía espacio-temporal que no es indispensable para la correcta transmisión del mensaje.

2.3.4. La lengua posee una estructura

En las páginas anteriores se ha reflexionado sobre lo endeble de la teoría de los marcadores de tiempo. Pero tanto esta reflexión particular, como la crítica en general a posturas de corte estructuralista y formalistas para explicar la cohesión interna de la lengua no implica en absoluto negar el concepto de estructura. Es evidente que el lenguaje hablado posee una serie de condicionantes de tipo estructural, es decir, que hay un sitio para cada cosa, que el hablante no puede hacer lo que le plazca, que hay restricciones, y la prueba es que, cuando no se respetan cierto tipo de leyes relativas a la estructura, no se entiende absolutamente nada. Por ejemplo, esto no se entiende: *Nombre cuya quiero de lugar de en mancha no un acordarme...* Y no se entiende porque se han contravenido leyes de la lengua, como la colocación de los elementos dentro de la frase, que son leyes de tipo estructural. Si ordenamos los elementos de la frase, podemos obtener lo siguiente: *En nombre de un lugar de cuya mancha no quiero acordarme...* La frase no es exactamente la más famosa de nuestra literatura, pero se le parece y, sobre todo, se entiende: alguien ha venido a decirnos algo en nombre de algún pueblo que ha cometido alguna falta horrible y de la que el hablante prefiere ni acordarse.

La importancia de todo esto estriba en la siguiente reflexión: es evidente que hay reglas de tipo estructural en la lengua; por ejemplo, en español, los pronombres átonos con un verbo en indicativo van siempre delante de ese verbo, nunca detrás, y además aparece primero el de objeto indirecto y luego el de objeto directo, y así podrían citarse otras muchas reglas y limitaciones de tipo estructural. Sin embargo, el error de la gramática pedagógica tradicional de base estructuralista consiste, a nuestro juicio, no en la creencia en la estructura, sino en la creación y propagación de toda una serie de estructuras apócrifas, nacidas de disquisiciones sobre la lengua y no de la observación de la comunicación real, y que, por tanto, son estructuras que no existen como tales en el habla espontánea del usuario, culto o inculto, sino exclusivamente en libros sobre gramática. Como en una ficción de Borges, a veces el libro (de gramática) termina superponiéndose a la propia gramática.

2.4. Por la vía rápida: ficha-resumen

Para finalizar este apartado dedicado al presente perfecto e indefinido, exponemos a continuación las cuestiones fundamentales que hemos planteado:

- Existe la creencia, más o menos extendida, de que el presente perfecto es un rasgo propio del español peninsular. Los trabajos de investigación realizados al respecto, muestran que **el presente perfecto no solo existe en zonas de España, sino que está repartido a lo largo de toda la geografía del español**, si bien con diferentes grados de uso y funciones específicas, dependiendo de la zona que se tome como referencia.
- **Significado de sistema de las formas**:
  a. El presente perfecto 'he cantado' significa: *acción que está concluida y que el hablante sitúa, discursivamente, cerca de su espacio inmediato*.
  b. El indefinido 'canté' significa: *acción que está concluida*. No se activa ningún procedimiento que acerque el hecho al espacio actual del hablante.
- **Rentabilidad funcional y efectos de significado** que pueden generarse a partir del significado de sistema de esas formas. Algunos ejemplos:

Presente perfecto	Indefinido
– Poner de manifiesto que ha pasado poco tiempo desde el transcurso de la acción: *Ha estado aquí.*	– Situar la acción en el espacio-tiempo alejado que, por defecto, ocupan las acciones acabadas: *Estuvo aquí.*
– Manifestar que el hecho se siente actual, noticioso: *Ha salido de la cárcel el mes pasado.*	– Suprimir del discurso referencias al impacto de las experiencias acumuladas del sujeto en su actualidad: *Pasé mucha hambre de pequeño.*
– Subrayar discursivamente el impacto de las experiencias acumuladas del sujeto en su actualidad: *He pasado mucha hambre de niño.*	– Presentar los hechos como hitos de nuestra existencia, formando parte de un espacio-tiempo alejado: *Visité un total de 183 países.*
– Presentar los hechos como hitos de nuestra existencia, formando parte del espacio-tiempo actual: *He visitado un total de 183 países.*	– Poner de manifiesto que las causas siguen abiertas en un espacio-tiempo alejado: *Jamás me pediste perdón.*
– Poner de manifiesto que las causas siguen abiertas en un espacio–tiempo actual: *Jamás me has pedido perdón.*	– Poner de manifiesto que las causas están cerradas en un espacio-tiempo actual: *Jamás me pediste perdón.*

Para comprender adecuadamente esta propuesta, es fundamental tener en cuenta una cuestión y es que, cuando se emplea el indefinido, el hablante puede estar, simplemente, evitando matizar el mensaje con la carga de actualidad que posee el presente perfecto. Dicho en otras palabras, el empleo de uno u otro tiempo no expresa la *actitud* en sentido estricto del hablante ante el hecho, sino su *actitud lingüística*. El presente perfecto es marca manifiesta de acercamiento virtual de la acción, de actualidad. El indefinido no es marca de lo contrario, es, simplemente, una forma de no marcar discursivamente el hecho como actual.

- **Los marcadores de tiempo son elementos independientes del tiempo verbal.** Es fácil registrar ejemplos de marcadores temporales que expresan proximidad espacio-temporal (*hoy, esta semana, este mes*…) acompañando al presente perfecto, al igual que es fácil registrar ejemplos de marcadores temporales que expresan distancia espacio-temporal (*ayer, esa semana, aquel mes*…) acompañando al indefinido, pero esa circunstancia no hace ley. Pueden registrarse con facilidad ejemplos cruzados, del tipo *Hoy vi* y *Ayer he visto*. Que la acción haya tenido lugar hoy no la convierte en necesariamente relevante y actual para el hablante, y que haya ocurrido ayer, no necesariamente la hace perder su rasgo de relevancia y actualidad.

- **Ante la duda** de qué tiempo emplear, presente perfecto o indefinido, **el aprendiente debería optar por emplear el indefinido.** Nos parece adecuado que el docente estimule a emplear el presente perfecto solo cuando el aprendiente considere que está discursivamente justificado su uso.

- **Los resultados de una instrucción gramatical eficiente pueden tardar en ser registrados,** por lo que el docente no debe caer en la ansiedad a corto plazo, sino más bien llevar un seguimiento a largo plazo de la evolución del alumno, labor que ya no es de un solo docente, sino de todo un equipo.

- **La crítica a reglas pedagógicas de tipo formalista o estructural no implica la negación de la estructura**, sino la acotación de la incidencia de la misma en nuestra manera de hablar: la estructura marca unos límites a la expresión de significado, al tiempo que permite que esta tenga lugar; pero los límites estructurales son, a nuestro juicio, mucho más generales y simples de lo que la gramática estructural española tradicionalmente ha propuesto. En cualquier caso, consideramos que no se deben valorar las reglas pedagógicas por la teoría lingüística en la que orbitan, sino por su operatividad en el aula.

3. Indicativo-subjuntivo

3.1. Cuestiones previas: el modo subjuntivo no es universal, pero las nociones subjuntivas sí

El asunto del subjuntivo es un serio candidato a ser el problema estrella en la gramática pedagógica de ELE. Produce las más altas cotas de desorientación tanto en el docente como en el aprendiente, y ello se debe a una serie de dificultades, de diverso tipo, que confluyen en la elección modal del español y que convierten el asunto en una especie de *Triángulo de las Bermudas* gramatical. Vamos a repasar algunos de esos problemas, más o menos conocidos por todos, al tiempo que recordamos algunos de los mitos más recurrentes cuando se habla de subjuntivo.

Y es que del indicativo no se habla. En esta historia, el indicativo aparece exento de toda culpa, es al subjuntivo al que le cabe el papel de villano, el rol de modo traicionero que de no existir, como no existe en otras lenguas, haría al español ser mucho más sencillo. Pero claro, este es el primer mito a poner en cuarentena: una cosa es que en una lengua dada no exista modo subjuntivo, en el sentido estrictamente morfológico del término, y otra bien diferente, que esa lengua carezca de procedimientos morfosintácticos específicos para expresar nociones subjuntivas, de la misma manera que el español, portugués, italiano o el francés lo hacen con un morfema unido a un lexema.

Solo tenemos que observar qué es lo que ocurre en inglés, lengua global por excelencia de este siglo XXI que ahora comienza. Invitamos al lector, si posee algunos conocimientos en esa lengua, a que reflexione sobre esta cuestión: ¿Posee el inglés algún procedimiento formal para diferenciar mensajes tales como *Sé que sabes / Quiero que sepas*? ¿O no existe tal procedimiento formal y la diferencia de significado se extrae del contexto? La respuesta es que el inglés posee, efectivamente, un procedimiento formal que marca discursivamente la noción subjuntiva: se opone el empleo del verbo 'saber' conjugado en *present tense* para el primer caso (*I know you know*), al del *infinitive* precedido de un pronombre personal de segunda persona de singular en el segundo caso (*I want you to know*). El español emplea un procedimiento sintético, al generar esa noción subjuntiva mediante un morfema adherido a un lexema verbal. El inglés emplea un procedimiento analítico, al no utilizarse morfema de ninguna clase, sino una adición de elementos, en este caso, pronombre personal + verbo en infinitivo.

Esto es interesante para el docente: independientemente de qué procedimiento en concreto se emplee, muchas lenguas poseen protocolos formales específicos para expresar una noción subjuntiva. Ante problemas que creemos específicos del español, podemos hallar un aliado inesperado en la L1 de nuestros alumnos o una LE de comunicación internacional.

3.1.1. Diferentes maneras de decir lo mismo: lo sintético y lo analítico

Nos da la sensación de que al aprendiente de segundas lenguas le resulta más fácil comunicarse mediante adición de palabras (procedimiento analítico) que mediante adición de morfemas (procedimiento sintético), lo cual no deja de parecer normal, es más fácil aprehender el significado de una unidad léxica que el de una unidad morfosintáctica. En contra de lo que tal vez nos gustaría, una atención dirigida exclusivamente al significado puede contribuir a fosilizar errores e, incluso, un cierto estado de pidginización de la LE, ya que el aprendiente tiende a simplificar la gramática de la lengua meta, prescindiendo de los procesos más complejos. Entre esos procesos se halla el empleo de morfemas inexistentes en su L1.

¿Carece el español de genitivo? Podemos decir que en lenguas como el latín, por ejemplo, sí que había genitivo (*rosa, rosae*), pero que en español no lo hay. Obviamente, hay que conceder que esto es así desde un punto de vista estrictamente formal, ya que el español no declina sus sustantivos. Declinar sustantivos significa que la función del sustantivo dentro de la oración (sea un sujeto, un objeto o cualquier otra cosa) se aclara mediante un morfema que se adhiere a un lexema, en este caso un lexema nominal. Hemos visto que el español es sintético para el tema del subjuntivo, por esa costumbre de adherir morfemas al verbo, pero es tan analítico como el inglés para la cuestión nominal: el español añade preposiciones y artículos para aclarar cuál es la función del sustantivo en la oración, no añade morfemas.

Pero que el español carezca de flexión nominal no significa, obviamente, que no exprese un complemento de nombre, que sí lo hace: *El nombre de la niña, La casa del padre*, etc. Cualquiera de las variadas funciones que tenía el genitivo latino se sigue ejerciendo en el español moderno, solo que con otros procedimientos morfosintácticos. En el fondo, las lenguas se parecen mucho más de lo que aparentan a simple vista, tal vez porque las formas pueden presentar grandes diferencias de lengua a lengua, pero los significados no tanto.

Puede que la dificultad para el aprendizaje del subjuntivo se base, fundamentalmente, en dos problemas:

a. La tendencia ya mencionada del aprendiente a simplificar la gramática de la LE, y a suponerla más parecida a la de su L1 de lo que realmente es.

b. La no comprensión de qué significa la forma gramatical, en este caso el subjuntivo.

Y sin duda, el segundo problema retroalimenta y amplifica el primero. Es comprensible que los hablantes de portugués brasileño no encuentren mayor dificultad en el subjuntivo español, ya que el subjuntivo existe también en su lengua (como modo), y se emplea de manera parecida en una buena porción de los contextos. En cambio, la dificultad que el subjuntivo no reviste para ellos, la plantean, por ejemplo, los pronombres átonos de complemento directo o indirecto, diferentes a los del español. En lengua escrita se mantiene un sistema parecido al del español, pero el habla espontánea muestra una evidente evolución hacia modelos analíticos: *vi ele, falei para ela,* etc. En consecuencia, es frecuente hallar alumnos de nivel Avanzado (B2) y Dominio (C1) que continúan empleando estructuras del tipo *vi (a) él, dije a/para ella,* etc. No obstante, emplean el subjuntivo con un altísimo grado de corrección. Esto nos llevaría a pensar que la dificultad a la que se enfrenta el aprendiz no es tanto el subjuntivo en sí, como tampoco lo es el sistema pronominal en sí, sino una tendencia a simplificar la gramática de la LE, asimilando el funcionamiento de la gramática de la LE al de la L1, y no necesariamente porque aquella sea más compleja que esta o al revés, sino simplemente, porque es diferente. La tendencia natural del hablante es a continuar discurriendo por los mismos cauces de significado, aunque sea en otras lenguas, y ese problema se agravará si el propio significado del nuevo cauce no está claro en absoluto para el aprendiz. Así, los problemas a la hora de comprender qué significa el modo en español, solo vienen a complicar aún más la situación. Por tanto, la propuesta es facilitar el proceso de aprendizaje a partir del significado del subjuntivo, ya que de otra manera, consideramos que será aún más difícil que el alumno llegue a emplearlo.

¿Qué quiere decir esto del aprendizaje basado en el significado de las formas? Vamos a poner un ejemplo. En turco el sustantivo *Asya* es tanto nombre de persona, normalmente de mujer, como del continente asiático; de esta manera, si soy consciente de que al decir en turco *Asya geldi* estoy expresando que *Ha llegado Asya* (una chica llamada Asya) y si, al mismo tiempo, soy consciente de que cuando digo *Asya'dan geldi*, estoy expresando que alguien *Ha venido de Asia* (del continente asiático, con el sujeto omitido), entonces he aprendido que el morfema *dan* convierte al sustantivo en el lugar de origen de un desplazamiento y que, en cambio, la ausencia de este marca gramaticalmente el sujeto de la acción. Consecuentemente, he aprendido a generar significado mediante morfemas, cuando mi lengua materna lo hace con acumulación de preposiciones y artículos, y, en definitiva, estoy siendo protagonista de un comportamiento lingüístico equivalente al del aprendiente de ELE, cuando es capaz de transmitir significado mediante oposiciones del tipo *donde tú vas/donde tú vayas*. Si se sabe qué significan las formas, todo se hace un poco más fácil.

Pero la tarea de trabajar con significados no es tan simple, básicamente porque los hay muy obvios, pero también los hay más abstractos. Y el subjuntivo seguramente sea de estos últimos. Los hispanohablantes que aprendemos inglés nos vemos pronto las caras con el viejo genitivo sajón y lo aprendemos sin mayores problemas: *The pet's shop boys*. Si a nosotros nos resulta tan fácil aprender a manejar un morfema, ¿por qué nuestro subjuntivo debería plantear complicaciones? Creemos que es por lo que comentábamos antes: porque el significado de un genitivo sajón es bastante obvio, pero el significado del subjuntivo es un poco más difícil de aislar.

Los procedimientos pedagógicos son vitales para afrontar la dificultad, no es suficiente con contar con una buena explicación exclusivamente lingüística del problema. Como hemos visto, aprendemos con facilidad a utilizar el genitivo sajón porque entendemos su significado. Pero imaginemos que el profesor de inglés, en vez de facilitarnos la comprensión del significado del genitivo sajón, nos diera una pormenorizada lista de contextos en la que se emplea y la tuviéramos que aprender de memoria para poder comunicarnos.

Probablemente, nos estarían complicando la existencia de manera tan considerable como innecesaria. Vamos a ver un ejemplo:

Use el genitivo sajón cuando esté hablando de:

* El propietario de una cosa: *Harry's book.*
* El producto que una tienda vende: *Pet's shop.*
* El sujeto que sufre algo: *Bob's problems.*
* El autor de algo: *Chomsky's article...*

Y así, un largo etcétera de ejemplos *ad hoc* que podrían írsenos ocurriendo.

3.1.2. Entre el mito y la irrealidad: vías de asalto al fortín del subjuntivo

3.1.2.1. *Primera vía de asalto: el mito de las listas de uso*

Si el anterior procedimiento propuesto para aprender el genitivo sajón, una larga y detallada lista de usos y ejemplos *ad hoc* desconectados del significado raíz que justifica cada uso, puede parecernos absurdo —y lo es—, no parece haber ninguna razón para pensar que no lo sea cuando se emplea para enseñar el subjuntivo.

Consideramos que la diferencia entre hacer algo así con el genitivo sajón y el subjuntivo es que el espectro de empleo del genitivo sajón es bastante reducido, lo que permite al aprendiente *operativizar* con éxito sin necesidad de ayuda: el significado de sistema del genitivo sajón es lo suficientemente concreto para que un aprendiente, de manera autónoma, descubra la pieza que une todos esos usos del elemento gramatical. El subjuntivo, en cambio, posee un significado mucho más abstracto, lo que lo habilita para aparecer en gran cantidad de construcciones, tantas, que para el aprendiente resulta imposible encontrar, por él mismo, la pieza que lo une todo. Por tanto, nuestra primera propuesta a efectos didácticos es que el docente facilite al alumno el acceso al valor de operación del subjuntivo, es decir, a su significado esencial.

Las ubicuas listas de uso suelen mezclar criterios formalistas —*si aparece la unidad X, le sigue la unidad Y*— con otros criterios de tipo nociofuncional —el subjuntivo sirve para expresar duda, rechazo, deseos, etc. El resultado final suele ser un par de folios estructurados en una docena de apartados y subapartados, usos, ejemplos y excepciones. Hay alumnos que, por su perfil de aprendizaje, valoran positivamente ese tipo de lista, otros se desmoralizan y otros muchos no le prestan la mayor atención. Pero sea cual sea la reacción del alumno ante la lista, no creemos que vaya a ayudarle mucho a la hora de emplear el subjuntivo:

a) Expresiones de sentimiento (*gustar, encantar...*).

b) Imperativo negativo.

c) Expresiones de deseo, voluntad y necesidad (*querer, esperar*).

d) Verbos de opinión y percepción en su forma negativa (*no creer, pensar...*).

e) Hipótesis y probabilidad (*quizás, posiblemente*).

f) Proposiciones finales (*para que, a fin de que...*).

g) Proposiciones temporales (*cuando, en cuanto, mientras...*).

h) Proposiciones concesivas (*aunque, a pesar de, no porque…*).

i) Proposiciones relativas de antecedente desconocido.

j) Verbos de influencia (mandato, prohibición, consejo…).

k) Valoración (*es/me parece + importante, necesario…*).

l) Condicionales (*si, a condición de que…*).

m) Comparaciones (*como si, parece que…*).

n) Etc.

Lo que desmoraliza a cierto perfil de alumno no es que la lista esté mal hecha, sino precisamente lo contrario: está tan bien hecha que es ardua de memorizar a corto plazo e imposible de recordar a medio-largo plazo. Pero si el alumno que se siente seguro al tener esa lista en su carpeta, reflexionara en esto último, seguramente perdería cierta dosis de optimismo respecto a la lista.

Lo que nos interesaría, teniendo en cuenta cualquiera de esos dos perfiles y todos los puntos intermedios existentes, es contar con un criterio de decisión entre indicativo y subjuntivo lo más reducido posible, que cupiese en un bolsillo, digámoslo así. Y nada más de bolsillo que el significado de sistema, valor operativo o significado esencial del subjuntivo (como el lector prefiera llamarlo), que conecta, explica y articula todas esas funciones que aparecen en la lista anterior. Algo así:

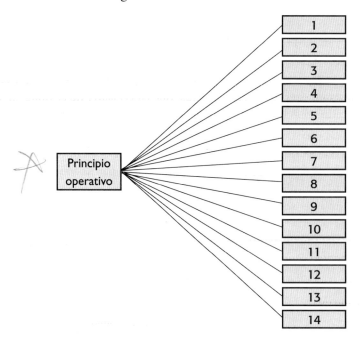

En resumidas cuentas, una lista sin un valor unitario es evidentemente menos rentable didácticamente que una dotada de una línea lógica que una el significado de sistema con las distintas funciones en el discurso.

3.1.2.2. *Segunda vía de asalto: el mito de la irrealidad*

Dentro de los mitos famosos y leyendas urbanas que corren sobre el subjuntivo, quizá el más extendido sea el que dice que el subjuntivo es el modo de la *irrealidad,* Pero a poco que lo pensemos, podemos llegar fácilmente a la conclusión de que el subjuntivo no tiene por qué ser irreal y los ejemplos pueden multiplicarse con facilidad:

*Me alegro de que **estés** aquí.*

*El frío hizo que el lago se **helara**.*

*Vale que tú **seas** el mayor, pero eso no te hace más fuerte que yo.*

*Es una pena que no **seas** más reflexivo.*

*No me importa que **tengas** dieciocho años, no te permito fumar en casa.*

*Está bien que **hayas** dicho eso.*

Todos estaremos de acuerdo en que es absolutamente real que *la persona está allí,* que *el lago se heló,* que *el otro es el hermano mayor,* que *no es más reflexivo,* que *tiene dieciocho años* y que *ha dicho algo.* El subjuntivo no expresa, a menos no de forma necesaria, hechos irreales o conectados con la noción de irrealidad. En cualquier caso, algo hay de loable en ese intento de aislar el significado del subjuntivo: por ese camino, se ingresa en la búsqueda del significado de sistema. En nuestra opinión, el intento no ha tenido éxito, pero sí que consideramos adecuado el planteamiento. Desde nuestra perspectiva, el subjuntivo significa algo, posee un significado que se hace extensible luego en cada uno de los casos en que se emplea, aunque, naturalmente, existen opiniones muy diferentes (Borrego *et al.*, 1985).

En la búsqueda de un valor único para el modo subjuntivo, ha llegado a plantearse la opción de considerar el subjuntivo como un modo que expresa la información consabida (Matte, 1995) y, teniendo en cuenta todos los ejemplos que acabamos de ver, la afirmación parece tener sentido: que *estás aquí* ya lo sabemos, que *eres el mayor* no se pone en duda, que *no eres más reflexivo* también lo es, que *eres mayor de edad* ya lo sabe el otro mejor que nadie y, así mismo, es consabido que *has dicho algo.* Pero si tenemos en cuenta otros ejemplos, ese principio operativo deja de funcionar:

*Quiero **que te quedes** aquí con el perro.*

Cállese.

*Búscame modelos que **midan** menos de un metro noventa.*

*No creo que me **apetezca** salir luego.*

*Me gusta que me **hablen** claro.*

*No me molesta que **traigas** a tu madre, al contrario.*

*Entra por donde **puedas**.*

*En caso de que me **paguen** hoy nos vamos a la playa el fin de semana.*

Evidentemente, nada tiene de consabido mi deseo de que te quedes aquí con el perro, de que te calles, que necesito modelos de un determinada altura, que no me veo saliendo esta noche, que prefiero las cosas claras, que no me molesta la presencia de tu madre, el sitio por el que tienes que entrar o que me pueden pagar hoy. ¿Y son irrealidades? Tampoco: *No me* *molesta que **traigas** a tu madre, al contrario*, por citar tan solo un ejemplo, forma parte de las opciones reales del hablante, es decir, esa posibilidad es tan real como la posibilidad de que el oyente no traiga a su madre. ¿Y se puede decir que no sabemos si existen modelos de menos de un metro ochenta y que por eso decimos *Búscame modelos que midan menos de un metro noventa?* Obviamente no. De hecho, imaginamos que más bien deben de abundar.

3.1.2.3. *Tercera vía de asalto: el mito de las regencias*

La gramática estructural no ha encontrado hasta ahora una explicación para la aparición del subjuntivo basada en la estructura, como creemos que, por otro lado, era de esperar. Entonces, la vía de las regencias recurre a una mezcla de criterios sintácticos y semánticos, tales como que *las oraciones subordinadas sustantivas de complemento directo, cuyo verbo principal expresa deseo, necesidad u obligación **rigen subjuntivo***. Este tipo de instrucción, ya de por sí poco operativa, a veces presenta problemas añadidos, como cuando se habla de *deseo, necesidad, obligación, etc.* Ese «etcétera» es un vacío legal en toda regla, tanto para el docente como para el alumno: ¿Qué admitirá y qué no ese etcétera? La mayoría de las veces es complicado saberlo. En el caso concreto del español, el enfoque comunicativo no ha prescindido de un tratamiento explícito de la gramática. Y ese tratamiento, además, es de base fuertemente estructural.

Un ejemplo muy representativo de esto lo podemos encontrar en Internet. Nadie duda de la apuesta por el enfoque comunicativo en la mayor parte de las escuelas de idiomas más extendidas por el mundo. Si accedemos a la dirección de alguna de ellas, nos podemos encontrar, por un lado, con las palabras 'comunicativo' y 'subjuntivo' en la propia denominación de la URL[4]. A pesar de esta declaración de enfoque, una vez que accedemos a la información sobre el subjuntivo suministrada en dicha dirección, nos encontramos con instrucciones tales como las siguientes:

> *Expresiones de sentimiento […]. Cuando el sujeto lógico es el mismo de la proposición principal y en la subordinada, se usa subjuntivo. Esta regla es aplicable en todos los casos de subjuntivo en las proposiciones subordinadas de complemento.*

O bien:

> *Las expresiones con significado de certeza rigen indicativo (es / me parece cierto / verdad / seguro…).*

No creemos que se sea más comunicativo por el mero hecho de emplear un tratamiento fuertemente implícito de la gramática, de hecho, entendemos que el tratamiento de la gramática es una cosa y el enfoque comunicativo otra muy diferente. Pero lo que sí nos parece evidente es que el tratamiento de la gramática en el enfoque comunicativo en ELE es, esencialmente, estructural.

---

4   Documento de dos páginas en formato PDF publicado originalmente en *http://www.ihmadrid.es/comunicativo/Subjuntivo/Subjuntivo_usos.pdf* (Consulta realizada el 15/06/2010). Actualmente, dicho documento ya no se encuentra en esa dirección, pero puede consultarse en estas otras: *http://aauspansk.wikispaces.com/file/view/Subjuntivo_usos.pdf* o bien *http://db.lib.uidaho.edu/ereserve/courses/s/span/302_01/art05.pdf*, y también adaptado en *http://emmaclce.blogspot.com.es/2010/01/de-otromodo.html* (Consultas realizadas el 27/06/2012).

La gama de moldes estructurales en los que puede aparecer un verbo en subjuntivo es amplísimo, pero no ilimitado, por lo tanto, se puede trazar un plano de todos ellos. Para ello, se necesita una obra de cierta extensión (por ejemplo, la ya mencionada obra de Borrego *et al.*), lo cual plantea una evidente traba didáctica: si se emplea este procedimiento para poder operar con los modos indicativo y subjuntivo, el estudiante tendría, además de haber memorizado la obra entera, que ser capaz de realizar análisis sintácticos impecables, distinguir entre los distintos tipos de oraciones subordinadas completivas, relativas y adverbiales. Y no solo eso, porque, además, en el transcurso de la conversación, debería pensar si lo que va a decir es, por ejemplo, una subordinada completiva de complemento directo con un verbo principal que expresa aceptación, una subordinada adverbial concesiva con 'aunque' o bien otra cosa, lo cual parece complicado.

Es cierto que estamos haciendo un poco de trampa con este planteamiento. Para ser justos hay que reconocer que nadie ha planteado jamás que tales operaciones mentales deban hacerse en tiempo real durante el transcurso de una conversación, sino que se da por supuesto que el trabajo de clase ayudará a interiorizar progresivamente todos los moldes estructurales, lo cual, también es justo reconocerlo, no deja de ser una postura esencialmente conductista. En cualquier caso, con o sin trabajo previo en el aula, creemos que este procedimiento enfrenta al alumno a una tarea colosal: absorción de metalenguaje, análisis y reconocimiento de estructuras, memorización de correspondencias de la estructura con el modo, etc. Hace un par de décadas que la enseñanza de ELE comenzó a alejarse de estos procedimientos de instrucción gramatical y, aunque quedan nostálgicos en activo, parece que la tendencia actual en ELE es más encarar una travesía por el desierto que volver a Egipto.

Vamos a analizar un poco más de cerca un ejemplo concreto de este tipo de acercamiento al subjuntivo (Lozano 2005, p. 29):

2.2   Oraciones adjetivas
[…]
4.a. Por dondequiera que va encuentra amigos.
4.b. Por dondequiera que vaya encuentra amigos.
Esta estructura se da con los siguientes pronombres: dondequiera que, quienquiera que, como quiera que, cualquiera que, etc. La oración subordinada adjetiva es «que va» cuyo antecedente es dondequiera.
Estructura: (PREP.) + DONDEQUIERA, QUIENQUIERA... + QUE + INDICATIVO
Contenido: HECHO REAL, HABITUAL
Estructura: (PREP.) +DONDEQUIERA, QUIENQUIERA... + QUE + SUBJUNTIVO
Contenido: NO COMPROMISO CON LA VERDAD

Además de los problemas didácticos que ya hemos señalado, en esta vía de instrucción nos solemos topar con ciertas incongruencias. Unas debidas a todo intento de explicar gramática, y esto es inevitable. En cambio, otras se deben al recurso a la estructura en la explicación del significado de las formas. Y no solo a esto, también existen, a nuestro juicio, incongruencias debidas a la aceptación –casi axiomática– de la tradición gramatical.

3.1.2.3.1. *Quid est veritas* y el no compromiso con la verdad

Como todos sabemos, Poncio Pilatos pasó a la historia más por su indolencia pragmática que por sus dotes filosóficas, no obstante, una de las pocas frases suyas que conservamos plantea uno de los mayores problemas epistemológicos de la historia: *¿Qué es la verdad?* Al margen de la previsible ineficacia de caracterizar elementos lingüísticos en base a conceptos tan relativos y variables como el de *verdad*, decir que el ejemplo 4.b de la cita anterior expresa una falta de compromiso con la verdad, es evidentemente inexacto:

> *4.b. Por dondequiera que vaya encuentra amigos.*
> *Estructura: (PREP.) + DONDEQUIERA, QUIENQUIERA...+ QUE + SUBJUNTIVO*
> Contenido: **NO COMPROMISO CON LA VERDAD**[5].

Veamos de nuevo el par de ejemplos:

> *4.a. Por dondequiera que va encuentra amigos.*
> *4.b. Por dondequiera que vaya encuentra amigos.*

Lo único que los diferencia es la manera de presentar los lugares por los que el sujeto se mueve, pero que se mueve por sitios y que encuentra en todos ellos amigos, es igual de verdad en ambos casos. El ejemplo 4.a hace referencia a los sitios a los que el personaje va y el ejemplo 4.b a los sitios a los que va y a los que podría ir. Diferencias de verificabilidad en el movimiento del sujeto y en su capacidad de hacer amigos no parece que haya, entre otras cosas porque, si nos dice que «encuentra» amigos, es porque «va» a lugares. El compromiso con la verdad de lo expresado por el subjuntivo es total.

En realidad, no es el verbo principal lo que condiciona la selección del modo. Es el *significado* que el hablante quiere expresar lo que condiciona tanto la selección del modo como la del propio verbo principal. Se puede argumentar que todo verbo de deseo lleva, de manera inexorable, aparejado un subjuntivo, y eso es cierto. Pero el motivo de que eso ocurra no es el control de unos elementos de la frase sobre otros, sino el significado de cada unidad: el indicativo, por su significado, es incompatible con la expresión de deseo. *Quiero que viene* es un evidente contrasentido porque, si alguien viene, no hace falta que yo lo presente como un deseo. No es la *estructura* lo que limita el empleo de un modo X con una matriz de significado Y, sino el sentido: el común y el lingüístico.

El mito de las regencias se basa en un modelo de lengua estructural y asignificativo, y su manera de pensar la lengua es la que se plantea en la siguiente figura.

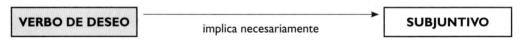

Desde este planteamiento teórico (que hemos caracterizado como gramática puzle) una unidad condiciona la aparición de la siguiente, de la misma manera que veíamos en el punto anterior respecto al presente perfecto e indefinido, donde, según la teoría estructural, la aparición de tal o cual adverbio o locución adverbial de tiempo, determinaba la aparición

---

5 La negrita es nuestra.

de un tiempo verbal u otro. Y el hablante debe de ajustarse a limitaciones inmanentes que el propio sistema genera.

En cambio, la enseñanza significativa de la gramática, inspirada en posturas cognitivas, parte de otro esquema bien distinto:

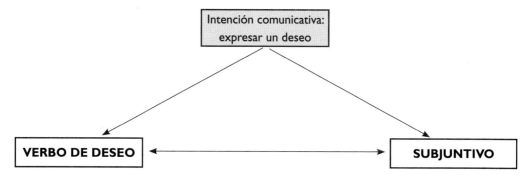

Es el hablante el que selecciona los elementos que mejor se ajustan a sus necesidades comunicativas. Si esa intención es expresar deseo, los elementos más apropiados son un verbo que exprese deseo y un subjuntivo.

Poniendo un ejemplo muy cotidiano, cuando un albañil desea echar abajo un tabique, emplea un cincel de gran tamaño y una machota, que es un martillo especialmente pesado. Si alguien dijera que el empleo de la machota se debe a la aparición de un cincel de gran calibre y no al deseo del albañil de echar abajo una pared, estaría emitiendo un juicio basado en el mismo razonamiento que el mito de las regencias.

Se podría objetar a esto que una vez que el albañil ha escogido una machota como instrumento de golpeo, de alguna manera se autoimpone, en esa misma elección, la necesidad de emplear un cincel de gran tamaño. Y sí, es cierto que existe una conexión lógica entre ambos elementos, pero aquí hay dos hechos a tener en cuenta. El primero, que es justo eso lo que consideramos esencial: que el alumno sea consciente de que es lógico emplear un cincel de medio kilo con una machota y un buril ligero con un martillo de poco peso. Existe una lógica, no una relación de necesidad ciega e incomprensible entre ambos elementos. Y el segundo hecho a tener en cuenta es que, en ocasiones, lo *lógico* no siempre coincide con lo *frecuente*. Las reglas basadas en el mito de las regencias no solo son imposiciones aprioristicas y axiomáticas: son, además, reglas que no están basadas en el *comportamiento sistemático de las formas*, sino en el comportamiento *más o menos frecuente de las formas*.

3.1.2.4. *Cuarta vía de asalto: el mito de lo funcional*

La enseñanza basada en las funciones ha sido muy empleada en los últimos tiempos y, seguramente, de las vías de asalto que hemos visto hasta ahora es la que mejor cuadra con el concepto de una enseñanza comunicativa de la lengua. Entre sus ventajas, seguramente la más interesante es que la enseñanza mediante funciones relega a segundo plano el empleo de metalenguaje.

El enfoque funcional tiene buena acogida entre alumnos de perfil comunicativo, entre los traumatizados por el tedio de las clases de lengua durante el colegio y también entre no traumatizados por las clases de lengua durante el colegio porque jamás las tuvieron, es decir, ese tipo de alumno al que la palabra 'adverbio' no le dice absolutamente nada. Pero al margen de la mejor o peor acogida que tenga un enfoque entre cierto sector del alumnado, la enseñanza funcional presenta una serie de problemas que vamos a enumerar brevemente.

3.1.2.4.1. Atención exclusiva al significado

Las funciones fueron creadas, entre otras cosas, como una alternativa a los índices basados en los contenidos gramaticales. Sin duda, fue un paso adelante en aquel momento (estamos hablando de mediados de los años setenta), ya que el aprendizaje pasaba a basarse en actuaciones comunicativas, no en inventarios formales. Pero el nuevo enfoque presenta una carencia, a modo de efecto secundario, que podría ser comparado como punto débil en una muralla o un coladero de problemas: en una función lingüística, el significado de la forma gramatical aparece diluido en una unidad mayor, consecuentemente, el aprendiente puede notar que el exponente *al día siguiente* + condicional sirve para expresar hechos posteriores a una escena en el pasado, que el exponente *en ese caso* + condicional sirve para expresar una hipótesis o que el exponente *yo que tú* + condicional sirve para dar consejos, pero eso es todo. No le aclara el significado de sistema del condicional, que es la clave para entender por qué ese tiempo verbal aparece asociado a esas tres funciones y por qué no a otras. Son clásicas varias asociaciones entre función y forma: la expresión de duda y el subjuntivo, las descripciones en el pasado y los imperfectos, etc. En nuestra opinión, esto reduce considerablemente la autonomía del aprendizaje, ya que si el alumno carece del significado matriz de un elemento lingüístico, difícilmente conseguirá extrapolar el empleo del condicional a otras funciones lingüísticas no estudiadas en clase.

Ante este efecto *puzzling* que genera la presentación de una forma gramatical a partir de sus funciones, la respuesta instintiva y por defecto del aprendiente es *operativizar* por sí mismo, es decir, deducir de manera autónoma el significado de sistema del condicional, explicarse a sí mismo qué cosa significa el condicional para poder tomar parte en funciones tan diferentes. La probabilidad de éxito es siempre menor, lógicamente, que si ese proceso de descubrimiento de significados de sistema es monitorizado por un profesor. Si los propios expertos en gramática experimentan serias dificultades para unificar criterios ante un rompecabezas de ese tipo, no se puede esperar que el alumno llegue, por sí solo, a conclusiones especialmente sólidas.

Incluso en un trabajo con funciones, en el que el tratamiento de la gramática puede llegar a ser eminentemente implícito, es esencial que el docente haya descubierto la gramática antes que el aprendiente, a fin de estar en condiciones de supervisar su proceso de autodescubrimiento.

3.1.2.4.2. Exceso de contextualización

Como vimos en el Capítulo II («Atención a la forma: descontextualizando», 4.1.), el concepto de *contexto* es uno de los grandes hallazgos del enfoque comunicativo, pero creemos que es importante matizar y delimitar su importancia: el contexto es un medio, no un fin en sí mismo. No se trata de un aspecto indispensable, totémico o sagrado, ni su mera presencia garantiza el aprendizaje, como a veces parece que se piensa, incluso sin que el propio docente sea del todo capaz de explicar a través de qué supuestos mecanismos. El contexto es simplemente una mera herramienta más, cuyo fin es que el aprendiente *llegue a entender*. Esto quiere decir que cuando el aprendiente llega a entender mejor sin contexto, lo ventajoso es prescindir de él. Y efectivamente, a veces, las hojas no dejan ver el bosque.

Un principio lingüístico básico es que a mayor contexto, menor necesidad de gramática y viceversa, y esto es algo que podemos experimentar a diario en clase. Hay tareas tan bien contextualizadas que el empleo de la forma gramatical se vuelve absolutamente innecesaria y, por tanto, el estudiante no la percibe, o no la percibe como necesaria para sacar adelante la tarea, y el resultado final es que la forma queda relegada a un segundo plano. Los alumnos encuentran en clase personas que creen en los ovnis, que tienen una hermana futbolista, que prefieren el *whisky* a la ginebra, que han visitado el monasterio de Lourdes o a los que les gusta más Gijón que Oviedo, y todo ello sin utilizar ni una sola *relativa con subjuntivo*, que era, en el fondo, la práctica gramatical que la tarea perseguía.

Imaginemos el clásico caso del docente de ELE que decide prepararles una sangría o un *clericot* a sus alumnos, para celebrar el último día de clase. Si el tal docente emplea, por ejemplo, un buen vino de Mendoza gran reserva, de aquellos de 100 euros la botella, seguramente descubrirá que sus alumnos no notan la excelencia del vino con que se ha hecho la bebida, y que podría haberse ahorrado el gasto y emplear un vino de mesa común: las frutas, la canela, el zumo, las cáscaras de limón, etc., *tapan* el sabor del vino. Algo parecido ocurre a veces con la contextualización: puede llegar a tapar el significado de la forma gramatical. En un ejemplo de uso perfectamente contextualizado, el alumno está percibiendo el significado de todo el conjunto, no de la forma gramatical, lo cual acaba induciendo a numerosos errores, del tipo:

Yo *hacía* (por 'hice') *el servicio militar en Ankara.*

Si *salga esta noche...*

Si yo *sería tú...*

Todos estos errores vienen de la confusión del significado de la forma con el significado de la forma más su contexto. En *Yo hacía el servicio militar en Ankara* se ha empleado el imperfecto porque el servicio militar de esta persona duró 18 meses, un *tiempo prolongado*. Como el aprendiente ha visto en clase que, en algunos contextos, se emplea imperfecto para expresar un segmento más o menos amplio de tiempo (*Cuando yo era niño...*), ha hipergeneralizado la regla. Lo mismo ocurre con la *expresión de probabilidad baja* con subjuntivo (*Si *salga esta noche...*) o la *formulación de consejos* con condicional (*Si yo *sería tú...*).

Descontextualizar, en ciertos momentos, es sano: ayuda a percibir el significado de una forma gramatical. Evidentemente, el otro extremo sería limitarse a la presentación de la mera forma gramatical, al margen de su significado, que era lo que proponía la gramática tradicional. Entre ambas posturas, la contextualización inoperativa y la descontextualización asignificativa, existe un punto intermedio: lo que llamamos *descontextualización relativa* (véase Capítulo II, 4.1.).

Para el caso del subjuntivo, daremos un ejemplo muy simple. Sin más contexto, sin más palabras por delante o por detrás, el profesor pregunta a la clase lo siguiente:

a) ¿Qué significa *yo fumo*?

b) ¿Y qué significa *yo fume*?

Para cualquier nativo resulta evidente que el ejemplo con indicativo *significa algo* (que el hablante fuma) y que el ejemplo con subjuntivo, así tal y como está, no significa nada concreto. O se añaden elementos a la frase, del tipo *No es bueno que...*, *Me han permitido que...*, etc., o el ejemplo con subjuntivo *Yo fume* no se entiende. El indicativo, básicamente, *dice* o *declara* los hechos. Y ese es su significado de sistema: declarar los hechos. El subjuntivo, por el contrario, se refiere a algo que tiene que ver con *yo* y con *fumar*, pero no dice qué, exactamente. Y ese es su significado de sistema: el subjuntivo *no declara* los hechos.

Antes veíamos que, tradicionalmente, se han manejado los términos de *compromiso/no compromiso con la verdad* («*Quid est veritas* y el no compromiso con la verdad», 3.1.2.3.1.) para explicar el empleo del subjuntivo. Esa explicación, de corte intuitivo, se verifica en determinados contextos, pero no es extensible al significado general de los modos del español. No obstante, la intuición del hablante nunca es desdeñable y encuentra su explicación precisamente en el valor declarativo del indicativo frente al no declarativo del subjuntivo. La lógica básica de la cuestión es bastante simple:

Si algo **es verdad**, *puedo* declararlo.

Si algo **no es verdad**, *no puedo* declararlo.

¿Qué relación hay entre el sujeto 'yo' y la acción 'fumar'? De delimitarla es, precisamente, de lo que se encargan indicativo y subjuntivo. El indicativo se encarga de expresar que la relación entre 'yo' y la acción 'fumar' existe *de facto*. Por eso todos entendemos sin mayores problemas lo que alguien nos quiere decir con el enunciado *Yo fumo*. Igualmente, cuando alguien nos dice *Mi hija fuma*, entendemos perfectamente lo que esa persona intenta transmitir: la persona que habla «sabe» que su hija fuma. Puede ocurrir que la persona que habla no esté plenamente segura, pero si tuviera que decidir entre cuál de los dos escenarios posibles es el verdadero, el de tener una hija fumadora o el de tener una hija no fumadora, se inclinaría por el primero: *Creo que mi hija fuma*. En los dos casos hay algo en común y es que la persona que habla considera fumadora a su hija. En el primer caso lo sabe a ciencia cierta (o, al menos, cree saberlo), en el segundo le falta la confirmación, pero la diferencia entre lo que sabemos y lo que creemos es, a fin de cuentas, muy tenue o, por lo menos, lo suficientemente tenue como para que el modo empleado, el indicativo, sea el mismo en ambos casos, y que el matiz entre la declaración «exacta» *Mi hija fuma* y la declaración «aproximada» *Creo que mi hija fuma* no acarree marcas gramaticales tales como un cambio de modo, sino mediante un procedimiento léxico, como la adición de la palabra 'creo'.

Así, la declaración consiste en expresar el mundo tal y como nos lo representamos en nuestra mente, independientemente de que estemos (o creamos estar) seguros de esas representaciones que nos hacemos, o de que admitamos un cierto margen de error en nuestros juicios y expresemos esa visión del mundo tan solo como una creencia o sospecha por nuestra parte. A efectos gramaticales y modales, esa matización sería indiferente: lo que yo sé o lo que creo saber forma parte de mi manera de representarme el mundo y la realidad que me rodea, por tanto, procederé a *declarar* ese hecho. Para marcar la acción como *declarada*, porque es algo que yo sé o que creo, se emplea indicativo.

En cambio, puede darse la situación de que el hecho al que yo me refiero no sea un hecho que yo *sé*, *creo* o *supongo*. Puede ser que hablemos de algo que yo *deseo*, algo que yo *prefiero*, algo que yo *prohíbo* o, en el caso que aquí nos ocupa del llamado «compromiso con la verdad», algo que *no creo* o algo que *niego*. Cuando yo hablo de mis preferencias o deseos, por ejemplo, no hablo del mundo tal y como yo me lo represento en mi mente, sino como me gustaría poder representármelo: son objetivos. Cuando yo hablo de las cosas en las que no creo o las cosas que niego, no hablo del mundo tal y como yo me lo represento en mi mente, sino justamente de lo contrario, de como *no* me represento el mundo en mi mente, por tanto, no tendría ningún sentido declararlo. Así, además de emplear una matriz (o verbo principal) del tipo *yo no creo* o *yo niego*, que ya manifiesta nuestro posicionamiento sobre el hecho que sigue, empleamos para ese hecho el modo de la *no declaración*, es decir, el subjuntivo: *Yo no creo que mi hija fume* o bien *Es falso que mi hija fume*. Si aislamos la idea expresada en subjuntivo *Mi hija fume,* observamos que no significa nada o, por lo menos, no declara nada. Desde luego, está muy claro que la persona que habla no ha querido decir que sabe o cree que su hija fuma. Así, ese enunciado vacío de contenido declarativo, ese *Mi hija fume*, es la secuencia que mejor cuadra con la declaración previa *No creo que* o bien *Es falso que*.

En otras lenguas el modo verbal sería el mismo tras un *Creo que* o tras un *No creo que*, por ejemplo, en inglés. El español, en cambio, presenta dos marcas: una, al igual que el inglés, en el significado de la matriz o verbo principal; la segunda, en el modo en el que se conjuga el hecho que se cree o que no se cree. Esta doble marca del español no es una mera redundancia o, al menos, no siempre: en una serie de contextos permite expresar significados mediante la combinación de la matriz y el modo, significados que en otras lenguas, que carecen de esa doble marca, habrán de ser expresados por otros procedimientos. Por ejemplo, nótese la diferencia de significado entre estos dos enunciados, dichos por un jefe a un empleado:

a) *A veces no veo que* **trabajas** *mucho.*

b) *A veces no veo que* **trabajes** *mucho.*

En (a) se declaran dos cosas: que el empleado trabaja mucho, pero que el jefe a veces no lo ve. En (b) se declara solo una: que el jefe hay algo que no ve a veces. Pragmáticamente, a) es una disculpa por parte del jefe con su empleado por no valorar a veces todo lo que debería el esfuerzo que este hace, mientras que b) es una reconvención o un toque de atención a un empleado que parece dispersarse más de lo necesario en el trabajo.

El valor pragmático no surge simplemente del contexto comunicativo que se genera en la situación real de comunicación. El valor pragmático surge tanto del contexto, como del valor del resto de elementos que intervienen en la comunicación, y la gramática es un elemento de mucho peso en ese sentido. Por tanto, al igual que un análisis gramatical al margen de un análisis pragmático carece de sentido, de la misma forma el análisis pragmático es inviable al margen del análisis gramatical. Todos los elementos que intervienen en la comunicación forman una especie de biota, en el que todo está en función de todo, y no se puede modificar una de sus partes sin modificar el conjunto, ni se puede comprender el conjunto ignorando una de sus partes. Así, la descontextualización de los elementos gramaticales puede resultar una manera eficaz de aislar su significado, y, por tanto, el profesor debe perderle el miedo a la descontextualización: lo que en determinados ámbitos de aprendizaje se procesa mejor mediante la adición de un contexto, en otros ámbitos se procesa de manera más eficaz mediante la supresión del contexto.

3.1.2.5. *Amalgama de elementos de todas las vías de asalto*

Terminando con este apartado, nos resta tan solo señalar que la práctica cotidiana de la enseñanza mediante funciones raramente suele limitarse a ellas, lo que sería igual a un tratamiento estrictamente implícito e inductivo de la gramática. La realidad del aula suele ser otra. El docente medio emplea de todo para complementar la enseñanza mediante funciones: desde fotocopias de gramáticas para aprendices de español y ejercicios de huecos, hasta listas de uso, pasando por explicaciones *ad hoc*, más o menos basadas en alguna teoría lingüística concreta sobre el valor central del subjuntivo, de manera que el tratamiento funcional y supuestamente contextualizado de la elección modal en español acaba siendo un crisol de muy diferentes elementos y una amalgama de las cuatro vías de asalto.

En nuestra opinión, todo eso es un síntoma claro de que algo está faltando, de que la enseñanza funcional, como vía de asalto al subjuntivo, es en sí misma insuficiente.

3.2. Los problemas del docente y del alumno

Probablemente, el mayor problema para el docente se puede resumir en la siguiente frase: *Mis alumnos no emplean el subjuntivo*. Y en esa queja queda implícito que tampoco lo entienden. Pero esto no debe de extrañarnos, teniendo en cuenta que han aprendido a comunicarse sin él. Incluso en el *PCIC*, obra de referencia fundamental en el mundo ELE, el subjuntivo es un contenido de nivel de Usuario independiente, es decir, nivel B.

¿Por qué llega tan tarde la enseñanza del subjuntivo? Es difícil dar una explicación a este hecho. Tal vez, simplemente ocurre que continúa pesando la tradición estructural en nuestra concepción de la lengua y que, de alguna manera, siguen ejerciendo cierta influencia los viejos currículos basados en contenidos gramaticales. Un poco de subjuntivo en B1, algo más en B2 y lo restante, en el nivel C. Sea como fuere, ya desde el primer nivel de concreción curricular –el *PCIC* en sí mismo–, el modo subjuntivo aparece en escena bastante tarde, como si fuera ese primo 'oveja negra' de cuya existencia en la familia se enteran tarde y, exclusivamente, nuestros amigos íntimos. Y si el problema del subjuntivo viene rodando desde las alturas de la concreción curricular, no debe extrañarnos que al aula, último nivel de concreción, el subjuntivo y su leyenda negra lleguen convertidos en una enorme bola de nieve. En gran medida, quizás nosotros mismos creamos y propagamos el pánico del alumnado ante la aparición de este nuevo modo.

Un primer paso para resolver los problemas del docente es un cambio de actitud respecto al subjuntivo. La enseñanza del subjuntivo en niveles iniciales es una propuesta arriesgada y, seguramente, una tarea compleja, pero es evidente que para alguien que, por ejemplo, aprenda a escribir en un teclado con tres dedos en una fase inicial, será muy difícil llegar a emplear el cuarto en una fase intermedia o intermedia-avanzada. Desde que alguien aprende a decir 'me gusta' (nivel A1 según los Niveles de referencia para el español del *PCIC*) ya tiene necesidad del subjuntivo.

Desde un punto de vista estrictamente comunicativo, parece poco coherente permitirle al aprendiente decir que *Le gusta el vino* y *Le gusta bailar*, pero no permitirle informarnos de que también *Le gusta que lo oigan* cuando habla. Expresar deseos y preferencias, como objetivo funcional, está presente desde los primeros niveles de aprendizaje y, tal vez, se obtendrían mejores resultados a largo plazo si se tuviera esto en cuenta en el diseño de planes curriculares, objetivos y contenidos de niveles y cursos, y programaciones y manuales.

Reconocemos que propuestas de este tipo son vías poco o nada exploradas en la actualidad, pero igualmente consideramos que no tienen nada de descabelladas. La necesidad de incorporar a la interlengua los tiempos de pasado se impone por sí misma a cualquier aprendiente de ELE, al menos a aquellos cuya lengua posea tiempos verbales de pasado, por lo que el aprendizaje de las formas, a medio o largo plazo, está garantizado. En cambio, no se puede decir lo mismo del subjuntivo, cuyos paradigmas verbales no son una necesidad formal instintiva más que para los aprendientes que tienen un modo subjuntivo en su lengua, y estos son minoría. No poseemos en la actualidad grandes elementos de juicio para decidir si el adelanto de la aparición del subjuntivo tendría resultados positivos o no, pero, en cualquier caso, y por eso mismo, nos parece que sería interesante comprobarlo.

3.2.1. El subjuntivo y el choque de normas

Otro problema del docente es lo que podríamos llamar «el choque de normas». Las lenguas son herramientas de comunicación muy dinámicas, que adquieren aspectos peculiares según la zona dialectal en la que se utilizan, de modo que –pongamos por caso– en algunas zonas la construcción *A lo mejor* + subjuntivo no existe, mientras que en otras zonas sí. ¿Cuál de las dos es correcta y cuál no lo es? Lógicamente, ninguna es más correcta que la otra y, de hecho, lo máximo que se puede señalar es que una presenta un mayor grado de estandarización que la otra, pero una cosa es *estandarización* y otra *corrección*. Si se tiene en cuenta el significado de sistema del subjuntivo, se llega a la conclusión de que las dos opciones son perfectamente lógicas, como veremos luego. Técnicamente, no existe motivo alguno para que 'tal vez' pueda funcionar con ambos modos y 'a lo mejor' solo con uno.

Cuando surgen problemas de este tipo, se suele recurrir a lo que dice la gramática oficial –lo cual supone un fin nada dialogado al conflicto– o se opta por hacer «gramática de oído»: *A mí me suena bien / A mí me suena mal*. En el primer caso no se tiene en cuenta que la norma de cualquier comunidad de hablantes nativos de una lengua dada, independientemente de que se corresponda en mayor o menor medida con la norma académica, es perfectamente gramatical (Pinker, 1995) y que, además, las peculiaridades están perfectamente sujetas a las profundas leyes de significado que cimientan cualquier lengua. En el segundo caso, el docente deduce la gramaticalidad de una expresión a partir de su propia norma, lo cual no parece estar en la línea del aprecio por la diversidad, pero, sobre todo, es a todas luces un evidente caso de 'idiocentrismo' lingüístico que, más o menos, equivale a confundir la norma de su región con *lo correcto*.

Como veíamos en el caso del presente perfecto-indefinido, un significado de sistema posibilita diversas maneras de uso y no siempre las variedades dialectales coinciden plenamente. Recordemos el esquema:

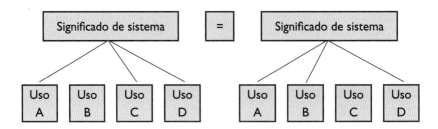

Como ya hemos comentado, uno de los más notables rasgos de la lengua española es su diversidad dentro de la unidad, y el trabajo dentro del aula, no con estructuras, sino con significados de sistema, permite observar y explicar mejor este hecho.

3.3. Una propuesta para enfrentarse al problema

Como ya vimos, lo primero que puede percibirse al oponer un presente de indicativo a un presente de subjuntivo, es la falta de concreción comunicativa de este último:

Yo veo.

Yo vea.

Esto se deriva de un hecho crucial ya mencionado: mientras que el indicativo posee un valor declarativo, el subjuntivo no. El indicativo *Yo veo* plantea una acción dada en un punto determinado del plano espacial de la acción verbal: *Yo protagonizo la acción de ver aquí*. Se desprende de esto que el hablante *sabe que ve, afirma que ve, cree que ve, supone o imagina que ve* algo, por tanto, *declara que ve*. El indicativo se parece un poco a ese amigo que todos tenemos, al que le gusta poner, ya de entrada, las cartas sobre la mesa: siempre expresa lo que *sabe* o lo que *cree saber* del tema del que se está hablando, de aquí que, como ya vimos, a veces se haya relacionado erróneamente la decisión modal con la verificabilidad del mensaje.

En cambio, el subjuntivo ofrece al hablante otra opción de enfocar el mensaje. El subjuntivo se parece, más bien, a ese amigo diplomático que también todos tenemos que, cuando es necesario, es capaz de estar hablando una hora de un tema, sin llegar a decir lo que opina al respecto: *Yo vea*. Todos estaremos de acuerdo en que la secuencia 'yo vea' establece una relación indefinida entre la persona gramatical 'yo' y la acción 'ver' que, en cualquier caso, no se propone expresar que el hablante *ve*.

Esto, que puede parecer una tautología espectacular, es, en realidad, el centro de la cuestión: una forma, el indicativo, posee un significado concreto, declarativo, y la otra, el subjuntivo, no. Si yo *no creo que Luciana venga*, es justo que no declare que *Luciana viene*, porque pienso justo lo contrario. Por otro lado, si yo *quiero que Luciana venga*, es justo que no declare que *Luciana viene*, porque la idea de *venir Luciana* es tan solo un deseo. La lógica del subjuntivo, la del modo *no declarativo*, es básicamente esta.

Con esta breve exposición del principio operativo del indicativo frente al subjuntivo, el docente puede ver que en el rompecabezas encajan de manera inmediata los más frecuentes empleos de una y otra forma:

*El psiquiatra **sabe** que Mateo **cree** en los ovnis.*

*El psiquiatra **piensa** que Mateo **cree** en los ovnis.*

*El psiquiatra **supone** que Mateo **cree** en los ovnis.*

En cualquiera de los casos se nos está diciendo que el psiquiatra, si no le quedara otro remedio y tuviera que apostar sus ahorros de veinte años sobre si Mateo *cree* o *no cree* en los ovnis,
apostaría a que *sí*. La creencia de Mateo en los ovnis aparece declarada en los tres ejemplos,
bien sea como certeza, como pensamiento o como mera suposición.

Eso explica que el mensaje se mantenga con indicativo si lo que se declara es justo lo
contrario, *que Mateo no cree en los ovnis*:

*El psiquiatra **sabe** que Mateo no **cree** en los ovnis.*

*El psiquiatra **piensa** que Mateo no **cree** en los ovnis.*

*El psiquiatra **supone** que Mateo no **cree** en los ovnis.*

En estos ejemplos, lo que se declara es simplemente la *no creencia* de Mateo. Lo mismo da: el
indicativo declara que algo *es así* –porque se sabe, se piensa, se imagina, se sospecha o se supone que ese algo *es así*– o que algo *no es así* –igualmente porque se sabe, se piensa, se imagina,
se sospecha o se supone que ese algo *no es así*.

Ahora bien, con subjuntivo expresamos otro tipo de juicios. Veamos algunos de los que
aparecen con mayor frecuencia en el aula y en materiales de clase:

*Quizá Mateo **crea** en los ovnis.*

*No creo que Mateo **viera** ovnis.*

*Quiero que Mateo se **olvide** de los ovnis.*

*Me importa un bledo / Me da muchísima pena que Mateo **tenga** miedo de los ovnis.*

*No conozco a ningún Mateo que **sepa** de ovnis.*

*Aunque Mateo **crea** en los ovnis, creo que será un gran director de la agencia espacial.*

Ahí tendríamos reunidos varios ámbitos clásicos de actuación docente respecto al subjuntivo: se emplea el subjuntivo para expresar que *no se cree* o *se duda* de algo, que se *desea* algo,
para *hacer valoraciones* o *expresar sentimientos* respecto a algo, para cierto tipo de *subordinadas
de relativo* o para ciertas *construcciones concesivas*. En todas estas construcciones se dan diferentes resultados ante la permuta de un modo por otro: en algunos casos se podría reem-
plazar el subjuntivo por el indicativo o viceversa y el resultado sería considerado correcto
desde un punto de vista gramatical, en cambio, en otros casos la permuta con un indicativo
nos podría sonar muy forzada –por infrecuente– y en otros (o quizá solo uno) sería simplemente inviable, y el resultado lo consideraríamos agramatical.

Vamos a observar cada ejemplo por separado, ya que de esta manera la cuestión resultará más clara.

3.3.1. La probabilidad

Retomemos uno de los ejemplos que acabamos de ver:

*Quizá Mateo **crea** en los ovnis.*

Obsérvese que sin el *quizá*, la frase carecería de un significado claro: *Mateo crea en los ovnis*. Son necesarios más elementos para darle sentido a la oración, y esto se debe, precisamente, a la ya mencionada circunstancia de que el subjuntivo *no declara*. Si la frase apareciera con un indicativo, *Mateo cree en los ovnis*, entonces no habría problema para encontrar un sentido a la oración, ya que el indicativo *sí declara* y la aparición de 'quizá' solo matiza la contundencia de la declaración, rebajándola: lo primero es una declaración exacta o *afirmación* y lo segundo, una declaración aproximada o *predicción*.

Como todos sabemos, existen matrices del tipo 'quizá' o 'seguramente' que pueden ir acompañadas, indistintamente, por indicativo o subjuntivo. ¿A qué viene este capricho de la lengua? En realidad no es un capricho de la lengua, sino de sus usuarios, a los que parece que les gusta contar con dos ópticas, dos imágenes lingüísticas, de plantear hechos probables pero no seguros: en *Quizá Mateo **cree** en los ovnis* se declara algo (*Mateo cree*), matizándose la declaración con un *quizá*. En *Quizá Mateo **crea** en los ovnis*, no se declara nada (*Mateo crea*) y eso, unido al significado de 'quizá', atenúa doblemente la contundencia del mensaje.

Pero, ¿qué dicen las gramáticas estructuralistas tradicionales sobre casos como el de *quizá* + indicativo o subjuntivo? A la gramática estructural le encantaría que eso no pasara, que 'quizá' rigiese uno de los dos modos, indicativo o subjuntivo, pero no los dos al mismo tiempo, así se podría establecer con contundencia el principio: «Si aparece el elemento 'quizá', es obligatorio emplear *subjuntivo*», y de esta manera quedaría establecida una ley de tipo matemático y formal, que dejaría fuera de la ley gramatical la siempre antipática cuestión semántica o mentalista. Eso acercaría la lingüística a los métodos de ciencias exactas como la química, la física o la matemática, y la alejaría de otras como la psicología, la filología o la sociología, viejo objetivo de la lingüística estructural. Pero en nuestra opinión, ese planteamiento es un callejón sin salida.

La lengua es un producto humano y, por tanto, es más sociológica y psicológica que matemática. En la gramática estructural clásica el hablante aparece limitado no tanto por el concepto de estructura[6], sino más bien por un inventario finito de estructuras consideradas válidas, que lo son porque los elementos que las conforman son automáticamente predecibles, no se precisa de pensamiento o procesamiento de significado para componer la estructura. Para la gramática tradicional, se enjuicia la gramaticalidad de una estructura por el principio de autoridad del empleo por parte de autores literarios, lo cual no deja de ser sorprendente por muy diversos motivos, siendo uno de ellos que ya desde Saussure, padre del estructuralismo, se define la lengua escrita como un sistema subsidiario de la lengua hablada.

---

6 Como ya hemos dicho, la existencia de una serie de leyes estructurales es innegable. No todo está permitido en lengua. La estructura propone un límite, pero ese límite no debe entenderse como un procedimiento para condicionar la libertad expresiva del hablante, ya que, precisamente, lo que hace es lo contrario: posibilitar la creación de significado. Utilizando un ejemplo algo más visual, si no existiera la botella, el líquido se perdería. La estructura le es al significado un continente, que permite que el contenido exista en una forma determinada, no que condiciona dicho significado.

En cualquier caso, hablamos de criterios que ignoran la existencia del hablante, que es, a fin de cuentas, el que pone en marcha todo el proceso comunicativo. En su lugar, es el propio sistema lingüístico el que se autogestiona, según reglas establecidas por la propia estructura, y solo si el hablante, además de publicar una novela o un libro de poemas, ha llegado a ser juzgado un buen autor, puede aspirar a ser modelo lingüístico. Veamos un caso en el que son los adverbios los que deciden (Lozano *op. cit.*, pp. 41-42):

> *Nótese como, si cambiamos la posición del verbo en la oración, el resultado es el siguiente:* Me la compro/Me la compraré, quizás, mañana./*Me la compre, quizás, mañana.
>
> *No es correcto gramaticalmente emplear el subjuntivo en el caso que el verbo preceda el adverbio.* **Eso da muestras de que el adverbio rige la selección del modo**[7], *y no puede regirlo desde una posición posterior o inferior en la estructura oracional.*
>
> *Según Bosque, el subjuntivo es agramatical porque quizás no puede inducir el modo desde su posición de inciso. También podemos justificar este proceso desde un punto de vista semántico: cuando el adverbio está en una posición de inciso, su repercusión hacia el verbo no es tan directa, por consiguiente, su valor de duda no afecta tanto a la acción.*
>
> *Entonces, es más evidente que la acción se va a llevar a cabo, y que el índice de probabilidad es mayor y que la intención del hablante es marcar esa veracidad, esa probabilidad. Eso explicaría la no aceptación del subjuntivo.*

Frente a esa visión estructural del lenguaje, la gramática cognitiva plantea la cuestión relacionada con el hablante, los procesos mentales que se activan durante el acto comunicativo y cómo estos se reflejan en su empleo de la lengua. Si se tienen en cuenta este tipo de factores, llegamos a la conclusión de que no es que sea gramaticalmente incorrecto usar el subjuntivo en caso de que el verbo preceda al adverbio, es que es, simplemente, un acto lingüístico carente de sentido. Por eso ningún hablante lo hace y, por eso es una construcción inédita que, por lo tanto, ha sido considerada agramatical a lo largo de la historia.

¿Por qué carece de sentido una construcción de ese tipo? Se trata de un hecho elemental: si el subjuntivo no declara nada, no se puede *declarar nada* y luego matizar con un 'quizás' lo que no se ha declarado. En cambio, cuando se declara algo, sí se puede matizar luego con un 'quizás' esa declaración. Veamos:

Me la **compre**.

¿Qué ha dicho el hablante? Nada a lo que podamos dar un sentido concreto, porque no ha habido declaración. ¿Cómo, pues, matizar con un 'quizás'? Es inviable. El procedimiento lógico es primero establecer con claridad el significado y, a continuación, matizarlo si así se estima oportuno. En cambio:

Me la **compro**.

Aquí el hablante ha establecido un significado claro, merced al valor declarativo del indicativo: que compra algo. Se puede proceder a la matización si el hablante así lo considera oportuno: *quizás, si Dios quiere, si me llega el dinero,* o lo que sea.

---

7 La negrita es nuestra.

Por tanto, no creemos que sean los adverbios u otros elementos de la oración los que admiten o no admiten cosas. Desde nuestra óptica, las unidades gramaticales tienen significados y el hablante emplea esas unidades en función de su significado, siguiendo su lógica comunicativa: el significado del indicativo, el significado del subjuntivo, el significado de 'quizás' o el de cualquier otro elemento.

3.3.2. La quimera del 'probabilidímetro'

El pasaje que citábamos anteriormente proponía otras cuestiones interesantes, por tratarse de un planteamiento prototípicamente estructural. Lo más interesante es, sin duda, constatar como al estructuralismo no le ha quedado más remedio que permitir injerencias de tipo mentalista o semánticas en el *casus belli* del subjuntivo. La aplicación del concepto *probabilidad* a la resolución de un problema lingüístico es un ejemplo de lo que podríamos llamar *estructuralismo desestructuralizado*, es decir, una contradicción, una claudicación muy significativa en el intento de explicar la lengua en función de su estructura.

De la mano del concepto de *probabilidad* o *duda* asociado a la elección modal, llega al aula otro mito famoso, al que podríamos llamar la «Quimera del probabilidímetro». El 'probabilidímetro' es un aparato o escala que serviría para medir porcentajes de probabilidad, pero que infelizmente no existe, y que el alumno debería poseer para saber si debe emplear indicativo o subjuntivo (Lozano *op. cit.*, p. 41):

> *Entonces* [si hay indicativo], *es más evidente que la acción se va a llevar a cabo, y que el índice de probabilidad es mayor y que la intención del hablante es marcar esa veracidad, esa probabilidad. Eso explicaría la no aceptación del subjuntivo.*

Lo curioso es observar que, en realidad, es la percepción subjetiva del hablante la que lo mueve a actuar lingüísticamente en la mayoría de los casos. Y el de la *probabilidad* es un caso muy claro de percepción subjetiva. ¿Cuál es la probabilidad de que nos toque la lotería mañana? ¿Es más probable o menos desenterrar un dinosaurio en nuestro jardín, que nos rapten los ovnis, que el Universidad de Chile baje a segunda, que gane la Copa Libertadores, que se descubra algún día el nombre del autor del *Lazarillo de Tormes* o que mañana llueva a cántaros? Teniendo en cuenta la teoría del 'probabilidímetro', habría que tener una cifra más o menos aproximada de porcentaje de probabilidad para decantarse por un indicativo o un subjuntivo. Incluso muchos de nosotros habremos visto –en algún material de clase, en alguna sala de profesores– ejercicios con estructuras que expresan probabilidad basados en minuciosas matrices de grados de certidumbre, de 0% a 100%.

Sin embargo, si nos paramos a oír a nuestro alrededor, comprobaremos que en el habla diaria podemos encontrar gran cantidad de ejemplos de frases introducidas con matrices de tipo veritativo expresadas en indicativo que no tienen nada de posibles y otras que, teniendo bastante más posibilidades de llegar a ser, son expresadas mediante un subjuntivo:

> *¿Por qué los rivales están tan nerviosos? Tal vez* **tienen** *miedo de vernos ganar.*

> *Bueno, tal vez* **esté** *un poco cansado, pero puedo aguantar un hora más.*

La primera frase puede haber sido dicha por el líder del segundo partido en intención de voto, a quince puntos del primero y a una semana de las elecciones. La segunda frase sale de la boca de un conductor, al que su compañero le pregunta que si está cansado, que si desea un relevo.

El problema no está en constatar que el indicativo se asocia frecuentemente con una percepción de probabilidad mayor que la que se asocia al subjuntivo, ya que esto, si de lo que se habla es de tendencias, sería correcto. El problema consiste en tomar el efecto por la causa y establecer una relación de necesidad entre probabilidad alta e indicativo, y probabilidad baja y subjuntivo, relación de necesidad que no existe. El empleo de 'quizá/tal vez/seguramente' o cualquier otra construcción análoga, con indicativo o subjuntivo, no se debe de manera constante a cuestiones de probabilidad, sino que la mayor o menor probabilidad estimada por el hablante es uno (solo uno) de los muy diversos factores que pueden llevarlo a declarar o no declarar el hecho al que se refiere, pero no el único. En los dos ejemplos que hemos visto antes, la elección de indicativo o subjuntivo no responde a criterios de probabilidad percibida, ni por el hablante, ni por el oyente, sino a otros factores: el líder político declara para estimular al electorado, aunque ni los más entusiastas de sus seguidores creen posible que en una semana vayan a acortar los quince puntos que les separan de sus rivales. En el caso del conductor, la no declaración del hecho sirve para atenuar su importancia.

3.3.3. La duda y el rechazo

Es normal que cuando alguien no cree un hecho, tienda a *no declarar* ese hecho. Eso explica la profusa aparición de oraciones que expresan duda o negación que emplean subjuntivo. Es común encontrar en los libros de texto matrices tipo *Dudo mucho que/No me parece posible que/Es inconcebible que/No tengo claro que...*, seguidas de subjuntivo. Que una persona no declare aquello que no cree es de una lógica inatacable, nadie iría —o por lo menos nadie debería ir— a un juicio a declarar ante el juez lo que no cree. Se declara lo que se cree y no se declara lo que no se cree. Podríamos pasar, por tanto, al siguiente punto si no fuera por un pequeño detalle: se emplea también indicativo cuando no se cree o se rechaza una escena determinada, y se emplea subjuntivo con matrices que expresan aceptación o creencia de un hecho X. Vamos a explicar esto:

*No creo que Mateo **vio** ovnis.*

El motivo fundamental que puede llevar al hablante a decantarse por decir, por un lado, que *Mateo vio ovnis* y, por otro lado, que *Yo no lo creo* (lo que aparentemente podría ser un contrasentido) es simple: recoger una declaración anterior.

(Todo el mundo dice que) *Mateo vio ovnis, pero yo no lo creo*, o lo que viene a ser lo mismo: *No creo que Mateo 'vio' ovnis.*

Esto explica que resulte más fácil oír indicativos con *No creo, Es falso/mentira* o *No es verdad que Mateo vio ovnis*, que con matrices tipo *Es inconcebible, Es improbable* o *Es imposible que Mateo vio ovnis*: el hablante puede plantear el asunto desde la perspectiva de que no cree la declaración de otro o bien desde la perspectiva de que no cree el hecho en sí:

No creo (lo que todo el mundo dice) *que Mateo vio ovnis.*

No creo (el hecho) *que Mateo viera ovnis.*

En cambio, esa posibilidad se reduce mucho cuando se dice que algo 'es inconcebible' o 'es imposible', ya que, en este caso, solo el hecho en sí es inconcebible o imposible, no la declaración de otro. Por ese motivo, estas construcciones con indicativo son infrecuentes.

De manera inversa, se registran matrices que expresan aceptación (tipo 'creo que') seguidas de subjuntivo y esto puede venir dado, de manera análoga, por una no declaración precedente:

▶ *Yo no creo que Marcos haga una cosa así.*

▷ *Pues yo sí que creo que lo haga.*

El subjuntivo, si se quiere utilizar un símil, es un modo que se dobla, mientras que el indicativo es un modo que se rompe. El subjuntivo, la no declaración, hace referencia a las cosas sin llegar a decirlas, mientras que el indicativo, la declaración, dice lo que dice. Así, tanto admitir la posibilidad de un hecho como dudarlo o negarlo, se hará de manera más contundente si se hace en indicativo que si se hace en subjuntivo.

3.3.4. Aquiles, la tortuga, el perfil y la base

Ocurre un poco de lo mismo en las construcciones concesivas con subjuntivo: *Aunque Aquiles sea más rápido, nunca alcanzará a la tortuga.* ¿Por qué no se declara que Aquiles es más rápido, no habiendo ninguna duda sobre ello? Es simple: al no declarar un hecho, se le resta importancia dentro del discurso, de la misma manera que veíamos antes respecto al empleo de 'tal vez'. Habla un padre con su hijo:

Tal vez sea más viejo que tú, pero aún puedo darte una paliza jugando al baloncesto.

Nadie alberga ninguna duda al respecto. Es evidente que el padre es más viejo que el hijo, y todo el mundo conoce las marcas de Aquiles en los 100 metros lisos. Pero al no declararse el hecho, se le resta importancia en el discurso. No declarar algo no es igual que negarlo, es, simplemente, una estrategia para oscurecer discursivamente un hecho que no nos interesa que brille demasiado dentro de la secuencia de ideas expuestas.

Para que el lector pueda entender con mayor facilidad de lo que estamos hablando, le proponemos un esquema visual que puede ser, además, empleado dentro del aula. Podríamos representar el proceso de la siguiente manera, diciendo que mientras que el subjuntivo «esquiva» el tema, el indicativo «entra de lleno» en él:

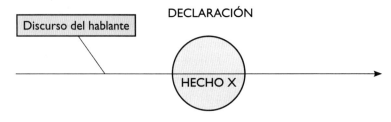

En cambio, como decíamos, cuando el hablante presenta los hechos con subjuntivo, al no declararlos, evita entrar en ellos; si se quiere, «los vadea»:

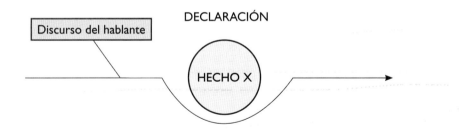

Una ley de significado gramatical debe permitir explicar no solo lo normal, sino también los empleos periféricos y dialectales que, aunque no son admitidos por la norma estándar, están ahí, existen por alguna razón. Hablábamos antes del empleo de *A lo mejor* con subjuntivo, que no es normativo, pero que se registra en el habla de ciertas zonas de América latina. Este hecho, que no ha prosperado en el español de otras muchas zonas, en realidad no representa ningún problema explicativo: es muy comprensible que el hablante evite declarar algo que se plantea como una mera hipótesis y, en este sentido, la estructura corre plenamente paralela a las estructuras de *tal vez*, *seguramente*, o *quizás*, bien con indicativo, bien con subjuntivo.

3.3.5. El deseo

Los tradicionalmente clasificados como *verbos de deseo* o *volitivos* conforman una larga nómina de matrices que, en realidad, no expresan exactamente deseos: en ese paquete se suelen englobar verbos que más bien implican prohibiciones, mandatos, preferencias, finalidad, claudicaciones o acuerdo, del tipo *prohíbo que*, *veto que*, *ordeno que*, *exijo que*, *prefiero que*, *esto lo hacemos para que*, *permito que*, *acepto que*[8], *apoyo o estoy de acuerdo con que*... y otros muchos que, en el fondo, tienen en común el siguiente rasgo: plantean el hecho como una aspiración del sujeto a afectar, a incidir en la realidad que lo rodea. Por tanto, quizá sería más exacto manejar la etiqueta «matrices intencionales». La puntualización es necesaria para conocimiento del docente en este asunto, si bien la etiqueta *verbos de deseo* resulta evidentemente más sencilla de manejar en el aula. Con este comentario no proponemos un giro en la nomenclatura de aula, sino simplemente llamar la atención del docente sobre el hecho de que con *verbos de deseo*, estará empleando una etiqueta práctica y sencilla, pero con restricciones en el aspecto teórico.

El hecho de que las matrices de intencionalidad aparezcan asociadas invariablemente a un verbo subordinado en subjuntivo es simple de comprender:

*Quiero que Mateo se **olvide** de los ovnis.*

---

8 Entiéndase *aceptar* con un significado parecido al de *consentir*, no al de *admitir un hecho como probado*.

Obviamente, no declaro que *Mateo se olvida de los ovnis*, simplemente planteo mi intención de que así sea, independientemente de si ese hecho tiene reflejo en la realidad o no. Veamos otro ejemplo:

> *Quiero que mi hija* **estudie**.

Que no se declare la idea *mi hija estudiar* no se debe necesariamente a que la hija no estudia. De hecho, ante esta frase, no podríamos saber si la hija de esta persona estudia o no, porque no se ha declarado nada. Habría dos escenarios posibles que se aclararían mediante el contexto:

> Opción 1: *...por eso estoy dispuesto a hacer cualquier cosa para que deje de trabajar y vuelva a la universidad.*

> Opción 2: *...por eso nos vinimos a vivir a Sevilla, porque así para ella todo está siendo más fácil.*

En efecto, el hablante puede expresar su deseo referido tanto a cosas que solo son parte de sus aspiraciones y que, por tanto, son virtuales, como a cosas que *de facto* tienen lugar en el mundo real. Sin embargo, tanto en un caso como en el otro, el verbo subordinado aparece, invariablemente, en subjuntivo. ¿Por qué?

a) En el primer caso la respuesta es obvia: no tiene sentido declarar *Mi hija estudia* cuando en realidad no lo hace, cuando expreso simplemente un deseo.

b) Puede darse la circunstancia de que deseemos algo que no sabemos si está ocurriendo o no, por ejemplo: *Ojalá, haya recibido mi mensaje*. Si no sabemos si ha recibido el mensaje, no tiene mucha lógica declarar que lo ha recibido.

c) Finalmente, se da la circunstancia de que la hija del hablante está haciendo nada menos que la carrera de Biología y la de Derecho al mismo tiempo. La chica, prácticamente, no hace otra cosa que estudiar, pero el padre insiste en no declarar la circunstancia y dice: *Quiero que estudie*. La explicación es simple: el estatuto informativo de lo que se dice depende de que «algo nuevo pase» en el mundo o algo que ya pasa «siga pasando».

3.3.6. El llamado imperativo negativo. ¿Una etiqueta rentable?

Por último queda la cuestión del imperativo negativo. Lo primero que hay que tener en cuenta al abordar el tema es que el imperativo negativo, como tal, no existe. La *Nueva gramática de la lengua española*[9] (en adelante *Nueva gramática*) considera algunas formas del subjuntivo ('venga/vengan/vengamos') como formas compartidas con el imperativo, si bien la postura tradicional nos parece más coherente, ya que el significado de sistema del subjuntivo las hace perfectamente aptas para ser interpretadas como expresión de intencionalidad, como venimos viendo. De hecho, no son solo las formas del subjuntivo las que pueden ser empleadas para expresar órdenes:

(a) *Manolito, te* **callas** *y te* **comes** *la sopa.*

---

9 RAE 2010, p. 797.

(b) *¡Ya te callaste!*

(c) *No matarás.*

En (a) se da una orden mediante el empleo de presente de indicativo. Puede parecer que no haya manera más contundente de ordenar algo que presentándolo como una declaración exacta, como *algo que yo sé que ya ocurre*, pero puede que sí que la haya: en (b) se nos presenta, nada menos, como *algo que ya ha ocurrido*, lo cual es frecuente en el español coloquial de diversas zonas de América. La lengua es representacional, y eso implica que, a efectos lingüísticos, lo determinante no es qué ocurre en realidad, sino cómo el hablante representa los hechos, y con qué intención comunicativa. En este sentido, esas formas de emplear el presente de indicativo o el pretérito indefinido dejan bien a las claras la escasa intención del hablante de negociar su propuesta. Y finalmente, en (c) el matiz de orden u obligación se desprende del valor etimológico de *matarás* (véase «La expresión de futuro y la imagen lingüística», Capítulo III, 7.3.1.). En ninguno de estos casos se nos ocurriría pensar que el presente, el indefinido o el futuro imperfecto de indicativo son formas compartidas con el imperativo, sino formas del presente, del indefinido o del futuro imperfecto cuyo valor pragmático en este contexto es de *mandato*. Con las formas del presente de subjuntivo ocurriría exactamente lo mismo: que pragmáticamente puedan poseer un valor de mandato, no parece que sea razón suficiente para adscribirlas al modo imperativo.

En cualquier caso, incluso la propia *Nueva gramática* (p. 797) nos dice que formas como tales del imperativo, y por tanto exclusivas para dicho modo, son tan solo dos: 'ven tú' (en zonas voseantes 'vení vos') y 'venid vosotros' (en las zonas voseantes, al no existir *vosotros*, el imperativo solo tiene una forma, 'vení vos').

¿Qué hay entonces de las llamadas formas del *imperativo negativo*? En realidad, no son más que formas del presente de subjuntivo. La etiqueta *imperativo negativo*, que sin tener una justificación teórica clara se ha hecho muy popular en el mundo de ELE, nace de una confusión y cruce entre el concepto de «modo» y el concepto de «función». El imperativo es un modo, esto es, un determinado catálogo de morfemas asociado a un significado de sistema y, al igual que no se habla de indicativo negativo o de subjuntivo negativo, no parece tener mucho sentido que se hable de imperativo negativo. Lo que ha ocurrido es que se ha terminado llamando 'imperativo' a las formas del presente de subjuntivo (sin conjunción 'que' ni verbo subordinado), cuando cumplen la función de expresar intencionalidad y llevan un 'no' delante:

No fumes.

¡No me diga!

No seamos pesimistas.

No habléis tan alto.

No olviden traer sus pasaportes...

Tal vez se podría objetar que esto no es más que una simple cuestión de metalenguaje y que el docente puede pasar por alto que sus alumnos le llamen al *no me diga* imperativo negativo. A fin de cuentas, todos en clase saben de qué se está hablando, se pierde menos tiempo en aclaraciones y se le ofrece al alumno una mayor seguridad en lo que ha aprendido hasta ese momento. No cabe duda de que esa objeción es interesante, pero quizá sea bueno tener algún factor más en cuenta.

Normalmente, los manuales al uso suelen presentar antes el llamado *imperativo negativo* que el presente de subjuntivo. Y también, normalmente, la inercia del propio manual influye en la confección del programa del centro de estudios, lo que acaba generando una situación sin mucho sentido: el alumno tiene que aprender dos veces la misma forma gramatical, una vez bajo el nombre de imperativo negativo y otra vez como presente de subjuntivo. Por esto, pensamos que seguramente resulte más práctico y coherente comenzar por el presente de subjuntivo y, luego, cuando llegue la hora de aclarar qué pasa con el imperativo de 'usted' y de otras personas o cuando el imperativo lleva un 'no' delante, explicar que se emplean las formas ya vistas de presente de subjuntivo, lo cual es una manera de facilitarle la vida al estudiante.

Al margen de esta cuestión puramente formal, el significado de sistema del imperativo es la «intencionalidad», que puede ser expresado también, como ya hemos visto, mediante el subjuntivo. En sentido estricto, se puede decir que el significado de sistema del subjuntivo incluye y rebasa al del imperativo, y eso explica las interferencias que existen entre ambos:

▶ *Ven*.

▷ *¿Qué?*

▶ *Que vengas*.

Técnicamente, el imperativo no es más que un brevísimo inventario de formas: tan solo dos en su versión más amplia, la del español peninsular. Estas formas, ya mencionadas, son las correspondientes a 'tú' (*ven*) y 'vosotros' (*venid*) y están especializadas en una de las funciones discursivas del subjuntivo: la expresión de intencionalidad y dirigidas –sin mayor ceremonia– exclusivamente hacia el oyente y oyentes. Se trata, en definitiva, una manera de comunicación esencialmente directa, presente en el proceso de comunicación mediante lenguaje hablado, probablemente, desde sus primeras manifestaciones.

3.3.7. Las valoraciones y los comentarios

¿Qué entendemos por una valoración o un comentario? Pensemos en una circunstancia dada cualquiera, por ejemplo:

Publican las cartas amorosas del pintor malagueño Pablo Picasso.

Ante esta circunstancia, las opiniones pueden ser de lo más variado:

Me alegra enormemente, me serán muy útiles en mi tesis de doctorado.

Es una pena, ahora que ya hace un mes que defendí mi tesis doctoral sobre el cubismo.

Ya era hora, llevamos años oyendo solo rumores.

Me da igual, no pienso leerlas.

Me parece fatal, no deja de ser la vida privada de una persona.

Es normal, un personaje tan famoso no puede tener secretos.

Opiniones hay para todos los gustos y opina mucha gente: doctorandos, libreros, el camarero de la cafetería de bellas artes, estrellas del pop, un abogado, un administrador de fincas... Y no cabe duda de que en español existe una marcada tendencia a referirse al hecho valorado con un subjuntivo:

Grupo subjuntivo
Me alegra enormemente que publiquen las cartas de Picasso.
Es una pena que publiquen ahora esas cartas, y no un par de años antes.
Ya era hora de que las publicaran, parecía que el momento nunca iba a llegar.
Me da igual que publiquen sus cartas amorosas, para leer cartas de otros estoy yo.
Me parece fatal que publiquen cartas sobre la vida íntima de alguien.
Es normal que las publiquen, uno paga por leerlas y otro cobra por dejarlas leer.

En cambio, podemos encontrar estructuras formalmente semejantes o exactamente iguales a las anteriores, pero que difícilmente presentan un subjuntivo en la subordinada:

Grupo indicativo
Me consta que publican las cartas de Picasso este mes.
Me parece probado que publicarán esas cartas, sí o sí.
Ya es oficial que nuestra editorial publicará las cartas del genial pintor andaluz.
Es cierto que han publicado las cartas amorosas de Picasso.

Las estructuras se podrían formular de la siguiente manera:

Pronombre de OI + verbo en 3.ª persona + subordinada sustantiva
Ser + adjetivo + subordinada sustantiva
Ya + ser + sustantivo + subordinada sustantiva
Etc.

A pesar de ser estructuras formalmente idénticas, hay variación modal. Esto es debido a que, como venimos diciendo, la estructura en sí no condiciona la aparición de uno u otro modo verbal, sino la manera en que el hablante decide presentar el mensaje. Como el lector ya habrá advertido, en los ejemplos del Grupo subjuntivo, se *valora* la decisión de publicar una colección de cartas privadas del pintor Pablo Ruiz Picasso. En el caso del segundo grupo de ejemplos, el Grupo indicativo, lo único que se hace es corroborar el hecho, no valorarlo. Por tanto, al valorar el hablante está añadiendo un dato nuevo: su apreciación personal del hecho. Al corroborarla, no se añade ningún dato nuevo, solo se confirma el que ya existe.

Entonces, ¿por qué la aparición del subjuntivo en el grupo de valoraciones? Volvamos a un ejemplo anterior:

*Me alegra enormemente que **publiquen** las cartas de Picasso.*

El lector puede ya sospecharlo: la intención comunicativa del hablante no es declarar que publican las cartas de Picasso, sino declarar que valora esa circunstancia positivamente, por eso el verbo que aparece en indicativo es 'alegrarse'.

Además, no siempre el hablante hace referencia a cosas que ocurren *de facto*, por lo que no tendría mucho sentido declararlo:

*Me parece una buena propuesta que **desaparezcan** los peajes de las autopistas.*

Obviamente, no parece lógico declarar que los peajes de las autopistas desaparecen, ya que la realidad es que seguiremos pagando por circular por ciertas carreteras; en esta frase se valora el hecho *desaparecer* los peajes como una propuesta positiva, no se declara el hecho *desaparecer los peajes.*

Puede oírse una valoración y una declaración al mismo tiempo, es cierto, pero no es lo frecuente. Por lo tanto, se puede emplear como protocolo didáctico por defecto el empleo de subjuntivo cuando el hablante desea valorar un hecho:

▶ *¿Y qué es lo que te gusta de ese tal Aparicio?*
▷ *Pues mira, me gusta que **tiene** ese modo educado de plantear sus puntos de vista.*

▶*Yo me quedé muy contento de cómo habló tu hijo en la reunión de vecinos.*
▷*Yo también. Me gusta que **tenga** ese modo educado de plantear sus puntos de vista.*

De manera análoga a lo que ya veíamos respecto a la expresión de dudas y rechazos, en el primer ejemplo se valora un hecho, al mismo tiempo que se declara, porque el hablante siente la necesidad de hacerlo así. Los motivos pueden ser diversos, puede deberse a que el hablante entiende que ese rasgo de la persona a la que se refiere es desconocido para el oyente y, por tanto, siente la necesidad de declararlo. O bien, simplemente, el hablante desea resaltar en el discurso el hecho de que esa persona tiene un modo educado de plantear sus puntos de vista. Como veíamos en el punto «Aquiles, la tortuga, el perfil y la base» (3.3.4.), la no declaración de un hecho puede tener la función de destacar discursivamente el hecho que sí se declara.

En cambio, en el segundo ejemplo, el hablante entiende que no es necesario declarar nada sobre las maneras de esa persona. Igualmente, esa decisión puede deberse a varios motivos: tal vez porque considera que el hecho es de dominio común o bien simplemente porque el hablante desea que el foco recaiga sobre el placer que él recibe viendo al otro actuar de manera tan civil cuando plantea sus puntos de vista. Incluso desde un punto de vista pragmático, la valoración puede ser interpretada como la expresión de un deseo, por ejemplo, si se le está preguntando al hablante sobre el perfil de su jefe ideal.

*Valoro mucho que **tenga** un modo educado de plantear sus puntos de vista.*

En ese caso, la idea que aparece en la subordinada está dentro del mundo de lo virtual y lo lógico es que no se declare.

3.3.8. Las descripciones

Utilizamos también la oposición modal entre el indicativo y el subjuntivo para introducir matices en la descripción de gran cantidad de cosas: personas, animales, objetos, momentos, lugares, modos de hacer las cosas, etc. Veamos algunos ejemplos:

*Uno que **baila** / **baile** rumba catalana.*

*Un perro que **tiene** / **tenga** cara de bueno.*

*El carro que le **robaron** / **robasen**.*

*Cuando **llego** / **llegue** a casa.*

*Donde **quieres** / **quieras**.*

*Como **manda** / **mande** el jefe.*

La lógica modal sigue siendo la misma. Solo diverge la aplicación discursiva del valor operativo. Veamos algunos ejemplos en indicativo:

*Contrata al que **baila** bien rumba catalana.*

*Busco un perro que **tiene** cara de bueno, se llama Pilatos.*

*Cuando **llego** a casa me gusta tomarme una copita de Rioja.*

*Es imposible colocar el andamio donde tú **quieres**, Mariano.*

*Antes de salir siempre apagamos las luces, como **manda** el jefe.*

*Le denegaron el transplante por lo que **fuma**.*

Volvamos al esquema visual que ya vimos en «Aquiles, la tortuga, el perfil y la base». Con este esquema, intentamos representar que al emplear indicativo en una descripción, el hablante está señalando un objeto determinado, así que, metafóricamente, representamos esta acción lingüística como si el discurso del hablante «atravesara» un objeto concreto. Es *este* el objeto al que se hace referencia, un objeto determinado, identificado y no ningún otro. Entiéndase aquí el término 'objeto' en sentido muy amplio, pudiendo ser una persona, un modo, un momento, un lugar, etc.

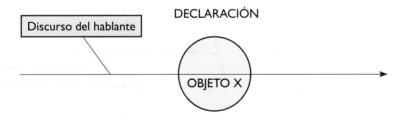

En cambio, al emplear el subjuntivo, se hace referencia a las características del objeto o bien a cualquiera perteneciente a esa categoría, sin «atravesar» ninguno en concreto, es decir, sin hacer referencia a un objeto determinado, identificado:

*Contrata al que **baile** bien rumba catalana, me da igual que se llame Francesc, Antoni o Pep.*

*Busco un perro que **tenga** cara de bueno, es que a mi marido le dan un poquillo de miedo. Me da igual el tamaño, el color o la raza.*

*Cuando **llegue** a casa me voy a tomar una copita de Somontano.*

*Nos vemos donde **quieras**.*

*Tú haz las cosas como las **mande** el jefe, por absurdas que te parezcan.*

Como se puede apreciar, ni el bailarín de rumba está identificado con un sujeto en concreto, ni el perro con un perro determinado, ni el momento de llegar a casa, ni el sitio donde van a verse, ni cómo el jefe manda las cosas.

3.3.9. Las leyendas relativas

Como en otros casos, también sobre las relativas con subjuntivo corren leyendas urbanas, más o menos extendidas. Alguna de las más conocidas cifra el valor del subjuntivo en el no saber si tal objeto existe o no. Incluso, se pueden escuchar leyendas de corte temporalista, según las cuales, el empleo de subjuntivo estaría ligado al valor de futuro. Por no extendernos de forma innecesaria, reflexionemos brevemente sobre estos tres ejemplos:

a. *Pues verá, estoy buscando unas gafas de sol… que no **sean** muy aparatosas, en color negro o gris oscuro, que **sean** más bien pequeñas, ligeras, que no **tengan** adornos de metal… No sé, algo así como **estas**, o tal vez **aquellas** del escaparate…*

b. *El sábado 13, que es cuando tú **llegarás** a Arcos de la Frontera, comienzan las fiestas del pueblo, así que mejor deja el coche en el Barrio Bajo y sube hasta casa andando.*

c. *Con lo que **cobre**, arreglaré la moto.*

En el primer ejemplo, la persona busca un producto muy común en cualquier óptica, de hecho, el propio hablante está señalando hasta dos modelos que se ajustan a esa descripción. Es evidente que el hablante sabe que existen gafas de ese tipo e incluso sabe que hay gafas de ese tipo en esa tienda. Pero no son estas o aquellas gafas las que está buscando, no se trata de un modelo concreto identificado, sino cualquier modelo que coincida con la descripción.

En el segundo ejemplo, observamos que un futuro de indicativo –podría haberse empleado también el presente de indicativo–, asociado al adverbio 'cuando', es empleado para referirse a un momento en el futuro. Lo que ocurre en este caso es que ese momento en el futuro está igualado de manera explícita a otro momento: el momento A es igual al momento B.

En el tercer ejemplo se podría haber utilizado también un futuro de indicativo ('cobraré') o una perífrasis de valor prospectivo (del tipo 'voy a cobrar'), y la diferencia entre indicativo y subjuntivo no sería obviamente temporal, porque todo ello va a ocurrir en el futuro. Las diferencias estarían, de nuevo, en un mayor o menor interés (o capacidad) por identificar la cantidad a cobrar.

Una de las mayores ventajas de basar nuestra instrucción en un significado de sistema de las formas gramaticales estriba en la constancia de los criterios pedagógicos, es decir, que se mantiene un mismo discurso cara al alumno, independientemente de cuál sea el empleo del subjuntivo que estemos tratando e independientemente también de en qué estructura aparezca. Se trate de subordinadas sustantivas, relativas, concesivas u oraciones independientes, el criterio siempre es el mismo: el indicativo declara, el subjuntivo no lo hace. Manejar criterios de existencia o no existencia aquí, de realidad o irrealidad allá, de probabilidad o improbabilidad en ciertos casos, o de presente y futuro en otros, presenta un panorama inconexo al alumno que, seguramente, no sea el mejor escenario de partida para el aprendizaje de la decisión modal.

En cambio, partiendo de un esquema visual simple, como el que ya hemos visto previamente, se puede ayudar al alumno a representarse cualquiera de las funciones del subjuntivo, ya sea colocando en el centro del círculo la palabra *objeto* o la palabra *hecho* o cualquier otra que el docente considere ilustrativa en ese momento:

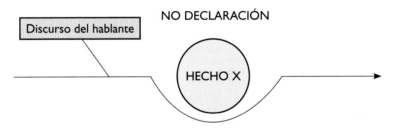

Una gramática pedagógica cognitiva no es algo tan complejo o exótico como la etiqueta tal vez pueda hacer pensar. La propuesta se basa en dirigir la atención del alumno no hacia las relaciones entre las formas gramaticales entre sí, sino a las relaciones entre el hablante y su manera de percibir el entorno con el significado de cada forma gramatical, añadiendo a esto el aprovechamiento del valor ideativo de la imagen (como en el caso de la sencilla figura que tenemos arriba) y una búsqueda de la lógica del lenguaje.

3.3.10. Las concesiones

Para ejemplificar este punto, partiremos de la conjunción 'aunque' con valor concesivo. Lo primero que nos llama la atención es que dichas concesiones puedan ser hechas en indicativo y en subjuntivo, sin que por ello existan diferencias respecto a la verificabilidad de la escena a la que se hace referencia:

*Aunque no **es** capital de provincia, Mérida es capital autonómica.*

*Aunque no **sea** capital de provincia, Mérida es capital autonómica.*

La escena objetiva es la misma, pero se puede plantear desde dos puntos de vista: el del indicativo y el del subjuntivo. Como veíamos antes con el ejemplo de Aquiles y la tortuga, el subjuntivo evita entrar en la cuestión de si Mérida es o no capital de provincia, no declarando un hecho que, por otro lado, es de dominio común. El efecto resultante, como veíamos, es una atenuación discursiva de la idea de que Mérida no es capital de provincia, atenuación que no existe en el caso del indicativo, que sí declara que Mérida no es capital, entrando de lleno en la cuestión y destacándola dentro del discurso.

Pero también puede ocurrir que los escenarios objetivos sean distintos y, entonces, harán también falta modos distintos para representarlos. Supongamos la siguiente situación: Carmen da clases de español en un instituto de bachillerato cualquiera de un país no hispanohablante cualquiera. Evaluará a sus alumnos en base a varios criterios, entre los que destacan el resultado del examen final y la nota obtenida en un trabajo individual. Un par de días antes de la entrega de notas, le llega el clásico alumno que no da golpe a decirle que no ha podido hacer el trabajo individual porque se le puso una tía enferma, porque un virus le bloqueó el ordenador o por cualquier otra de esas excusas que todo profesor ha oído alguna vez. Lo que el alumno quiere saber es si puede aprobar el trimestre con solo aprobar el examen y sin presentar el trabajo:

¿Puedo aprobar la asignatura con solo aprobar el examen?

La respuesta, como era de prever, va a ser *no*. El trabajo es absolutamente obligatorio para aprobar el trimestre. Ese mensaje, claro está, se puede transmitir de múltiples maneras. Una de ellas sería utilizando una construcción concesiva con 'aunque' que, además, podría venir seguido de un indicativo o un subjuntivo. Vamos a ver las implicaciones que ello tendría:

*Aunque **has aprobado** el examen, **tienes** que presentar también el trabajo.*

Como puede apreciarse con facilidad, en este ejemplo Carmen está declarando, en virtud de los indicativos empleados, dos cosas:

    a) Que su alumno ha aprobado el examen.

    b) Que de todas maneras, tiene que presentar un trabajo.

Esto implica una escena de referencia en la que Carmen ha corregido ya los exámenes y en la que ese alumno está entre los aprobados. Además, existe una voluntad evidente por parte de la profesora de revelar ese dato. En cambio, observemos este otro ejemplo:

*Aunque **hayas aprobado** el examen, **tienes** que presentar también el trabajo.*

En este ejemplo Carmen está declarando, en virtud del indicativo empleado, solamente una circunstancia: que el alumno tiene que presentar un trabajo individual.

Sobre si el alumno ha aprobado el examen o no, no se ha declarado nada. Podríamos decir que el empleo del subjuntivo es una argucia lingüística que otorga a Carmen una situación ventajosa en la conversación, ya que el alumno debe asumir un par de escenarios posibles, a saber:

a) Que la profesora no le va a decir nada de los resultados de su examen, a pesar de que ya los conoce. Es decir, que la profesora *oculta* información.

b) Que la profesora no es que no quiera, es que no puede decirle nada sobre los resultados de su examen porque no los ha corregido aún o, si lo ha hecho, no se acuerda de si él ha aprobado o no, es decir, que la profesora *ignora* información.

Tanto en un caso como en otro, bien sea por discreción como por desconocimiento del hecho, Carmen no tiene más opción que *no declarar*. E incluso, se podría dar una tercera circunstancia, de la que ya hablamos anteriormente, y es que no declarar un hecho consabido, le resta importancia a ese hecho:

*Sí, has aprobado el examen, con un 7'4, por cierto. Pero aunque **hayas aprobado** el examen, tienes que presentar también el trabajo.*

En definitiva, una concesión con subjuntivo nos sirve para quitar importancia a algo, para ocultar lo que sabemos o para evitar decir lo que en realidad ignoramos, con lo que volvemos al gráfico que ya hemos visto tantas veces:

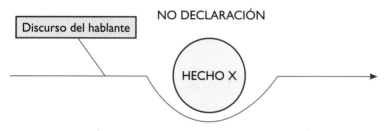

En todas las lenguas existen funciones tales como restar importancia a un dato, ocultar información o evitar entrar en datos que desconocemos, independientemente de que esas lenguas posean o carezcan de subjuntivo. Simplemente, cada lengua posee protocolos formales propios (a veces exclusivos) para realizar las mismas funciones lingüísticas. El protocolo formal de la lengua española es en este caso un modo llamado subjuntivo. Si deseamos que el alumno aprenda a manejar este recurso, creemos que lo mejor es que el aprendizaje se construya a partir de su significado.

3.3.11. Dotar de sentido unitario a la lista de uso: un ejemplo práctico

A partir de lo que hemos visto, creemos que tanto el docente como el propio alumno pueden comenzar a explicarse muchas cosas. Veíamos que los contextos de aparición más frecuentes del subjuntivo, según puede constatarse en gramáticas pedagógicas, material que circula por salas de profesores, por Internet, etc., podrían ser los siguientes:

a) **Expresiones de deseo, voluntad, y necesidad** *(querer, esperar...)*. Lógicamente, los deseos son solo eso, deseos. Si alguien dice 'llueve', lo está declarando. Pero si no llueve, si es solo un deseo, lo lógico es que se opte por la forma no declarativa, 'llueva'. Por lo tanto, lo lógico es *Quiero que llueva*, y no *Quiero que llueve*.

b) **Imperativo negativo.** Ya hemos visto que el imperativo negativo, como tal, no existe, que se trata de formas del presente de subjuntivo. Por el mismo principio del punto a), si quiero presentar un hecho como mi deseo o voluntad, lo lógico es no declararlo *(No fumes)*, ya que si lo declaro *(No fumas)*, lo que estoy haciendo es informar a alguien de que no fuma, no pedirle que no lo haga.

c) **Verbos de opinión y percepción en su forma negativa** *(no creer, no pensar...)*. Es también lógico que *no declaremos* aquello de lo que dudamos o que no creemos. Los casos de *no creo* + indicativo tienen también una explicación lógica, como hemos visto en páginas anteriores (véase «La duda y el rechazo», 3.3.3.).

d) **Expresiones de sentimiento** *(gustar, encantar...)*. Cuando el hablante dice *Me gusta que estés aquí*, no pretende declarar que la otra persona *está allí*, entre otras cosas porque no es necesario informar sobre esa circunstancia. Cuando el hablante dice *Me gusta que la cerveza esté muy fría*, no pretende declarar que su cerveza *está muy fría*, tal vez ni siquiera tenga una cerveza entre las manos. Lo que el hablante quiere poner de manifiesto es que le gusta un hecho. No se declara ese hecho, sino el placer que recibe a través de él. De ahí que el verbo 'gustar' aparezca en indicativo y el hecho que produce ese placer, en subjuntivo.

e) **Hipótesis y probabilidad** *(quizás, posiblemente)*. Es frecuente oír que 'quizás' con indicativo expresa mayor probabilidad que con subjuntivo. Con las observaciones y restricciones que en el punto sobre «La probabilidad» (3.3.1.) hemos propuesto para esta idea, es evidente que declarar la probabilidad va a tener una mayor fuerza elocutiva que la no declaración de esa probabilidad.

f) **Proposiciones finales** *(para que, a fin de que...)*. En realidad, estas construcciones son un subapartado de la expresión de deseos. La frase *La jaula es para que el conejo no se escape* no declara que el conejo no se escapa, sino que presenta la idea *el conejo no escaparse* como una pretensión, una finalidad, y eso no es declarable: yo no digo que el conejo no se escapa, simplemente quiero que no lo haga.

g) **Proposiciones temporales** *(cuando, en cuanto, mientras...)*. Ya sabemos que estas proposiciones temporales pueden ir en indicativo y en subjuntivo. Serán en indicativo para segmentos temporales declarables, identificados, *Cuando salí de mi Huelva* o *Cuando tú llegarás será dentro de dos días* (momento de tu llegada = dentro de dos días, es decir, A = B), mientras que el subjuntivo es empleado cuando el momento no se declara, cuando no se iguala a ningún momento determinado.

h) **Proposiciones concesivas** *(aunque, a pesar de, no porque...)*. Igualmente, estas construcciones pueden aparecer en indicativo y en subjuntivo. Si el hablante dice *Aunque me pagan mañana, no puedo darte lo que te debo hasta la semana que viene*, está declarando que le pagan al día siguiente. En cambio, si lo que dice es *Aunque me paguen mañana, no puedo darte lo que te debo hasta la semana que viene*, el hablante no declara que le pagan al día siguiente.

i) **Proposiciones relativas de antecedente no identificado.** El subjuntivo en la oración subordinada marca como virtual el antecedente: es cualquier entidad, no importa cuál, que cumpla con las condiciones precisadas en la subordinada.

j) **Verbos de influencia** *(mandato, prohibición, consejo...).* Pertenecen al mismo grupo que los verbos de deseo. En realidad, como veíamos en el punto «El deseo» (3.3.5.) sería más exacto englobarlos a todos bajo el epígrafe de verbos que expresan «intencionalidad». *Te prohíbo que fumes* no significa que yo declaro que no fumas, simplemente expreso mi intención de que no lo hagas. El hecho es virtual, por lo tanto, no declarable.

k) **Valoración** *(es/me parece + importante, necesario...).* De la misma manera, las valoraciones pertenecen al mismo subapartado que los llamados verbos de sentimiento. Cuando el hablante dice *Me parece necesario que el hombre vaya a Marte*, no está declarando que el hombre va a Marte, solo declara que ese hecho le parece necesario.

3.4. Por la vía rápida: ficha-resumen

Vamos a hacer un repaso de las cuestiones más importantes que se han planteado sobre el subjuntivo–indicativo:

- Es correcto afirmar que **el subjuntivo, como inventario de morfemas, existe solo en algunas lenguas**. Pero ello no quiere decir que la ausencia de un modo subjuntivo asociado, expresado mediante un inventario de determinados de morfemas, implique la ausencia de nociones subjuntivas.

- Es conveniente que el alumno sea consciente, desde el primer momento, de que **el modo subjuntivo español es únicamente un proceso morfológico para expresar las mismas nociones, ideas, actitudes, etc. que él mismo expresa en su L1 mediante otros procedimientos**, y que, si pretende llegar a expresarse en español con claridad y precisión, deberá hacer un esfuerzo y acostumbrarse a emplearlo. El subjuntivo no es –o, al menos, no siempre es– un elemento redundante del español, sino una herramienta comunicativa más.

- **Tradicionalmente, la enseñanza-aprendizaje del subjuntivo se ha basado en una serie de ideas más o menos extendidas y, a nuestro juicio, de base endeble**, por lo que las hemos llamado «mitos». Entre estos mitos, que, por otro lado, poseen sus ventajas y desventajas, hemos mencionado los siguientes:

a. **El mito de las listas de uso**. Este criterio didáctico, de inspiración conductista, presupone que mediante la memorización de los contextos formales o semánticos en los que aparece el subjuntivo y su continua práctica se puede llegar a dominar la elección modal con razonable precisión. Entre las mayores críticas que se pueden hacer a dicho planteamiento, cabe destacar la de la *ausencia de lógica*. La amalgama de contextos, carentes de un significado de sistema que los explique y unifique, convierte el aprendizaje en un proceso memorístico, con menor probabilidad de pasar a la memoria a largo plazo y convertirse en conocimiento implícito. Si las listas de uso pueden ser de alguna utilidad, lo serán mucho más si, junto con la lista, se proporciona el significado de sistema, de manera que el alumno pueda poner en juego su capacidad de asociación lógica, durante el proceso de aprendizaje.

b. **El mito de la irrealidad**. A pesar de ser un criterio eminentemente semántico, es decir, de *significado*, no es infrecuente hallarlo en estudios de gramática estructural, a pesar de la desconfianza que el significado ha generado, tradicionalmente, en el seno del estructuralismo. Presentar en el aula el subjuntivo como el modo que expresa la *irrealidad* tiene un único pero importante problema y es que el significado del subjuntivo no expresa hechos irreales. Un par de ejemplos: *Me alegro de que lo hayas comprendido*, *Me da igual que* pienses *así*.

c. **El mito de las regencias**. De todos los mitos, seguramente sea el menos interesante tanto lingüística como didácticamente. Presuponer que son los elementos precedentes al verbo los que exigen un modo u otro, y no la intención del hablante, plantea toda una serie de profundas contradicciones, de tipo lógico, epistemológico y estrictamente lingüístico.

d. **El mito de lo funcional**. Básicamente, plantea los mismos problemas que las listas de uso, solo que lo funcional no organiza la lista por contextos, sino por funciones lingüísticas, lo que indudablemente supone un avance. Pero entre los problemas que plantea al estudiante y al docente, se encuentran: la atención exclusiva al significado, el mismo efecto de desconcierto que produce la lista de uso; el exceso de contextualización (que impide percibir el significado de la forma), y el frecuente empleo, en la práctica docente, de elementos extraídos de los tres mitos previamente mencionados, como refuerzo al trabajo con funciones.

Nuestra propuesta pasa por aislar adecuadamente el significado de sistema. Ese significado de sistema es simple: mientras que el indicativo *declara el hecho*, el subjuntivo *no declara el hecho*. Esto se percibe mejor aislando de todo contexto la forma:

Fumas.

Fumes.

Así resulta más fácil notar que el indicativo (*fumas*) está declarando el hecho de que la segunda persona fuma, mientras que el subjuntivo no declara que la segunda persona fuma, ni tampoco lo niega: simplemente se limita a establecer una relación difusa, no determinada, no declarativa, entre el hecho de fumar y la segunda persona.

Hemos analizado también los contextos en los que aparece más frecuentemente el subjuntivo y hemos visto como en cada uno de ellos es el principio de no declaración el que los explica y confirma.

4. Ser-estar

4.1. Cuestiones previas: la herejía de lo permanente frente a lo transitorio

En su libro *Las edades de Gaia* el célebre geofisiólogo británico James Lovelock advierte de los riesgos de ir con prisas en la cuestión de la manipulación genética. Para ejemplificar el desastroso resultado que puede llegar a tener una gestión imprudente de los experimentos con ADN, Lovelock evoca la imagen de un planeta cuyos océanos han sido invadidos por un tipo de alga manipulada genéticamente. El experimento que, en principio, se había concebido como respuesta a algún problema, termina creando –por algún descuido o por prisas en comercializar el producto– una superalga prácticamente indestructible, que se reproduce fuera de control y acaba por adueñarse de los mares y océanos.

Algo parecido pasa en gramática con el concepto «tiempo», presente en casi cualquier problema gramatical como parámetro explicativo y, seguramente, de manera no muy saludable, desde un punto de vista intelectual. Seguramente, el carácter mortal del ser humano explica la importancia que este concede al tiempo, y esa importancia explica, a su vez, la gran cantidad de problemas gramaticales que tradicionalmente han sido cifrados en clave temporal, y el de 'ser' y 'estar' se encuentra dentro de esa nómina. Si el tiempo existe o no fuera de nuestros propios cerebros, es algo que queda lejos del campo de especialidad del profesor de ELE, pero lo que tal vez sí merezca la pena plantearse es si no estamos sobreestimando el impacto de la noción temporal en la gramática de nuestra lengua.

No es raro registrar en las gramáticas pedagógicas explicaciones de 'ser' y 'estar' basadas en la idea de que 'ser' es permanente y 'estar' es transitorio. Pero la realidad es que no parece que los dos verbos se diferencien por la inmutabilidad implícita del primero y la transitoriedad del segundo. No es difícil amontonar evidencias en contra de esa idea, y no debería de serlo, porque es extremadamente difícil hallar algo inmutable: en el universo, casi todo cambia. Ser joven o ser el canciller alemán son atribuciones esencialmente transitorias, nadie es joven para siempre ni canciller de Alemania para siempre.

Se puede objetar que *se es joven mientras se es joven*, y ahí el rasgo de juventud sí es permanente, pero el argumento no parece tener demasiado peso, ya que todo es permanente mientras permanece, es decir, una persona *está nerviosa mientras está nerviosa*, al igual que *es joven mientras es joven*. Es evidente que podemos necesitar más tiempo para dejar de ser jóvenes que para dejar de estar nerviosos, pero eso nada tiene que ver con la idea de inmutabilidad o transitoriedad y, si se analiza el asunto con un poco de detenimiento, parece que estas tampoco mantienen relación alguna con el significado de los verbos 'ser' y 'estar': Andy Warhol profetizó un mundo en el que la gente *sería* famosa durante quince minutos, y en un partido de River contra Boca hay gente que está nerviosa bastante más de quince minutos. Si una persona precisa de mucho tiempo para dejar de ser joven, no es por causa del verbo 'ser', sino por causa de lo que significa 'joven'. A nuestro juicio, la aparición de uno u otro verbo se debe a otras cuestiones, que intentaremos explicar en las siguientes páginas.

4.1.1. Polonia está en Europa y es miembro de la Unión Europea

El continente en el que se encuentra un país es, en términos generales, algo muy difícil, si no imposible, de cambiar. En cambio, su pertenencia a determinados organismos internaciones es algo que puede cambiar con mayor facilidad. Independientemente de eso, decimos que un país *está* en un continente y decimos que *es* miembro de un club internacional. Veamos algunos ejemplos más:

	Puede cambiar	No puede cambiar
Amancio es gallego.		X
Amancio está en Polonia.	X	
Polonia está en Europa.		X
Amancio es lector.	X	
Amancio es profesor de Jan Łukasiewicz.	X	
Jan está un poco cojo.		X
Y está un poco gordo.	X	
Amancio es hijo de Paco.		X
Amancio es hincha del Deportivo de La Coruña.	X	
Amancio y Pedro son amigos.	X	
Pedro está ahora más alto que cuando lo conocí.		X
Pedro está operado de amígdalas.		X
Amancio y Pedro son generosos.	X	

En términos generales, todos estaríamos de acuerdo en que, observando la tabla anterior, la afirmación de que 'ser' expresa atributos permanentes y 'estar' atributos transitorios carece de base. No existe una relación de necesidad entre 'ser' y 'estar' y las nociones de perdurabilidad o transitoriedad de la atribución: *Amancio es gallego* y eso no hay nada que lo cambie y *ser de algún lugar* es mucho más una sensación de identidad que de nacimiento circunstancial, y ese es justamente uno de los aspectos que resultan interesantes en el verbo 'ser': la expresión de la identidad. En el caso de Amancio, podríamos argüir que no es gallego por nacimiento, pongamos que nació y vivió en otro país hasta cierta edad, pero eso no cambia nada, Amancio se identifica plenamente con Galicia como su tierra y, por tanto, es gallego. Y sí, se da la coincidencia de que eso de ser gallego es inmutable, no cambia. De hecho, cuando una persona ha nacido en un lugar con el que no se identifica, no es raro que evite emplear el verbo 'ser':

> *Nací en Montreal, pero soy (o me siento) gallego.*

Según nos dice otro de los ejemplos, en estos momentos Amancio está en Polonia residiendo. Es obvio que eso puede cambiar, aunque no necesariamente, podría seguir en Polonia el resto de su vida. Sacar a Amancio de Polonia no sería tan complicado, en cambio, sacar Polonia de Europa ya parece algo más difícil y, en ambos casos, se ha empleado el mismo verbo, el verbo 'estar'. Sigamos. ¿Qué hace Amancio en aquel país centroeuropeo? Da clases, como lector. Y esto es esencialmente transitorio, ya que un lectorado es algo que no se puede ejercer por mucho más de dos o tres años. Cuando Amancio abandone el lugar en el que ahora trabaja, dejará también de *ser* profesor de Jan. Incluso puede que eso ocurra antes, que a Jan le toque otro profesor en el siguiente semestre, por lo tanto *ser* profesor de alguien es igualmente transitorio. No lo es, en cambio, el problema que Jan tiene en una de sus piernas, que es ligeramente más corta que la otra, lo que le hace cojear levemente, aunque sí que podría hacer una dieta y perder algunos de los kilos que le sobran. En cualquiera de los dos casos, aparece el verbo 'estar'. Por otro lado, uno es hija o hijo de quienes lo engendraron y eso no cambia de ningún modo, así que Amancio es, y siempre será, hijo de Paco. No obstante, uno sí puede cambiarse de equipo, Amancio podría hacerse, por ejemplo, del Real Madrid o del Peñarol de Montevideo, pero en ambos casos el verbo empleado ha sido el verbo 'ser'.

Finalmente, los ejemplos nos cuentan que Amancio tiene un amigo llamado Pedro y que ambos poseen un carácter generoso, ¿podría esto cambiar? Sin duda es más fácil que Amancio deje de ser profesor de un alumno determinado, que dejar de ser amigo de sus amigos, pero ambas cosas son posibles. Así mismo, las posibilidades de que Pedro deje de ser vecino de Alfonso, Andrés, Pablo, María o Pilar, seguramente parecen mayores que las de verlo convertido en un tacaño, siendo una persona que se distingue por ser generosa. Pero a fin de cuentas, la generosidad no es un rasgo inmutable en el ser humano. En cambio, parece seguro que Pedro no va a dejar de estar más alto que cuando lo conocí, ni tampoco tiene como evitar la operación que le fue practicada en su día. Se expresan con 'estar', pero son cosas que no van a cambiar.

4.2. Los problemas del docente y del alumno

Además del recurso a la inmutabilidad frente a la transitoriedad de la atribución, se ha usado con profusión el ubicuo procedimiento taxonómico o, dicho en palabras más simples, las clásicas listas de uso y de descripciones de usos. Ya hemos hablado bastante de las listas de uso, cuya presencia se debe, en parte, a la fuerte tradición del aprendizaje memorístico: de alguna manera, nos sentimos seguros en un contexto de aprendizaje donde existen datos para memorizar. Por otro lado, es una manera sencilla (porque no hace falta pensar) de solucionar un problema complejo: no tanto el de ayudar al alumno a emplear correctamente 'ser' y 'estar', como el de mandarlo a casa creyendo que ya sabe cómo hacerlo.

Siempre que hemos hablado de las listas de uso hemos dicho que implican en sí mismas una contradicción pedagógica, ya que suponen una gran cantidad de datos que, aunque con paciencia y esfuerzo puedan ser almacenados en la memoria a corto plazo, es complicado que una parte significativa de los mismos se traslade a la memoria a largo plazo. Pero, sobre todo, el aprendiente puede llegar a recitar de carrerilla listas de usos de elementos lingüísticos, sin que eso contribuya de manera significativa a disponer de dichos datos en una situación de comunicación real. Pero, además, debemos reparar en que muchas de esas listas de uso pueden generar dudas en el aprendiente, ya que por muy completas que puedan llegar a ser, o correctas en cuanto a la presentación de los usos (como la que presentamos a continuación[10]), generan toda una serie de interrogantes que la lista, por sí misma, es incapaz de solucionar.

---

10 *http://babelnet.sbg.ac.at/carlitos/ayuda/ser-estar.htm*

Ser	Estar
La existencia	**Pregunta por el lugar**
Soy José Antonio.	*¿Dónde está José?*
¿Quién eres?	
	Sitúa a personas, cosas o lugares
El origen o nacionalidad de una persona	*El ordenador está en el escritorio.*
Somos de Cuba.	*Los libros están en la mesa.*
Esta porcelana es de China.	*Juan está en casa.*
	Mi casa está cerca del colegio.
La profesión, cualidades físicas o morales	**Indica la presencia o ausencia**
Soy ingeniero.	*No está aquí, está en la calle.*
María es muy bonita.	
José es católico.	**Indica la posición**
	Estar de pie.
La forma o manera de ser de una persona	
Ivette es muy agradable.	**Indica una actitud, una posición**
	¿Estás de acuerdo?
Definiciones	
¿Cómo es ella?	**Indica una actividad**
Eso es un cohete.	*José María está de viaje.*
Juicio	**Expresa la función o cargo que desempeña una persona**
Es verdad.	*Roberto está de director.*
Es una mala idea.	*(Compara: **Ricardo es director** indica una profesión)*
Opiniones	
Creo que es inteligente.	**Indica un comportamiento, una actitud**
	Alexis estaba de mal humor.
Precio	
¿Cuánto es todo?	**Indica el estado de salud**
	Carla estaba enferma.
Hora	
¿Qué hora es?	**Indica un modo**
Son las dos en punto.	*Carlitos está bien.*
	¿Cómo está?
Fecha	
¿Qué día es hoy?	**Indica una opinión**
Fue en 1995.	*La paella está buena.*
	Estoy en contra de él.
Estaciones del año	
Es invierno.	**Indica una intención (*estar por*)**
	Estaba por irme.
Lugar de un acontecimiento	
¿Dónde es la fiesta?	
Es en Atenas.	

Destino de alguna cosa o acción (posesión) *Estos libros son para ti.* **Tiempo** *Es de día.* *Es de noche.* **La expresión *ser* que tiene un sentido explicativo** *Lo que pasa es que no entiendo nada.* *La verdad es que...* **Materia** *La mesa es de madera.* **Se utiliza para la conjugación pasiva *ser* + *participio*** *Este edificio fue construido por los suecos.* *Las casas fueron destruidas por los invasores.*	**Expresa un juicio** *Estoy seguro.* **Expresa algo que está a punto de ocurrir** *Está al llegar.* **Expresa el resultado de una acción** *La comida está hecha.* **Expresa el precio** *¿A cómo están las patatas hoy?* **Expresa la fecha** *¿A cuántos estamos hoy?* **Expresa la temperatura** *Estamos a dos grados bajo cero.* **Se utiliza como verbo auxiliar para formar las perífrasis de gerundio** *Estoy comiendo.*

Analicemos con un poco de detenimiento alguno de los conceptos que se presentan en la lista. Por ejemplo, si podemos emplear 'ser' para la noción de existencia, podríamos decir que *En el patio de mi casa es un limonero.* Tampoco resulta claro por qué un presidente de turno, pongamos por caso, puede *ser* presidente y no necesariamente *estar* de presidente. Podemos preguntar por el lugar con 'estar', pero también podemos preguntar *Dónde es la conferencia.* Cuando decimos *Creo que es inteligente,* no estamos expresando la opinión en función del verbo 'ser', sino más bien del verbo 'creer'. Los precios pueden ser presentados con cualquiera de los dos verbos, al igual que la salud, porque Carla puede *estar enferma* y también puede *ser diabética.* Lo mismo podemos decir de la fecha, que puede ser expresada mediante el empleo de cualquiera de los dos verbos y, para la función lingüística de definir a alguien, podemos decir que nuestro vecino *está gordo, calvo y de continuo mal humor.* En definitiva, además de la ineficacia operativa de la lista de uso, nos enfrentamos a las inevitables lagunas que acompañan a la presentación de los usos sin mayores explicaciones.

Pero los datos objetivos arrojan buenas noticias para el docente. Una de ellas es que según estudios realizados (Vázquez 1991, Fernández, 1997), llegados a niveles superiores, el porcentaje de error en el empleo de los dos verbos es muy bajo, lo que quiere decir que, a pesar de no contar con unos criterios sólidos de decisión, el aprendiente es capaz de sistematizar el empleo de ambos verbos a partir de la negociación de significado y de exposición a un *input* debidamente contextualizado, procedimiento didáctico defendido como ideal por algunos autores (Baralo, 1999).

En cualquier caso, el entusiasmo por el autodescubrimiento de la gramática a partir de la sola exposición a ejemplos contextualizados, tal vez haya perdido algo de fuerza en los últimos diez o doce años. No porque se considere que esto no puede llegar a ocurrir, sino porque no parece haber ningún problema en que la instrucción gramatical ayude al alumno a operativizar de manera más eficiente. Autodescubrimiento e instrucción gramatical no deben ser consideradas prácticas antagónicas, sino complementarias. Podemos llegar a aprender a manejar un programa informático sin ningún tipo de tutoría y, de hecho, hay perfiles de aprendizaje que así lo prefieren: van experimentando con el programa hasta que consiguen dominarlo. Pero no todos los perfiles de aprendizaje tienen las mismas características, por lo tanto, parece coherente con ese hecho que el profesor cuente con más recursos que la mera administración del *input* comprensible.

4.3. Una propuesta para enfrentarse al problema

4.3.1. Consustancialidad y circunstancialidad

Los verbos 'ser' y 'estar' se asocian, tradicionalmente, a la predicación no verbal, que puede ser atributiva (*Pablo es alto*) o predicativa (*Mis sobrinos estuvieron ayer aquí*), según los elementos formales y las nociones semánticas que se constaten en uno u otro caso. Pero al margen de dicha clasificación, en la que no entraremos aquí, podemos advertir diferencias claras de significado entre un verbo y otro, independientemente de cuál sea el tipo de predicación que introduzcan.

Reza una célebre frase que *Decirle a alguien lo joven que* está *es recordarle lo viejo que* es. A partir de este sencillo ejemplo, podemos empezar a ver un poco más claro lo que creemos que expresan estos dos verbos: desde nuestro punto de vista, 'ser' expresa lo *consustancial*, mientras que 'estar', expresa lo *circunstancial*. Hablábamos al principio de la famosa leyenda urbana de lo permanente frente a lo transitorio, que puede ser explicada como una hipergeneralización de esta diferencia de significado entre los dos verbos: es más fácil que permanezca lo consustancial que lo circunstancial o, dicho de otra manera, si una persona *es* nerviosa, y ese es un rasgo consustancial a su manera de ser, es lógico que dicho rasgo se sienta como más o menos estable, mientras que si la persona *está* nerviosa, es de suponer que puede abandonar dicho estado con relativa facilidad. Pero suponer que la gramática de una lengua va a basar su funcionamiento en tendencias de comportamiento es mucho suponer. En resumidas cuentas, el mito de «lo permanente frente a lo transitorio» nace, nuevamente, de confundir los efectos con las causas.

Consideremos otros ejemplos:

¿Cómo **eres**?

¿Cómo **estás**?

En el primer caso se nos pregunta por nuestras *características consustanciales*, ya sean físicas o psicológicas. En cambio, en el segundo nos preguntan por nuestras *circunstancias*. En términos espaciales, se puede decir que con 'ser' expresamos un rasgo considerado como *interno*, algo que está «dentro» del sujeto, mientras que con 'estar' el rasgo es *externo*, simplemente afecta al sujeto, y, por tanto, son nociones que pueden ser consideradas por separado:

*Silvia **es** guapa.*

*Silvia **está** guapa.*

En el primer caso, la belleza se considera consustancial a Silvia, es parte de la identidad física de la persona, mientras que en el segundo caso no, la belleza se presenta como algo circunstancial, al margen de que Silvia sea o no esencialmente guapa. Y no solo eso, Silvia, además de ser guapa, puede estar aún más guapa con alguna ropa que le siente especialmente bien, de donde se estaría hablando de dos tipos de belleza, de la intrínseca al sujeto y de la extrínseca o, lo que es lo mismo, de una belleza *consustancial* frente a una belleza *circunstancial*.

Las nociones espaciales son especialmente útiles para explicarnos a nosotros mismos el empleo que hacemos del lenguaje. En esquema, podríamos representar lo intrínseco frente a lo extrínseco con un sencillo esquema:

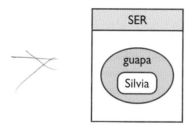

La misma noción explica que empleemos 'ser' cuando queremos situar a alguien *dentro* de una categoría, presentarlo como elemento de un grupo, como miembro de una comunidad del tipo que sea. En cambio, empleamos 'estar' cuando consideramos que el individuo, al margen de la función que realiza, no se identifica con ese grupo o comunidad:

*Íñigo **es** cocinero* (representamos a Íñigo formando parte del gremio de cocineros: el sujeto se identifica con esa profesión).

*Diego **está** de cocinero* (representamos a Diego ganándose la vida como cocinero: el sujeto no necesariamente se identifica con esa profesión).

Cuando decimos de alguien que es estudiante, novato, camarero, europeísta o sargento de la Guardia Civil, por encima de cualquier otra cosa, lo que hacemos es identificar a la persona, haciéndolo partícipe de un grupo social, profesional o de una jerarquía, independientemente de que la relación entre el sujeto y la categoría sea más o menos transitoria: situamos a la persona «dentro» de un grupo.

4.3.2. *Ser* y *estar* en construcciones locativas

¿Qué ocurre con las construcciones locativas con estos verbos? Teniendo en cuenta que estas construcciones expresan fundamentalmente espacio, era de prever que cobren significado a partir el carácter intrínseco de 'ser', frente al extrínseco de 'estar'. Vamos a ver también un par de ejemplos:

El concierto es en el sótano.

El concierto está en el sótano.

Al margen de posibles precisiones contextuales y como opción por defecto, en el primer ejemplo entenderíamos que hay un concierto, en tanto que evento, que está teniendo lugar en el sótano. En el segundo caso, nos inclinaríamos a pensar que el concierto al que se refieren es un concierto en DVD o algo parecido. Se ha puesto de manifiesto la íntima conexión entre locatividad y existencia (Baralo *op. cit.*), ya que el hecho de que algo esté en un sitio implica su existencia. La cuestión ahora sería preguntarnos por qué el verbo 'ser' y el verbo 'estar' expresan dos maneras diferentes de locatividad, implicando la existencia en cualquiera de los dos casos.

La respuesta parece hallarse en el carácter consustancial y, por tanto, intrínseco de 'ser', frente al circunstancial y por tanto extrínseco de 'estar'. Como habíamos visto, lo consustancial es algo que está dentro del sujeto y lo circunstancial algo que está fuera. Teniendo eso en cuenta, un concierto, entendido como música en directo, es inseparable del lugar en el que está ocurriendo, digamos que evento y lugar componen un todo. En cambio, si se presenta el lugar del concierto como algo extrínseco al mismo, entenderemos que dicho concierto no está teniendo lugar allí, que nos referimos, por ejemplo, a un objeto que contiene un concierto grabado. Así, al igual que los conciertos como música en vivo *son*, y no *están*, también *son* las fiestas, los funerales, las misas, las entregas de diplomas o las ceremonias de los premios Goya.

Observemos, por el contrario, lo que ocurre en los siguientes ejemplos:

La exposición de fotografía es en el quinto piso.

La exposición de fotografía está en el quinto piso.

La primera opción no plantea más que una única interpretación, idéntica a la que veíamos antes en el caso del concierto. Ahora bien, la segunda opción, con 'estar', nos puede remitir a dos circunstancias diferentes que solo el contexto aclararía. Por un lado, podemos entender que las fotos que componen la exposición están almacenadas en el quinto piso, pero ese ejemplo también podría remitirnos a la misma escena objetiva que el ejemplo con 'ser', es decir, que en el quinto piso se está llevando a cabo una exposición de fotografía. ¿Cómo es posible que hagamos este tipo de excepciones con el arte plástico? En realidad, no se trata de una excepción y tampoco tiene nada que ver con lo plástico, ya que de una biblioteca se podría decir lo mismo: se puede decir que la biblioteca *es en el quinto piso* y que *está en el quinto piso*. La clave está en que libros o fotografías son objetos, y los objetos sí que pueden ser considerados al margen del lugar en el que se encuentran. Dependiendo de la perspectiva que el hablante adopte, empleará una forma u otra, representando la exposición en el discurso como un evento o bien que se trata de un conjunto de objetos expuestos.

4.3.3. El verbo *ser*, está sentado, y el verbo *estar*, está de pie

Siguiendo el hilo de las nociones espaciales y su rentabilidad en el discurso, puede percibirse otra clara diferencia entre los dos verbos: mientras que 'ser' tiene un carácter estático, 'estar', dentro también de su estatismo, posee un eco dinámico: no expresa movimiento, pero puede intuirse el movimiento previo. Esto no es sorprendente si se investiga, nuevamente, en el origen etimológico de ambas palabras: 'ser' evoluciona a partir de la forma latina *sedere*, que significaba 'estar sentado', mientras que 'estar' lo hace a partir de *stare*, que significaba 'estar de pie'.

Supongamos que nuestro hermano nos deja una tarde al cuidado de sus dos hijos. Colocamos a nuestros sobrinos haciendo los deberes, sentados en el salón delante de sus respectivos cuadernos, y nosotros nos sentamos en un butacón a leer un libro. Suena el teléfono, que está en la cocina, y abandonamos el salón para atender la llamada. Al regresar al salón, oímos una carrerita al otro lado de la puerta. Abrimos la puerta y, de los dos, uno está sentado delante de su cuaderno y el otro está de pie, al lado de la silla. ¿Cuál de los dos pensaríamos que era el que andaba correteando por el salón? Algo parecido ocurre con estos dos verbos. Al decir que 'ser' es estático, queremos decir que es un verbo que no evoca ningún tipo de cambio: conserva algo de su noción original, la del sujeto «sentado» en su atribución, sin atisbo alguno de movimiento. En cambio, 'estar', aunque implica en sí mismo una noción igualmente estática, permite percibir un movimiento previo en determinados contextos.

Ante este hecho, se ha hablado del carácter *resultativo* de 'estar' (Bosque 1990, Baralo *op. cit.*), lo cual viene a ser más o menos lo mismo que estamos tratando aquí, solo que el carácter *resultativo* se enuncia de manera algo abstracta, como una característica aspectual que opone a los dos miembros de un par, 'ser y estar', siendo el primero el término no marcado y el segundo el marcado. Seguramente resulte más sencillo entender la diferencia entre ambos verbos empleando la anterior metáfora del sobrino sentado ante su cuaderno y del sobrino de pie junto a la silla. Mientras que 'ser' no insinúa ninguna noción dinámica, 'estar' sí, lo que lo convierte en un verbo apropiado para denotar cambios: 'ser', en función de su origen etimológico, *está sentado*, frente a 'estar', que no manifiesta movimiento, pero que en función de su valor etimológico, *está de pie*.

4.3.4. Todo lo muda la edad ligera. *Estar* y la percepción del cambio

Observemos los siguientes ejemplos:

*Teodoro **es** viejo, gordo y calvo.*

*Teodoro **está** viejo, gordo y calvo.*

En el primer ejemplo se han planteado las atribuciones como consustanciales al sujeto, como rasgos que lo identifican, que forman parte de su configuración física. Aunque podemos suponer que Teodoro no siempre fue viejo, seguramente en otro tiempo tuvo pelo y, quizás, no siempre fuera gordo. El carácter estático de 'ser' no evoca la noción de cambio, lo que lógicamente no significa que las atribuciones que se expresan mediante este verbo sean permanentes. Sin embargo, en el segundo ejemplo percibimos la noción de deterioro físico: el hablante ha decidido manifestar las características físicas actuales de Teodoro desde el punto de vista de lo circunstancial. ¿Por qué? Evidentemente, porque no siempre lo vio así, ha habido un movimiento previo que se explicita en el discurso mediante el empleo del verbo 'estar'. Supongamos una reunión de viejos compañeros de facultad, que se encuentran quince años más tarde. Teodoro, que solía ser un tipo bien plantado, aparece por la reunión con veinte kilos más, con poco pelo en la cabeza y aspecto de que, en vez de quince, hayan pasado treinta años por él. Sus compañeros no dudarían en elegir el segundo ejemplo, el ejemplo con 'estar', para referirse al aspecto actual de Teodoro.

Pensemos en alguien que hace muchos años que conocemos y que siempre ha sido una persona delgada. Por las circunstancias que sean, esa persona gana peso de manera ostensible. La imagen mental que tenemos de ella no es la de una persona gruesa, sino todo lo contrario, por tanto, diríamos de él cosas tales como:

> *Cómo ha engordado Manolo.*
>
> *Qué gordito está Manolo.*

Pero raramente esto otro:

> *Qué gordito es Manolo.*

Resumiendo lo fundamental de nuestra propuesta, al emplear el verbo 'ser', nos referimos a lo que es *consustancial* e *identificativo*. Se considera que el sujeto posee un rasgo, que ese rasgo le es intrínseco y no se hace referencia alguna a posibles cambios al respecto: el estatismo de la atribución es total.

En cambio, cuando se emplea el verbo 'estar', nos referimos a lo que es *circunstancial* y *accidental*. Se considera que el rasgo mencionado afecta al sujeto, pero que ese rasgo le es extrínseco y se puede percibir un eco de movimiento: el estatismo de la atribución tiene un componente dinámico, puede llegar a insinuar un movimiento, un cambio de estado.

4.3.5. *Ser* y las nociones posesivas y ecuativas

Por último, nos queda hablar de cuando 'ser' expresa nociones de posesión y ecuativas. En cuanto a la posesión, podemos decir que, evidentemente, uno de los rasgos identificativos e intrínsecos del coche de José es, precisamente, *ser* el de José y no el de otra persona. La pertenencia y la identidad son nociones tan íntimamente ligadas que, incluso las palabras que empleamos para identificarnos socialmente (los apellidos), llegan a tener su origen en el genitivo latino: Miguel Pérez o Peris (lat. *-is*), literalmente, significa 'Miguel, el de Pedro o Pero', y esto ocurre en gran cantidad de lenguas, pertenecientes a familias tan distantes entre sí como la indoeuropea, la uralo-altaica y la semítica: *Johnson* (inglés: 'hijo de John'), *Şişmanoğlu* (turco: 'hijo de Şişman') o *Ibn Nafí* (árabe: 'hijo de Nafí').

En nuestros días, predominantemente en zonas rurales, se sigue empleando la fórmula *¿Tú de quién eres?* para preguntar por la familia de alguien.

En cuanto a las construcciones de valor ecuativo, nada más lógico que introducirlas mediante el verbo 'ser', que expresa la consustancialidad:

Hoy es viernes.

El abogado es el tesorero.

Jesucristo es Dios.

Desde nuestro punto de vista, todas estas expresiones son ecuativas, entendiendo como tales aquellas construcciones en las que se igualan los dos términos conectados por la cópula, y se igualan hasta tal punto que, en algunos casos, podría incluso resultar difícil decidir cuál de los dos términos es el sujeto, especialmente en los dos últimos ejemplos que acabamos de plantear.

4.3.6. *Ser* y *estar* en las construcciones pasivas

En cuanto al empleo de los dos verbos en las construcciones pasivas, sería conveniente realizar una puntualización: ¿existen realmente construcciones pasivas con 'estar'? Veamos un par de ejemplos:

*En las imágenes vemos que el sospechoso **está** detenido por la policía.*

*En las imágenes vemos que el sospechoso **es** detenido por la policía.*

Asegurar que el primer ejemplo es una construcción pasiva es, al menos, discutible. Ante la pregunta de *Cómo está el sospechoso*, podríamos responder sin mayores problemas que está *detenido*, de donde se desprende que el significado del verbo 'estar' es el significado que tiene en cualquier oración activa, por tanto, la lectura pasiva sería más bien una asociación de ideas, una interpretación pragmática, derivada de la suposición de que el sospechoso no tomó parte activa o no colaboró en su detención, pero no parece que la noción pasiva forme parte de la propia naturaleza gramatical de la construcción. En cambio, en el segundo ejemplo, si preguntamos *Cómo es el sospechoso*, la respuesta no sería *detenido*, por lo que entendemos que el verbo 'ser' no actúa más que como morfema verbal pasivo. Además, la frase con este verbo tiene un reverso exacto en voz activa:

En las imágenes vemos que la policía detiene al sospechoso.

Esto no ocurre, en cambio, en la oración con 'estar', ya que la frase *En las imágenes vemos que la policía detiene al sospechoso* no tiene el mismo sentido que *En las imágenes vemos que el sospechoso está detenido por la policía*. Por tanto, no nos parece adecuado hablar de construcciones pasivas con *Estar* + participio, sino de meras construcciones activas atributivas. De lo contrario, sería muy complicado decidir qué construcciones presentan algún grado de *pasividad*:

*La pared **está** sucia.*

*La botella **está** llena.*

*La casa **está** limpia.*

*Juan **está** preocupado por su padre.*

*Miguel **está** feliz por lo que le dijo su jefe.*

*Luis **está** aún dolorido por el codazo que se llevó el otro día, jugando al baloncesto.*

Parece evidente que ni la pared ni la botella ni la casa han hecho nada para estar sucia, llena o limpia, pero no por ello parece pertinente considerarlas construcciones pasivas. Igualmente, desde un punto de vista estrictamente lógico, Juan, Miguel y Luis son, al igual que el sospechoso, inducidos a determinados estados anímicos o físicos por la acción de otros, ¿se trata, pues, de construcciones pasivas? No nos parece una postura sólidamente fundamentada. Las oraciones pasivas, por tanto, se limitarían a las construcciones con *ser* + participio.

4.4. Por la vía rápida: ficha-resumen

Para concluir, resumimos a continuación los aspectos que hemos planteado en torno a 'ser' y 'estar':

- 'Ser' expresa lo **consustancial** al sujeto:
    a. El rasgo conforma su **identidad**: *¿Cómo es? Es alegre, inteligente.*
    b. El rasgo es intrínseco, se presenta **dentro** del sujeto o siendo la misma cosa: *Es guapo (la belleza forma parte de los rasgos del sujeto); Álvaro es el director; Jesucristo es Dios.*
    c. El rasgo es una categoría, un grupo o una comunidad a la que **pertenece** o con la que se **identifica** el sujeto: *Es taxista.*
    d. Lo consustancial es **estático**, no introduce noción de cambio: *Es alto.*
- 'Estar' expresa lo **circunstancial** al sujeto. Eso incluye:
    a. El rasgo es una **experiencia**, algo que ocurre: *¿Cómo está? Está alegre; Está en Ecuador.*
    b. El rasgo es **extrínseco**, afecta al sujeto, pero se presenta fuera de él: *Está guapo (la belleza no necesariamente es parte de los rasgos del sujeto, expresa solo una mejora respecto a su aspecto habitual); Luis está de director.*
    c. El rasgo **no es una categoría**, un grupo o una comunidad a la que pertenece o con la que se **identifica** el sujeto: *Está de taxista.*
    d. Lo circunstancial es **dinámico**, introduce noción de cambio: *Está alto.*
- Se encuentra muy extendida la idea de que 'ser' expresa estados permanentes y 'estar' estados transitorios, pero, a nuestro juicio, tal afirmación tiene una base muy endeble: *Obama es el presidente de los Estados Unidos; Mi abuelo está muerto.*
- Es cierto que lo **consustancial** (expresado por 'ser') tiende a ser más duradero que lo **circunstancial** (expresado por 'estar'), pero esto es solo una tendencia lógica que, en cualquier caso, carece de verificabilidad sostenida, por lo que entendemos que no es un criterio válido para establecer una regla gramatical.

- Llegados a niveles superiores, la incidencia del error a la hora de usar los dos verbos es baja. **Se recomienda permitir el autodescubrimiento por parte del alumno** mediante ejemplos contextualizados y reservar las explicaciones que se dan en este apartado para aclaraciones puntuales, cuando estas fueran necesarias.

- Coincidimos con la opinión de otros autores, que consideran **que las listas de uso o funciones no son recomendables**, ya que no estimulan la adquisición, no tienen puntos en común con la manera en que se emplea la lengua en situaciones de comunicación real y, con frecuencia, presentan importantes errores de confección.

5. Oraciones condicionales

5.1. Cuestiones previas: el mito del tiempo verbal

Aunque por su importancia y complejidad, el asunto merecería no ya un capítulo aparte, sino más bien todo un libro aparte, aquí nos limitaremos a mencionar las cuestiones más relevantes de lo que consideramos el mito del *tiempo* verbal, por ser especialmente pertinentes para la correcta comprensión de la naturaleza y funcionamiento de la oración condicional.

Todos hemos notado alguna vez que los nombres de los tiempos verbales, con frecuencia, no concuerdan con los momentos en los que se sitúan las acciones que expresan los verbos:

Si no estás muy ocupado en estos momentos, *podías tomarte conmigo un café y lo hablábamos* (presente-pasado).

Ahora *serán las siete* (presente-futuro).

Mañana lo *vemos* (futuro-presente).

Para las siete *he terminado* (futuro-presente).

Prueba el coche que falta y mañana *me cuentas qué te pareció,* yo me voy ya, *que me están esperando* (futuro-pasado).

Imaginemos un extraterrestre que llega a nuestro planeta y, tras algún tiempo realizando discretas investigaciones sobre el terreno, entra de nuevo en su nave espacial y, camino de vuelta a casa, va redactando el siguiente informe:

«En el planeta Tierra vive una especie de simios inteligentes que se llaman a sí mismos 'humanos'. Lo primero que llama la atención de ellos es la escasa división del trabajo que presentan sus sociedades: todos los humanos son cantantes. Evidentemente, eso conlleva grandes problemas en sus cadenas productivas y muchos de ellos tienen que compaginar la profesión de cantante con otras actividades, más o menos esporádicas, para llegar a fin de mes (como por ejemplo presidir bancos, jugar al fútbol, poner multas de tráfico, preparar hamburguesas o vender aviones). Por eso, se puede hablar de dos grandes grupos: primero está el grupo de cantantes que vive de la profesión. A este tipo de cantante lo podríamos llamar «cantante puro». Ejemplos serían gente como Chavela Vargas, Mercedes Sosa o Joaquín Sabina. El segundo grupo de cantantes es aquel que no vive de la profesión, y a este tipo de cantante lo podríamos llamar 'cantante híbrido'. El cantante híbrido se caracteriza por ejercer no tanto en escenarios de grandes teatros, sino en la ducha de su casa, pequeños bares, programas de radio y televisión para cantantes híbridos que quieren ser puros, fiestas familiares (preferentemente cumpleaños), en ceremonias religiosas, en eventos deportivos o para dormir a los niños. Y, hablando de niños, un dato interesante si bien predecible habida cuenta de lo dicho hasta ahora, es que los humanos, mucho antes de ser capaces de mantener una conversación, son ya capaces de cantar un buen repertorio de temas, ya que desde los primeros días de vida son instruidos en lo que será su profesión futura…».

El análisis de este alienígena imaginario puede parecernos de una candidez exagerada y, efectivamente, lo es. Una cosa es que casi todos los humanos cantemos en alguna ocasión y otra, bien diferente, es que todos los humanos seamos cantantes de profesión. Pues lo mismo puede decirse de la percepción que tradicionalmente se ha tenido de los tiempos verbales: una cosa es que 'canto' exprese a veces que el hablante canta en un espacio temporal identificable como *presente* y otra cosa es asignar a 'canto' el oficio de expresar el segmento temporal *presente*, hasta el punto de dar a 'canto' el nombre de presente de indicativo e, incluso, hablar de presente histórico o de presente por futuro cuando cumple funciones que no tienen nada que ver con situar la acción en un segmento temporal identificable como *presente*. Hablar de presente por futuro está en la misma línea conceptual que referirse al presidente del gobierno *como cantante en funciones de presidente del gobierno*.

Lo más coherente sería plantearse que, si es posible narrar hechos que ocurrieron en pasado u ocurrirán en el futuro mediante el tiempo que teóricamente se encarga de evocar hechos en el *presente* —y lo mismo ocurre con el resto de tiempos verbales— es porque, tal vez, los llamados *tiempos verbales* no estén organizados a partir de un criterio temporal, sino a partir de otro criterio. Creemos que esto último es lo que sucede y que solo el peso de la tradición justifica que sigamos empleando etiquetas temporales para clasificarlos.

Cualquier físico tendría serios problemas para decirnos qué hora es en el momento en que usted, lector, pasa la vista por esta línea. En la actualidad, no existe ninguna evidencia científica de que el *tiempo* exista de manera esencial (tampoco de lo contrario), pero lo que sí existen son evidencias de que nuestro cerebro trabaja intensamente para representarse el concepto *tiempo*. Hoy en día, sabemos que la metáfora es mucho más que una mera figura retórica, es, fundamentalmente, un procedimiento cognitivo mediante el cual entendemos y representamos la realidad. Con esto, tenemos sobre el tapete las dos ideas fundamentales de este apartado: *metáfora* y *tiempo*. Independientemente de que exista o no, el ser humano cree profundamente en el tiempo. Por otro lado, no cabe duda de que se trata de un concepto altamente abstracto, por lo que nuestra inteligencia va a servirse de su capacidad de elucubrar mediante metáforas para superar esta dificultad: al igual que para representarnos el concepto 'dios' recurrimos a la imagen del rey o del padre, la finita mente humana recurre a la imagen del *espacio* para concebir el concepto *tiempo*, procedimiento metafórico de conceptualización que se observa muy claramente en nuestro lenguaje hablado.

A diario nos encontramos con expresiones basadas en nociones claramente espaciales, que nos sirven para representarnos y representar para los otros ese concepto complejo y escurridizo que es el *tiempo*. Veamos algunos ejemplos:

*Eso ya **pasó**.*

*El **porvenir**.*

***De aquí** a una hora.*

*Si yo pudiera **retroceder** en el tiempo.*

***Últimamente**, **vengo** dándole **vueltas** al asunto* (nótese que incluso el adverbio *últimamente* está basado en una noción de espacio).

*Eso lo **vamos a ver**.*

*El mes **siguiente**.*

***En** 1987.*

*Cuando **llegue** ese momento.*

*La **línea** del tiempo.*

*Eso fue **allá por** 1972.*

Este hecho es constatable en una gran cantidad de lenguas, no solo en lenguas romances o, incluso, indoeuropeas, también en lenguas pertenecientes a diversos troncos lingüísticos, cuyo genoma común con el español habría que buscarlo, probablemente, en los mismos orígenes del lenguaje hablado.

Así, en nuestras lenguas occidentales concebimos el *pasado* como el espacio que dejamos atrás, el *presente* como el espacio en el que nos situamos en un momento dado y el *futuro* como aquello a lo que nos aproximamos. Concebimos, además, lo irreal o contrafactual como un espacio igualmente alejado del punto en el que nos encontramos, pero que, atendiendo a nuestras necesidades expresivas, podemos acercar a nosotros a nuestro antojo. Eso sí, siguiendo unas determinadas pautas gramaticales, que nos sirven para marcar en el discurso el proceso de alejamiento o acercamiento a las escenas de referencia.

Desde esta perspectiva, los tiempos[11] de indicativo se organizan de la siguiente manera:

	Declaración exacta	Declaración aproximada	No declaración
Aquí	canto	cantaré	cante
Allí	cantaba / canté	cantaría	cantase

Dejando por el momento de lado las diferencias entre 'cantaba' y 'canté', que son analizadas más adelante (véase «Imperfecto-indefinido», apartado 6), esta reordenación espacial de los tiempos verbales nos permite explicar coherentemente los ejemplos de antes.

---

11 En realidad, lo más coherente sería hablar de *espacios verbales* y no de *tiempos verbales*. En cualquier caso y por claridad expositiva, mantendremos a lo largo de este trabajo la denominación tradicional de *tiempos verbales*.

5.1.1. Espacio en lugar de tiempo

Si no estás muy ocupado en estos momentos, ***podías*** tomarte conmigo un café y lo ***hablábamos***.

El hablante ha utilizado imperfectos de indicativo, tiempo que sitúa la acción lejos del espacio inmediato del hablante. Mediante ese procedimiento, opera un ***alejamiento virtual*** sobre la escena *poder tomar un café para hablar*. Esa toma de distancia sobre la escena de referencia se siente como una manera de cortesía, una reducción en la vehemencia del mensaje.

*Ahora **serán** las siete.*

El hablante ha empleado aquí un futuro de indicativo. Si consideramos que ese tiempo verbal no expresa, esencialmente, futuro cronológico sino *aproximación* o, si se quiere, una *predicción*, nos resultará comprensible que, como no está seguro de la hora, efectúe una maniobra de ***aproximación lingüística*** a la escena de referencia.

*Mañana lo **vemos**.*

En este otro ejemplo el hablante ha empleado un presente de indicativo para algo que solo tendrá lugar mañana. Frente a la declaración aproximada o predicción expresada por el futuro de indicativo, desde nuestro punto de vista, el presente de indicativo significa esencialmente una declaración estática, exacta, una «afirmación». La escena de *ver algo al día siguiente* se ha representado en el discurso como si esa escena fuera el punto en el que él y el oyente se encuentran. A nivel pragmático, esa traslación virtual se interpreta como una mayor contundencia declarativa que si se hubiera expresado con un tiempo que expresa mera aproximación. Compárese el *Mañana te pago* con *Mañana te pagaré*. La escena de referencia es la misma, solo cambia la manera de representarla lingüísticamente: bien como afirmación (*te pago*), bien como predicción (*te pagaré*).

*Para las siete **he terminado**.*

En la misma línea que el mensaje anterior, y nuevamente situándose virtualmente en una escena que aún no ha tenido lugar, el hablante, que ahora emplea un presente perfecto de indicativo, expresa un mayor compromiso declarativo con la idea de *terminar algo para las siete*. Lo que el hablante está, literalmente, expresando es algo como lo que sigue: *Puedes verlo, **he terminado**, pero no ahora, a las siete*. Si la misma idea se expresara con un tiempo de aproximación, *Para las siete **habré terminado***, la fuerza declarativa sería, lógicamente, menor.

5.1.2. Una copa con un director de orquesta

Pero para entender esto mejor, vamos a ponernos en la piel de un director de orquesta. Esta noche va a trabajar, tiene un concierto que comienza a las 8 de la noche y el final está previsto a las 10. El director de la orquesta recibe una llamada por teléfono de un viejo amigo que le propone ir a tomar una copa en algún lugar a medianoche, aprovechando que, con motivo del concierto, coinciden en la ciudad. El director de orquesta responde a su amigo:

*De acuerdo, sin problema. Para esa hora **habremos acabado**.*

La pregunta inmediata es por qué ha empleado un tiempo de aproximación para algo que es seguro. La respuesta es que no hay ningún motivo para que no lo haga. A fin de cuentas, el director, que vive como cualquiera de nosotros en un mundo gobernado por las manecillas del reloj, siente que se aproxima a la medianoche de ese día, por lo tanto, estimulado por su percepción temporal, emplea un tiempo de aproximación o lo que tradicionalmente llamamos un *tiempo de futuro*. Lo interesante de esto es que, si por algún motivo quisiera dotar de mayor contundencia a su declaración (supongamos que su amigo no sabe si sería mejor quedar a la una), el director podría 'meterse' virtualmente en la escena de acabar el concierto, presentarla, virtualmente, como si fuera la realidad en la que está inmerso en ese momento. No hay manera más contundente de expresar cómo será lo por venir, que presentándolo como un momento experimentado:

De acuerdo, sin problema. Para esa hora **hemos acabado**.

La escena de referencia es en ambos casos la misma. Solo varía la manera en la que el hablante la ha representado lingüísticamente.

5.1.3. ¿Usos rectos y usos dislocados?

Veamos el último ejemplo:

Prueba el coche que falta *y mañana me cuentas qué te* **pareció***, yo me voy, ya que me están esperando.*

Se han propuesto soluciones a este problema desde otras posiciones teóricas. Así, mediante la presentación de un juego de vectores, se considera que *pareció* es un pasado respecto a *me cuentas*, y no respecto al momento de la enunciación (Rojo y Veiga, 1999). El problema de ese juego de vectores es que está plenamente basado en criterios temporales, que deja sin explicación gran cantidad de fenómenos verbales y que, en nuestra opinión, obliga a los autores a crear gran número de excepciones en su planteamiento, que solo puede ser cohesionado mediante el empleo de etiquetas tales como *usos rectos* y *usos dislocados*. Usando el raciocinio de nuestro extraterrestre y sus cantantes, sería algo así como llamar a Joaquín Sabina «cantante recto» y a Bill Gates «cantante dislocado».

Evidentemente, no parece que sea la mejor manera de establecer una base teórica calificar de dislocado a cualquier elemento de análisis o prueba que contradiga nuestra teoría de base, pero quizá podría ser que alguien cayera en la tentación de hacerlo si la teoría no diera cuenta más que de algunos ejemplos marginales. Ante la gran cantidad de *usos dislocados* que presentan los tiempos verbales del español, creemos que lo sensato es preguntarse si no es el punto de partida teórico temporalista lo que está dislocado. Si una modificación de ese punto de partida nos permitiera considerar «rectos» todos los usos de los tiempos verbales, registrados y constatables en la norma culta estándar de cualquier ciudad hispanohablante, creemos que habría motivos suficientes para ensayar un cambio de postura:

a) El indefinido 'canté' es un tiempo verbal que expresa *alejamiento*. Y puede expresarlo, bien porque sintamos los hechos alejados en la línea del tiempo o porque los sintamos alejados de cualquier otra manera. La escena en la que el segundo piloto prueba un coche y saca una conclusión de la prueba, es una escena que no está en el entorno cercano del que habla, por tanto, no existe ningún motivo que le impida codificarla mediante un indefinido, y esto es válido sea cual sea el punto de referencia que adoptemos: tanto el momento en el que hablan los dos pilotos, como el momento en el que, al día siguiente, intercambian sus impresiones.

b) El presente histórico o el empleo coloquial del presente para narrar cosas que ya han sucedido responden al mismo procedimiento: acercar hechos ya acontecidos, entrar virtualmente dentro de la escena, con los consiguientes efectos expresivos que ello tiene.

c) El presente por futuro es lo mismo, pero en la otra dirección: presentar como experimentado aquello a lo que aún nos aproximamos.

d) El condicional nos sirve para referirnos a escenas que, por ser irreales, no se sitúan *aquí*, en el espacio en el que nos encontramos (*Me iría contigo, pero no mañana*), por tanto, no nos queda más remedio que ponerlas en otro espacio que no es el que pisamos: hay que situarlas lejos, *allí*.

e) El imperfecto por futuro (*¿El examen no era mañana?*) nos permite alejarnos de declaraciones que no queremos asumir —por ejemplo, porque no estamos muy seguros de ellas.

Así, podríamos explicar coherentemente cualquier otro empleo de los tiempos verbales que, desde una perspectiva temporal, no tienen explicación o son empleos *dislocados*. Y lo dicho vale también para el subjuntivo, del que suele decirse que su significación temporal está 'neutralizada': la temporal por supuesto que sí, exactamente igual que en el caso del indicativo, pero no las espaciales. Un par de sencillos ejemplos son suficientes para constatar el alejamiento virtual respecto a la escena de referencia que opera el imperfecto de subjuntivo, comparado con el presente de subjuntivo:

Ojalá mi padre esté aquí.

Ojalá mi padre estuviera aquí.

Supongamos que el padre del que habla ha fallecido hace años. En ese caso, está claro que solo se podría emplear *Ojalá mi padre estuviera aquí*. No podemos representar en nuestro espacio inmediato una escena que es claramente contrafactual, irreal y que no tiene opción alguna de acontecer *aquí*. El hablante no tiene otra alternativa lógica que situarla en otro ámbito epistémico, alejado de él y, por eso, emplea el pasado de subjuntivo.

También puede darse la situación de que hace horas que buscan al padre, y delante de la puerta del gimnasio al que el hombre suele ir varias tardes a la semana, el hablante podría optar por cualquiera de las dos opciones. El empleo del pasado de subjuntivo puede revelar varias cosas de los procesos mentales del hablante: tal vez que tiene pocas esperanzas de que el padre esté ahí o, tal vez, que no desea hacerse ilusiones. Todo eso lo aclarará solo el contexto. Lo que es evidente es que el hablante decide alejar de él la escena de referencia, ya sea por prudencia, por falta de fe o por cualquier otro motivo. Independientemente de los múltiples contextos que podrían imaginarse para esas dos oraciones, siempre habrá entre ellas un rasgo común de oposición: la primera escena (*Ojalá mi padre esté aquí*) se representa discursivamente más cercana a la realidad inmediata del hablante que la segunda.

5.2. Los problemas del docente y del alumno

5.2.1. De vuelta al mito del 'probabilidímetro'

Los mayores problemas a los que el profesor se enfrenta cuando se trata de trabajar con las oraciones condicionales, son dos:

- Evitar la aparición de estructuras incorrectas, como prótasis con presente de subjuntivo: *Si yo tenga...* o, lo que es lo mismo, conseguir que el alumno deje de operar desde el concepto de *irrealidad* del presente de subjuntivo y pase a operar desde el concepto de *alejamiento* que aporta el imperfecto de subjuntivo.

- Dar con una explicación coherente —y no siempre resulta fácil— al empleo de las distintas estructuras de las condicionales: cuándo usar *Si yo tengo, si yo tuviera, si yo tenía, si yo hubiera tenido*, etc.

Los problemas explicativos a los que se enfrenta el profesor están relacionados, en parte, con los propios problemas con los que se encuentra la lingüística teórica, que tradicionalmente ha dividido los tipos de oraciones condicionales en tres (Söhrman 1991, Serrano 1994; en Montolío 1999):

a. Probables o reales.

b. Improbables o potenciales.

c. Irreales.

Y claro está, a cada oración le corresponde un esquema estructural:

a. Probables o reales: *Si apruebo...*

b. Improbables o potenciales: *Si aprobase...*

c. Irreales: *Si hubiese aprobado...*

Además, se plantea que la apódosis (lo que podríamos llamar, para entendernos, la consecuencia de la condición) es más o menos fija:

a. Probables o reales: *Si apruebo...* + *lo celebro / lo celebraré / celebradlo conmigo.*

b. Improbables o potenciales: *Si aprobase...* + *lo celebraría.*

c. Irreales: *Si hubiese aprobado...* + *lo celebraría / habría* o *hubiera celebrado.*

El primer problema es, lógicamente, definir qué es real, qué es probable, qué es improbable y qué es irreal, y en eso, sin duda, tendrá que ver más que cualquier otra cosa, la opinión del hablante. Es cierto que podemos elegir tal o cual tiempo verbal porque sentimos como más o menos probable la escena, pero consideramos que es un error colocar el concepto de *mayor o menor probabilidad* como principio rector de las oraciones condicionales. Vamos a ver algunos ejemplos

a) ¿Probables o reales?

*Si tú **estás** ahí ayer, te **mueres** de la vergüenza. Qué mal rato pasé.*

*Si te **digo** que no, te **miento**.*

*Las llaves las tienes ahí, delante de ti. Si **es** un león, te **come**.*

Estas oraciones expresan condiciones claramente irreales. En la primera, el oyente nunca estuvo *allí*, ni tiene ya la menor posibilidad de llegar a estar, a no ser que entre en una máquina del tiempo. En la segunda, el hablante no puede ya *decir que no* de ninguna de las maneras, sobre todo una vez que él mismo ha declarado que decir *no* sería mentir. Y, evidentemente, las opciones reales de que las llaves sean un león, son igualmente nulas. ¿Dónde está, entonces, el rasgo de probabilidad o de realidad?

b) ¿Improbables o potenciales?

*Si me **permitiesen** un minuto, me **gustaría** que oyeran un tema de este disco de Miles Davis, del álbum* Kind of Blue.

Esto podría oírse en cualquier cóctel en un departamento de una facultad, de una empresa, en una recepción consular o algún otro evento distendido, pero con cierta carga de formalidad. No parece que la escena condicional pueda ser calificada de *improbable* —ya que lo improbable sería más bien que alguien se opusiese a esa propuesta— o de potencial, ya que el hecho en sí es más bien inminente. No parece que la etiqueta de *improbable* o *potencial* dé cuenta de la naturaleza significativa de esta estructura. Pero además, existe una abultada contradicción en dicha etiqueta: ¿Cómo puede expresar una misma estructura lo improbable y lo potencial? Parece claro que se trata de dos nociones que avanzan en sentido opuesto.

c) ¿Irreales?

*Si mis padres me **hubiesen hecho** la transferencia, el dinero **habría llegado** ya a mi cuenta. Voy un momento al cajero de la esquina, ahora vuelvo.*

Ni es necesariamente irreal ni mucho menos imposible la escena de referencia que se plantea. La conclusión que —a nuestro juicio— se puede sacar de esto es que es cierto que hay un buen número de condiciones probables que se introducen con *Si + presente de indicativo*, pero hay otro buen número de condiciones probables que se introducen con *Si + otro tiempo verbal*, y lo mismo puede decirse de las condiciones poco probables y de las absolutamente imposibles: no existe relación de necesidad entre la estructura formal de la frase y el grado de probabilidad. Es indudable que hace falta mucha mala suerte para encontrarse con un alumno que haya descubierto esto por él mismo o leyendo algo al respecto, y que nos tenga contraejemplos preparados para torpedearnos la clase; pero, aunque no nos encontremos con mayores problemas al aplicar en clase la regla tradicional, debemos ser conscientes de que estamos enseñando una regla que presenta las lagunas que acabamos de exponer aquí y que el alumno, tarde o temprano, va a descubrirlo de la peor manera posible: malinterpretando lo que oye en la comunicación real o siendo incapaz de expresar lo que está pensando sobre una escena condicional.

5.2.2. ¿Solo tres tipos de oraciones condicionales o muchas más?

Además de la falta de adecuación entre las estructuras tradicionales y los significados que la gramática estructural les asigna, habría que plantearse por qué se presentan tres tipos de condicionales y no cuatro, por ejemplo. Si la diferencia formal entre *Si aprobara* / *Si hubiera aprobado* es la del tiempo simple frente a su correlato compuesto, tal vez podríamos probar a hacer lo mismo con el correlato compuesto de *Si apruebo*, a ver si nos sale una oración con sentido:

Si **acabas**, *puedes dejar el examen sobre mi mesa.*

Si **has acabado**, *puedes dejar el examen sobre mi mesa.*

Y no solo esto. Luego tenemos la cuestión del «qué hacer» con todas aquellas estructuras condicionales que 'violan' las reglas impuestas por los moldes formales tradicionales:

Si **hubieran llegado**, *te aviso.*

Si te **digo** *que no, te* **mentiría**.

Si **tuvieras** *hambre de verdad, no le* **hacías** *tantos ascos a esa sopa.*

Si a mí me **hace** *eso, yo lo* **mataba**.

Si **preguntaran** *por mí, no* **estoy**.

Si te **contara** *lo que vi, no te lo* **crees**.

Y si no te **gusta**, *te* **hubieras quedado** *en tu casa.*

Si no **llegas** *a estar tú aquí, me* **hubiera pasado** *la tarde intentando instalar el programa.*

Si yo le **hago** *una cosa así, nunca me lo* **habría perdonado**.

Y así podríamos seguir añadiendo ejemplos del amplísimo repertorio de oraciones condicionales, que va mucho más allá del limitado modelo tripartito al que nos tiene acostumbrado la gramática escolar tradicional. Creemos que en una enseñanza comunicativa de la lengua no se debería partir de modelos de lengua disecados. ¿Cómo responder didácticamente a todos estos interrogantes?

Ya hemos dicho que es la noción de espacio y no la de tiempo, la que fundamenta el sistema verbal del español. Los 'tiempos' verbales se organizan a partir de criterios espaciales: lo que *está cerca* frente a lo que *está lejos* y *el lugar en el que nos hallamos* frente *al lugar hacia el que nos movemos o aproximamos*. Gracias a ese concepto espacial, podemos dar una explicación coherente al funcionamiento de la oración condicional: básicamente, los tiempos verbales nos permiten distanciarnos o acercarnos virtualmente a las condiciones, y distanciarnos o acercarnos virtualmente a sus consecuencias. Vamos a verlo.

5.3. Una propuesta para enfrentarse al problema

Como veíamos un poco antes, y añadiendo las dos formas de subjuntivo ('yo cante, yo cantase/cantara'), el sistema verbal del español puede representarse de la siguiente manera:

	Declaración exacta	Declaración aproximada	No declaración
Aquí	canto	cantaré	cante
Allí	cantaba/canté	cantaría	cantase

Por un lado, tenemos las declaraciones exactas o afirmaciones, expresadas por aquellos tiempos verbales que nos hablan de dónde *estamos* o dónde *estuvimos/estábamos*, es decir, que nos hablan empleando la óptica de lo que es **constatable**, como puede verse en estos dos sencillos ejemplos:

> *Están en la plaza del Mentidero* (la escena es presentada *cerca,* en nuestro entorno inmediato y, además, es presentada como algo exacto).

> *Estaban/estuvieron en la plaza del Mentidero* (la escena es presentada *lejos,* en otra dimensión espacio-temporal, pero es presentada como algo exacto).

Pero si damos un paso a la derecha en la tabla, las declaraciones se vuelven algo más tenues, ya no se trata de declaraciones exactas, sino aproximadas o predicciones: hablan de acciones localizadas en espacios en los que *estaremos* o *estaríamos*. Comparemos estas frases con las anteriores:

> *Estarán en la plaza del Mentidero* (la escena es presentada *cerca,* en nuestro entorno inmediato, pero ahora como una declaración con valor de *aproximación*: podemos entenderlo como una suposición o podemos entender que, en la línea del tiempo, nos *estamos* moviendo hacia esa escena).

> *Estarían en la plaza del Mentidero* (la escena es presentada *lejos,* en otra dimensión espacio-temporal y, además, como una declaración con valor de *aproximación*: podemos entenderlo como una suposición de lo que ocurrió *allí* o podemos entender que, en la línea del tiempo, nos *estábamos* moviendo hacia esa escena).

Un paso más a la derecha, la declaración desaparece por completo y se convierte en no–declaración: 'cante' apunta hacia un espacio virtual. Con *Yo cante,* sabemos que se dice algo referente a 'yo' y a 'cantar', pero eso es todo lo que sabemos. Necesitaremos el contexto lingüístico y no lingüístico para entender el mensaje. Como vimos en la parte dedicada al subjuntivo, este modo expresa una no declaración justamente por eso: por no decir nada por sí solo.

Para terminar, el corte horizontal separa las formas que sitúan la acción *aquí,* cerca de nosotros (arriba) y las que la sitúan *allí,* alejadas de nuestro punto de navegación actual (abajo), y con esto queda explicada la distribución de los tiempos verbales en español.

Enunciado el principio teórico, vamos a proceder a extenderlo al caso concreto de las oraciones condicionales.

5.3.1. El español, una lengua de condiciones exageradas

De nuestro mapa verbal, podemos extraer en conclusión que hay dos polos bien diferenciados en nuestro sistema de tiempos verbales:

	Declaración exacta		
Cerca	canto		
Lejos			cantase
			No declaración

Por un lado, tenemos en la esquina superior izquierda el espacio más real, más tangible, más inmediato: el presente de indicativo, que está *cerca* y es un momento experimentado, *exacto*. Nada de suposiciones. Plena experiencia, una afirmación. Si alguien dice *Mi padre está aquí*, todo claro. En las antípodas de ese tiempo verbal, en la esquina inferior derecha, se sitúa el imperfecto de subjuntivo, que es algo así como la cara oculta de la luna: no declara nada y, además, está lejos de nosotros: si alguien dice *Mi padre estuviese aquí*, lo primero es que o comenzamos por presuponer algún elemento que falta en la oración (un 'si' delante de *mi padre*, por ejemplo), o no entenderíamos qué quiere decir el hablante. Y añadiendo esos elementos que dotarían de significado a la frase, obtendríamos una escena bastante alejada de la realidad del hablante o, al menos, lo más alejada posible de la anterior. Vamos a compararlas:

*Como mi padre **está** aquí...*

*Como mi padre **estuviese** aquí...*

Llegados a este punto, no es difícil entender de dónde han salido las condicionales del español: si le colocamos un 'si' delante a cada oración, aparecen los dos tipos básicos de prótasis condicionales.

Si mi padre está aquí...

Si mi padre estuviese aquí...

La configuración del español es extremadamente lógica. Las oraciones condicionales pueden ser, básicamente, de dos tipos y, para que la diferencia quede bien clara, se han escogido las dos formas polares del sistema: la más cercana a la experiencia y la menos cercana, la más carnal y la más espiritual, o, dicho en términos estrictamente gramaticales: la más y la menos contundente desde un punto de vista declarativo.

Es cierto que existen diversas zonas dialectales en la inmensa geografía del español en las que la prótasis de la oración condicional se hace con el tiempo condicional:

Si yo sería rico, no trabajaría más en mi vida.

Esto no pertenece a la norma del español, pero no por ello carece de lógica. Se trata de un fenómeno que puede explicarse sistemáticamente a partir de las implicaciones del mismo 'mapa' verbal[12]. En este caso, lo que nos encontramos es con un subsistema de condicionales basado en el siguiente esquema:

	Declaración exacta		
Cerca	canto		
Lejos		cantaría	
		Declaración aproximada	

Desde un punto de vista técnico, la diferencia entre el español normativo y las variedades dialectales con condicional en la prótasis, no son tan diferentes, apenas un paso más a la izquierda o a la derecha. Esto nos hace pensar que la base significativa de la oración condicional con imperfecto de subjuntivo no es tanto el concepto de no declaración, como el de alejamiento, de contrafactualidad. Si tanto el español normativo como las realizaciones periféricas dialectales tienen en común operar un alejamiento virtual de la escena, es lógico sospechar que puede ser ese el rasgo esencial de este tipo de oración y no tanto la presencia del subjuntivo[13].

En cualquier caso, la solución por la que se decanta el español normativo es por la más radical de todas, porque el español, al menos en las condicionales, es una lengua exagerada: o blanco o negro.

Por este motivo, creemos que debe preocuparnos que el aprendiente emplee oraciones con presente de subjuntivo en la prótasis, tipo *Si yo tenga*. En realidad, el subsistema que maneja el alumno en su interlengua sería el siguiente:

	Declaración exacta		No declaración
Cerca	canto		cante
Lejos			

A nuestro juicio, el proceso de aprendizaje no está correctamente encaminado y revela problemas en la propia concepción del concepto *modo*, ya que el aprendiente está operando no desde la base del alejamiento o de la contrafactualidad, que incluso puede llegar a ser el mismo principio que rija las oraciones condicionales de su L1, sino desde una errónea concepción del subjuntivo como el tiempo de la *irrealidad*. El aprendiente que experimente problemas de este tipo en la construcción de la oración condicional, seguramente los presentará también en el empleo de indicativo-subjuntivo.

---

12 Rojo (1986, p. 171) da cuenta incluso de la existencia, especialmente en el español americano, de la tercera opción posible: *Si **tenía** dinero…* (En lugar de *Si **tuviera** dinero…*).

13 En Ruiz (2008, pp. 28-31) se describe este mecanismo sistemático como una *ley de superposición* que determina la expresión gramatical de la contrafactualidad en general, y que viene a establecer que cualquier forma *pasada* del sistema, usada en referencia a un espacio actual (presente-futuro), adquiere automáticamente una interpretación de contrafactualidad o ficción.

5.3.2. Dos tipos de condicionales, dos distancias respecto a la escena de referencia

Como ya hemos comentado, el índice de probabilidad de que la condición se cumpla no es el factor determinante a la hora de emplear una oración condicional, o dicho de otra manera, no existe relación de necesidad entre menor probabilidad y condicionales con subjuntivo, y mayor probabilidad y condicionales con indicativo. La probabilidad objetiva de que se cumpla la condición no es más que un mero factor extralingüístico eventual.

A todos se nos ocurren situaciones en las que la primera oración de las que proponemos a continuación podría utilizarse, sabiendo el hablante que quien le oye tiene dinero de sobra, y la segunda en una situación en la que el hablante tiene la certeza de que la persona a la que habla no tiene un euro en la cartera:

*Si no **tienes** dinero, tranquilo que yo te lo **presto**.*

*Si por lo que fuera no **tuvieras** dinero, tranquilo que yo te lo **presto**.*

Si el funcionamiento gramatical estuviese basado en un significado tan limitado y concreto como la mayor o menor probabilidad (un valor de discurso), la capacidad expresiva de la estructura sería muy baja, al menos para lo que nuestras necesidades comunicativas demandan. Por tanto, y al margen de valores de discurso, la oración condicional presenta dos estructuras fundamentales en la prótasis que, a su vez, proponen dos significados de sistema:

Si tengo (**acercamiento** virtual a la escena condicional).

Si tuviera (**alejamiento** virtual a la escena condicional).

Volvemos al empleo de la metáfora de la que hemos venido hablando. El español (y otras lenguas) basan el significado de sistema de las condicionales en la mayor o menor distancia virtual respecto a la escena de referencia. Normalmente, tendemos a acercarnos a la escena cuando la sentimos probable o relativamente probable y a alejarnos de ella cuando sentimos lo contrario. La gramática tradicional es consciente de que esa tendencia existe, de ahí que erróneamente haya relacionado la aparición de determinadas formas gramaticales. Pero, ¿qué ocurriría, por ejemplo, si el hablante quiere imprimir optimismo a su mensaje o si, por el contrario, quiere imprimir prudencia?

*Si **apruebas** todo, te compro la bici aquella que tanto te gustó.*

*Si **aprobara** el examen de mañana, me licenciaría. Imagina si es normal que esté nervioso.*

En estos ejemplos que acabamos de ver, el índice de mayor o menor probabilidad es irrelevante a la hora de tomar una determinada distancia respecto a la escena de referencia. ¿Cuál es aquí el factor determinante? Un posicionamiento psicológico respecto al mensaje, la actitud del hablante. En el primer ejemplo, el hablante 'atrae' virtualmente la escena hacia el espacio en el que transcurre la conversación. El que habla, pongamos por caso una madre o un padre, intenta motivar a su hija o hijo para que estudie y, por tanto, le conviene discursivamente 'acercar' hasta su hijo escenas donde todo ha sido aprobado y donde se compran bicicletas. Mientras, en el segundo ejemplo se opta por la prudencia, por 'alejar' virtualmente la escena.

Esto explica coherentemente que se pueda emplear una prótasis *Si + presente de indicativo* para escenas condicionales que son evidentemente imposibles:

*Si tú **estás** ahí, lo **matas**.*

*Si **es** un león, te **come**.*

Tanto 'matarlo' como 'estar ahí' son escenas objetivamente inviables en el momento de la enunciación. Igual que el objeto que se anda buscando y que teníamos delante de nuestra cara se convierta en un león y nos coma. Eso no impide que virtualmente nos acerquemos a la escena, para imprimir mayor expresividad al discurso: *Evidentemente tú no podías estar ahí, pero visualízate, por un momento, tú estando allí*. Lo que le pedimos al oyente es que *se meta o se ponga en una situación*, expresión en la que explícitamente mencionamos el procedimiento metafórico de acercarse o meterse virtualmente dentro de una escena:

*Tú **ponte** que estás ahí…*

Es el mismo mecanismo que opera en el llamado presente histórico o en el empleo de presentes de indicativo para hechos pasados:

*En el Tratado de Versalles de 1919, las potencias vencedoras **imponen** a la derrotada Alemania condiciones punitivas para su territorio, milicia y economía.*

*Llega ayer y me **dice** que si todavía no **he terminado** de leer el periódico y yo le **respondo** que no. Y ahí **comienza** a protestar, que si yo siempre igual, que me **adueño** del periódico todas las mañanas, que esto y que lo otro…*

Este último empleo del presente de indicativo es, a veces, etiquetado como «coloquial», aunque en realidad puede registrarse en cualquier tipo de discurso, por ejemplo: puede registrarse en boca de sus señorías en el Congreso, se encuentra frecuentemente en textos literarios o periodísticos y, en los juicios, abogados, fiscales, jueces, testigos y acusados lo emplean a menudo durante las vistas orales. Las ventajas expresivas de 'atraer' virtualmente los hechos ocurridos en el pasado son obvias en esos contextos comunicativos.

5.3.3. Por qué o para qué alejarnos, o acercarnos, de las escenas que representamos

¿Qué otras circunstancias pueden llevar al hablante a alejar o acercar virtualmente los hechos a los que se refiere? Infinidad, claro está. De establecer las relaciones entre el significado de sistema, el contexto comunicativo y la intención del hablante se encarga la pragmática. Vamos a ejemplificar todo esto con algunos casos de toma de distancia:

*Si no **fuera** molestia…*

Expresar cortesía de esta manera es un grado más cortés que su correlato con presente de indicativo, que permite presuponer que la acción X no es molestia. Veamos con otro ejemplo:

*Si no **tuvieras** tanto miedo…* (Retar a alguien).

En este caso, el correlato con presente de indicativo sería incluso un poco extraño al oído, lo cual es normal. Lo que se está haciendo es dar por sentado que la persona tiene miedo y que la escena de *no tener miedo* está en las antípodas de la realidad objetiva.

> *Si me **escucharas**…*

Esta manera de reprochar algo o llamar la atención vuelve a ser lo mismo, plantea la escena de *oír a quien habla* en otra realidad, bien alejada de la inmediata, y no porque la probabilidad de ser escuchado sea alta o baja, sino porque el hablante quiere poner de manifiesto que ve muy lejos de sí la escena de su interlocutor prestándole verdadera atención.

> *Si tú **quisieras**, con las capacidades que tienes…* (Estimular a alguien).

Proponer la escena 'tú querer' alejada de nuestro espacio inmediato resulta menos invasivo: *No tienes ninguna obligación de querer*, pero imagina por un momento que te *diera por querer*. Es algo así como presentar la tierra prometida desde lo alto de un monte, en la distancia: está ahí, solo tienes que ir a por ella.

> *Si me **salieran** las cosas como tengo planeado…*

Aquí es evidente que la distancia sirve para expresar un cierto grado de prudencia, como veíamos antes en el caso de *aprobar el examen*.

Y por último, y por supuesto:

> *Si los burros **volaran**…*

La toma de distancia nos sirve también para expresar un grado bajo o nulo de probabilidad: alejamos virtualmente de nosotros las escenas que nunca estarán *aquí*, porque son imposibles. Todo lo que no es posible, se relega a la distancia, al *allí*, a un espacio epistémico diferente y opuesto al de nuestra realidad inmediata y cercana.

5.3.4. Qué pasa con las condicionales con pluscuamperfecto de subjuntivo: si hubieras estado aquí

No pasa nada o, al menos, nada de especial. En realidad, las condicionales del tipo *Si hubieras estado aquí* le son a las condicionales del tipo *Si estuvieras aquí* lo mismo que las condicionales del tipo *Si has estado aquí* a las condicionales del tipo *Si estás aquí*:

> *Si **apruebo**, haré una fiesta / Si **he aprobado**, haré una fiesta.*
>
> *Si **aprobara**, haría una fiesta / Si **hubiera aprobado**, haría una fiesta.*

Considerar las condicionales con pluscuamperfecto de subjuntivo como una estructura aparte dentro de las condicionales, no nos parece que esté justificado. La estructura no es más que una variante de la condicional con *Si + imperfecto de subjuntivo*, pero con una carga aspectual terminativa, cosa de la que carece la oración con *Si + imperfecto de subjuntivo*.

> *Si **estuvieras** aquí…* (La acción *estar* no se contempla como concluida).
>
> *Si **hubieras estado** aquí* (La acción *estar* se plantea como concluida).

En este último ejemplo, *Si hubieras estado aquí*, la imposibilidad de que la persona esté ahí se deriva de la lectura del contexto: no es posible retroceder en el tiempo. La forma verbal pluscuamperfecto de subjuntivo lo único que hace es reflejar:

a) Un alejamiento respecto a la escena *tú estar aquí*, en este caso porque tal escena no se corresponde con lo que ocurrió.

b) Un aspecto perfectivo en la acción *estar*: esa acción –o la pertinencia de la acción– empieza y acaba en un momento anterior al del *aquí* del hablante.

En cambio, si se compara eso con el ejemplo de más arriba, *Si hubiera aprobado, haría una fiesta*, constatamos que un pluscuamperfecto de subjuntivo no tiene por qué necesariamente remitir a un escenario irreal, ni siquiera improbable. Simplemente el hablante plantea la situación como si ya el profesor tuviera la nota decidida y anotada en su cuaderno y, quizás por prudencia, o quizás por modestia, decide plantear lejos de él la escena 'he aprobado', tan posible en ese momento como la contraria. La forma verbal pluscuamperfecto de subjuntivo lo único que hace es reflejar lo siguiente:

a. Un alejamiento respecto a la escena *yo aprobar*. El hablante podría desear mediante este alejamiento mostrar prudencia, o mostrar humildad, cuestión que solo quedaría clara mediante el contexto. Lo que vale a efectos de significado de sistema es que ha establecido una cierta distancia respecto a la escena de referencia.

b. Un aspecto perfectivo en la acción *aprobar*: se representa la acción *yo aprobar* desde la perspectiva del hecho una vez que ha sido consumado.

5.3.5. Qué pasa con la apódosis o segunda parte de la condicional

Fundamentalmente, que es una oración absolutamente independiente desde el punto de vista formal de la que viene introducida por 'si'. Como veíamos antes, estamos acostumbrados a leer y a enseñar que existe una relación de necesidad entre el tiempo que aparece en la prótasis y el que aparece en la apódosis. Pero eso no se corresponde con la realidad, lo cual por otro lado es normal, porque esa regla no ha sido confeccionada a partir de la observación del empleo que los hablantes hacen de la lengua española, sino que se inspira en las reglas gramaticales del latín. Es, sin duda, un curioso caso de contagio entre gramáticas pedagógicas.

Nuestra propuesta es que las proposiciones que componen la oración condicional son independientes entre sí, y las restricciones estructurales se deben a la lógica de la propia oración y no a la presencia o ausencia de determinados elementos formales:

*Si me dieran el día libre mañana, me **voy** contigo.*

*Si me dieran el día libre mañana, me **iré** contigo.*

*Si me dieran el día libre mañana, me **iba** contigo.*

*Si me dieran el día libre mañana, me **iría** contigo.*

Es necesario poseer una gran imaginación para inventar argumentos que puedan proscribir cualquiera de las anteriores oraciones: pueden aparecer en cualquier momento del discurso, en boca de hablantes pertenecientes a cualquier estrato social y en cualquier situación comunicativa, para decir cuatro cosas diferentes:

*Me **voy** contigo.*

*Me **iré** contigo.*

*Me **iba** contigo.*

*Me **iría** contigo.*

Si los hablantes de latín solo tenían acceso a tres estructuras condicionales —asunto que no vamos a entrar aquí a discutir—, lo que es seguro es que los de español contamos con un arsenal unas diez veces más amplio. Como esto redunda en el enriquecimiento del lenguaje y permite expresar una gran cantidad matices, pensamos que el profesor de ELE y el especialista en lengua en general, no tiene por qué echarse las manos a la cabeza ni clamar por la pureza de un modelo de lengua que, por otro lado, solo existe o ha existido alguna vez en los libros.

Nuestra lengua tiene gran cantidad de oraciones condicionales, regidas todas por el mismo principio espacial: *alejamiento* y *acercamiento* virtual. Veamos las oraciones anteriores a la luz del cuadro con el que venimos trabajando:

	Declaración exacta	Declaración aproximada	No declaración
Aquí	canto	cantaré	cante
Allí	cantaba / canté	cantaría	cantase

a) *Si me dieran el día libre mañana, me **voy** contigo.* En primer lugar, me alejo de la escena de que me van a dar el día libre mañana. ¿Por qué? Ya hemos visto que puede ser por muchos motivos: prudencia, evitar crear expectativas, cortesía (puede estar el jefe delante), ironía, baja probabilidad, nula probabilidad y, así, un largo etcétera. Pero eso sí, en caso de que me lo den, la consecuencia se declara con total contundencia, se afirma: *que me **voy** contigo es tan cierto como si me estuviera yendo aquí y ahora, y tú pudieras verlo.*

b) *Si me dieran el día libre mañana, me **iré** contigo.* Sobre la primera parte de la condicional ya está todo dicho, ahora bien, me **iré** contigo rebaja un tanto la contundencia de la declaración, al ser presentada como una escena aproximativa, como una predicción.

c) A partir de aquí, la apódosis u oración principal entra también en el terreno de lo contrafactual. *Si me dieran el día libre mañana, me **iba** contigo.* Ese me 'iba' desplaza la declaración al mundo que está *allí*, alejado de nosotros y de nuestro entorno inmediato, en este caso, como hemos dicho, el contrafactual. Eso sí, dentro de ese mundo epistémicamente alejado, dentro de ese mundo irreal o contrafactual, el hablante manifiesta total seguridad respecto a que se 'iba'. Ni un atisbo de duda. En cambio, se percibe una mayor liviandad en la declaración en el siguiente ejemplo.

d) *Si me dieran el día libre mañana, me* **iría** *contigo*. En este caso, la declaración es aproximada, una predicción dentro del mundo de lo contrafactual. Además de situar la escena lejos de nosotros, el hablante la plantea con un atisbo de reserva que no existe en *yo me iba contigo*.

Lo mismo que ocurre en las apódosis de las condicionales, ocurre en cualquier oración independiente:

A mi cuñado yo lo **mataba** / *A mi cuñado yo lo* **mataría**.

En cualquier caso nadie va a matar a nadie, son meros hechos contrafactuales, pero, en el primer ejemplo, con imperfecto, se hace mayor hincapié en la idea *es para matarlo*.

A efectos pedagógicos, lo ideal sería presentar las condicionales en dos grandes órbitas, la de *Si tengo* y la de *Si tuviese* que, evidentemente, se superpondrían la una a la otra a lo largo del proceso de aprendizaje, ya que no tiene mucho sentido abstenerse de tratar las oraciones del grupo *si tuviese* hasta que no hayan aparecido todas las posibilidades de *si tengo*, ya que una muy buena parte de las oraciones condicionales que planteamos requieren, para ser correctamente entendidas por el hablante, que se enuncien a partir de una noción de alejamiento.

5.4. Por la vía rápida: ficha-resumen

En estas páginas dedicadas a las oraciones condicionales hemos planteado los siguientes aspectos:

- Consideramos gratuita la afirmación de que el sistema verbal español[14] está basado en la noción de *tiempo*. Por el contrario, creemos que el *tiempo* es solo una de las múltiples nociones que el sistema verbal puede manifestar. Según nuestra propuesta, el sistema verbal español está basado en la noción de *espacio*. Los tiempos de pasado con frecuencia no expresan pasado (*Yo por mí me* **iba** *ahora mismo*), los de presente no expresan presente (*Mañana lo* **vemos**) y los de futuro no expresan futuro (*Te lo* **habrás** *olvidado en casa*). Si se adopta una perspectiva espacial, estas incongruencias desaparecen: existen tiempos que expresan alejamiento de la escena (tradicionalmente llamados de 'pasado'), y otros que expresan cercanía (tradicionalmente llamados de 'presente' o 'no pasado'). Existen tiempos verbales que expresan la escena desde la perspectiva de lo dinámico, idea o hecho al que nos aproximamos (tradicionalmente, llamados tiempos de 'futuro'), y otros que carecen de esa noción dinámica, y presentan la escena desde la perspectiva de lo estático, observable, anclado en la experiencia (tradicionalmente llamados tiempos de 'no futuro'). En esquema:

---

14 Como se ha explicado con más detenimiento en el punto «Cuestiones previas: el mito del tiempo verbal» (5.1), mantenemos esta nomenclatura tradicional de *tiempos verbales* tan solo por claridad expositiva, ya que lo lógico sería llamarlos *espacios verbales*.

	Declaración exacta	Declaración aproximada	No declaración
Aquí	canto	cantaré	cante
Allí	cantaba / canté	cantaría	cantase

- Según esto, **carece de sentido clasificar las oraciones condicionales en función de qué probabilidad** existe de que se cumpla la condición, fundamentalmente porque no existe una relación de necesidad entre **estructura** y **probabilidad**:

  Si tú estás ahí, te da algo (imposible *tú estar ahí* e imposible *a ti darte algo*).

  Si hubieran acabado ya —voy a ver—, os avisaría (la posibilidad de que hayan acabado es perfectamente asumible).

- Desechado el principio de *porcentaje de probabilidad* como significado de sistema de la oración condicional, proponemos una clasificación diferente. Según este nuevo esquema, las oraciones condicionales se dividen en **dos** grandes grupos: el que expresa un *acercamiento metafórico a la escena de referencia* (*Si + presente de indicativo*) y el que expresa *un alejamiento* (*Si + imperfecto de subjuntivo*):

  Si me pagan esta semana, te daré algo de lo que te debo.

  Si me pagasen esta semana, te daría algo de lo que te debo.

Las dos oraciones hacen referencia a una escena objetivamente posible. Además, nada impide al hablante emplear la primera en un contexto extralingüístico en el que las posibilidades de pago esa semana son bajas y la segunda en uno en el que las posibilidades de pago esa semana son altas.

Lo que sí puede establecerse es que en la primera el hablante decide situarse a una menor distancia de la escena *Me pagan esta semana*, mientras que en la segunda la distancia que se toma es mayor. ¿Qué implicaciones tiene esto?

- El hablante se aleja o acerca virtualmente a una escena condicional en función tanto de diversas intenciones comunicativas, como de numerosos estímulos contextuales y extralingüísticos, que no pueden limitarse al índice de probabilidad. Algunos de esos estímulos o intenciones comunicativas podrían ser:

  a. **Alejarse virtualmente**: expresar prudencia, cortesía, sondear la opinión del oyente, generar expectativas bajas, ocultar información, expresar duda, baja probabilidad, probabilidad nula, etc.

  b. **Acercarse virtualmente**: impresionar al oyente, imponer un punto de vista, definir la propia opinión, generar confianza, crear expectativas, mostrar fe en lo dicho, expresar un alto grado de probabilidad, resultar especialmente optimista, resultar especialmente pesimista, etc.

- Considerar las oraciones tipo *Si hubiera acabado* como un tipo aparte no se justifica ni desde un criterio formal (es el correlato subjuntivo de *Si ha acabado*), ni desde un criterio funcional o comunicativo: no expresa de manera constante ninguna función lingüística concreta. Por tanto, consideramos que lo más coherente es partir de un modelo de dos estructuras condicionales básicas, no de tres. Esos dos modelos son los ya mencionados *Si + presente de indicativo* y *Si + imperfecto de subjuntivo*.

- **Existen gran cantidad de estructuras condicionales**, a pesar de que, tradicionalmente, se haya presentado al alumno un panorama ternario (*si tengo, si tuviera, si hubiera tenido*) que, además de que, como ya hemos visto, carece de una justificación clara tanto desde el punto de vista formal como del de significado, está inspirado en la tradición pedagógica del latín. Dicha tradición poco o nada tiene que ver con los modernos enfoques comunicativos, sino más bien con el método de la gramática tradicional.

- **Ejemplos de estructuras condicionales** que escapan al canon ternario tradicional:

  Si **hubieran llegado**, te aviso.

  Si te **digo** que no, te **mentiría**.

  Si a mí me **hace** eso, yo lo **mataba**.

  Si **preguntaran** por mí, yo no **estoy**.

  Y si no te **gusta**, te **hubieras quedado** en tu casa.

  Si no **llegas** a estar tú aquí, me **hubiera pasado** la tarde intentando instalar el programa.

- En nuestra opinión, **no existe ninguna razón objetiva para tachar algunos de los anteriores ejemplos de no ser normativos, incorrectos o excepcionales**. En cambio, existen dos para tenerlos muy en cuenta a la hora de entrar en el aula de ELE:

  a. Forman parte del uso cotidiano de la lengua en cualquier estrato social.

  b. Son estructuras necesarias y rentables desde el punto de vista comunicativo y estilístico o expresivo.

- Teniendo en cuenta lo que acabamos de exponer, entendemos que lo coherente no es tachar de no normativos, incorrectos, excepcionales o coloquiales cualquiera de los ejemplos antes mencionados, sino de **incompletos los inventarios de estructuras condicionales introducidas por 'si' que omitan tales estructuras.**

6. Imperfecto-indefinido

6.1. Los problemas del docente y del alumno

El mayor problema al que se enfrenta el docente es proporcionar al alumno un criterio de decisión coherente a la hora de emplear el imperfecto o el indefinido. Las vías clásicas de asalto al problema son de todos conocidas. Básicamente, podríamos dividir esas vías de asalto en tres direcciones fundamentales: la vía taxonómica, la vía formalista y la vía discursiva.

Desde nuestro punto de vista, ninguna de las tres opciones proporciona al alumno un criterio de decisión sólido. En cualquier caso, vamos a ver en qué consiste cada una y qué problemas encontramos en ellas.

6.1.1. La vía taxonómica

La vía taxonómica consiste en presentarle al alumno una interminable lista de funciones. Retomemos la presentada en «Gramática descriptiva» (Capítulo I,1.2.3.) respecto al imperfecto:

1. Imperfecto de habitualidad
2. Imperfecto descriptivo
3. Imperfecto durativo
4. Imperfecto de acción secundaria
5. Imperfecto narrativo de acción principal
6. Imperfecto de causa
7. Imperfecto con valor de pospretérito
8. Imperfecto con valor de futuro
9. Imperfecto de inminencia
10. Imperfecto de apertura o cierre
11. Imperfecto con valor de presente
12. Imperfecto de discurso anterior presupuesto
13. Imperfecto de sorpresa
14. Imperfecto de reproche
15. Imperfecto de contrariedad
16. Imperfecto de cortesía
17. Imperfecto lúdico
18. Imperfecto de deseo...

En realidad, no existen diferencias sustanciales entre las listas de uso que ya hemos visto hablando de otros temas y la que acabamos de ver ahora. Presentar al alumno una lista pormenorizada de las funciones que puede cumplir el imperfecto sería tanto como si en lugar de aclararle el significado de la palabra 'papel', le presentáramos una lista pormenorizada de las cosas para las que sirve un trozo de papel. No es la primera vez que nos ocupamos en estas páginas del procedimiento taxonómico, por lo que no lo repetiremos aquí. Simplemente nos limitaremos a reiterar la idea-fuerza que sustenta la enseñanza operativa de la gramática: creemos que no hay por qué conformarse con decirle al alumno *dónde aparece* una forma gramatical: podemos ir más allá e intentar contarle al alumno *qué significa* esa forma gramatical.

6.1.2. La vía formalista

Se fundamenta en la idea de que el empleo de imperfecto o indefinido se justifica en función de una serie de *marcadores*. Veamos algunos ejemplos de marcadores que a veces se proponen como introductores del imperfecto o del indefinido:

- Con imperfecto: *entonces, de pequeño, todos los días, siempre, a menudo, frecuentemente, algunas veces, nunca, antes, mientras,* etc.
- Con indefinido: *ayer, hace días, hace mucho, hace siglos, esa mañana, esa semana, ese mes, ese invierno, ese año, en 1918,* etc.

El problema fundamental de este tipo de instrucción es simple de enunciar: ninguno de esos marcadores es exclusivo ni del imperfecto ni del indefinido o, dicho de otra manera, esos marcadores pueden preceder tanto a una forma como a la otra, por lo tanto, de *marcadores de tiempo* no parece que tengan mucho, no son más que adverbios o locuciones adverbiales de tiempo o frecuencia. Veamos algunos ejemplos de cómo esos marcadores pueden aparecer con cualquiera de los dos tiempos verbales:

Entonces *se fue la luz.*

De pequeño **recibí** *una educación muy esmerada.*

Viaje complicado aquel, todos los días **tuvimos** *algún contratiempo.*

Ayer *no* **sabíamos** *nada.*

Hace días *lo* **buscaban**.

En 1918 *la guerra* **estaba** *perdida para Alemania.*

Consecuentemente, una instrucción basada en dicho criterio nos parece carente de extensibilidad pedagógica dentro del aula y de cualquier tipo de fundamento teórico.

6.1.3. La vía discursiva-funcional

Básicamente, consiste en asignar a imperfecto e indefinido determinadas funciones dentro del discurso, ilustrando la propuesta con una serie de ejemplos *ad hoc*. Algunas de las más frecuentes son las que siguen:

a) Mientras que el imperfecto hace referencia a los factores ambientales de una escena del pasado, el indefinido se ocupa de los hechos fundamentales. El imperfecto describe, el indefinido, narra:

> **Hacía** *frío aquella noche,* **llovía**, *se* **escuchaba** *a lo lejos una sirena de policía.*

> *Entonces, un individuo* **salió** *de un portal,* **recogió** *del suelo algo que alguien* **arrojó** *desde una ventana, se* **metió** *en un taxi y* **desapareció**.

b) Referirse a la duración de la escena: mientras que el imperfecto evoca una acción extendida en el tiempo, el indefinido se encarga de acciones puntuales:

> *Yo* **comprendía** *por lo que estaban pasando.*

> *Yo* **comprendí** *por lo que estaban pasando.*

c) El imperfecto expresa una costumbre, algo que se repite, mientras que el indefinido hace referencia a un hecho único.

> *Alberto* **iba** *a visitar a su tío por Navidades.*

> *Alberto* **fue** *a visitar a su tío por Navidades.*

d) Mientras que el imperfecto hace referencia a acciones que continúan, que no han terminado, el indefinido hace referencia a acciones completas, acabadas. Este último criterio, de inspiración aspectual, sería más de corte gramatical que discursivo-funcional, pero lo incluimos en este grupo porque la instrucción discursiva-funcional al uso suele presentarlo junto con los anteriores:

> *El abogado* **comía** *tranquilamente.*

> *El abogado* **comió** *tranquilamente.*

Desde nuestro punto de vista, los mayores problemas de esta manera de encarar el asunto son, a su vez, tres. Vamos a verlos por separado

6.1.3.1. *Primer problema: el caso de Ross, estudiante irlandés*

A la hora de emplear imperfecto o indefinido, el estudiante tendría que decidir entre una de las ocho opciones discursivas diferentes, una para el imperfecto y una para el indefinido, multiplicadas por los cuatro criterios (a, b, c, d) que hemos visto, y eso no parece fácil, por lo que ya hemos comentado en diversas ocasiones.

Pero no solo eso. Supongamos el caso de Ross, un estudiante irlandés, que llega a un piso de estudiantes en cualquier ciudad de habla española, por recomendación de unos amigos, y el propietario de la casa le advierte que no se permite fumar dentro del cuarto. Ross tiene en mente el siguiente mensaje:

> *My friends **told** me already.*

En caso de que sus amigos mencionaran el hecho una sola vez, Ross se inclinaría por el empleo de indefinido, sin mayores dudas. Pero si, por el contrario, sus amigos le repitieran, en varias ocasiones, el detalle de que no se puede fumar en la casa, ¿debería de emplear el imperfecto? Según lo que hemos visto hasta ahora, sí que debería, ya que el imperfecto expresa costumbres o repeticiones. Ross, queriendo decir al casero que no se preocupe, que ya conocía la norma y que está todo bien por su parte, lo que realmente parece que dice es que ya fue advertido del carácter quisquilloso del casero:

▶ *Y una cosa, dentro del piso no se puede fumar.*

▷ *Ya me lo **decían** mis amigos.*

▶ *¿Qué te **decían** tus amigos?*

▷ *Nada, eso, que no se puede fumar.*

A veces se insiste, con toda la razón, en cuánto puede dañar a nuestra imagen social un malentendido cultural, pero no olvidemos que exactamente lo mismo puede ocurrir con un malentendido gramatical. En la anterior escena, el casero, que no está al tanto de las reglas pedagógicas que Ross tiene en su cabeza, puede interpretar que lo que sus amigos le decían era lo pesado que era él con las normas, no que habían tocado varias veces el tema de que no se podía fumar dentro de la casa. Evidentemente, lo que Ross quería decir era *Ya me lo **dijeron** mis amigos*.

6.1.3.2. *Segundo problema: la gramática que aparece y desaparece*

El segundo problema, como de alguna manera adelantábamos en el punto anterior, es que esas funciones señaladas (duración, descripción-narración, etc.) no guardan una relación de necesidad con el imperfecto o con el indefinido. En determinados contextos, la gramática «aparece» y en otros, la gramática, tal y como la hemos administrado en el aula, «desaparece»:

a. La gramática de bolsillo, esa que aparece y desaparece cuando más se la necesita, dice que *el imperfecto describe, el indefinido narra los hechos principales*. Aunque claro, también puede ocurrir justo lo contrario:

► *Usted presenció la liberación del rehén. ¿Qué fue exactamente lo que vio?*

▷ *Pues lo que vi fue cómo lo* **bajaban** *del coche, lo* **ataban** *a ese árbol, le* **echaban** *un cubo de agua por la cabeza y, luego, volvían a meterse en el coche como si tal cosa, y* **salían** *zumbando calle abajo.*

Fue *una noche horrible: no* **vimos** *la lluvia de estrellas,* **hizo** *un frío tremendo y no* **paró** *de llover.*

La idea del *hecho principal* o *fundamental* en indefinido es también resbaladiza. Imaginémonos que alguien pierde a su hijo de cuatro años en la montaña. Llaman a la Guardia Civil, que se persona en casa de la familia para comenzar las diligencias de búsqueda. Pero afortunadamente, ocurre lo siguiente:

Cuando la Guardia Civil **llegó**, *Manolito ya* **estaba** *en casa.*

Aquí la pregunta sería que cuál es el hecho fundamental de la historia, ¿la llegada de la Guardia Civil o que el niño estaba ya en casa? Evidentemente, esto último. Y siendo la acción principal de la historia –no solo en términos absolutos, también es el verbo de la oración principal– el verbo aparece en imperfecto.

b. Otro valor asignado a los tiempos de pasado por la gramática de bolsillo es *referirse a la duración de la escena: los imperfectos* 'cantaba' *son mucho más longevos que los indefinidos* 'canté'. Si observamos qué es lo que efectivamente ocurre, concluiremos que la realidad es bien distinta, que los hechos evocados mediante imperfectos pueden ser instantáneos y los evocados mediante indefinidos extenderse durante grandes cantidades de tiempo:

Fue Federico quien se llevó el reloj. Yo vi como se lo **guardaba** *en el bolsillo.*

Y **vivieron** *felices.*

El universo siempre **manifestó** *luz.*

c. Otra enseñanza de bolsillo es que *el imperfecto expresa una costumbre, algo que se repite, mientras que el indefinido hace referencia a un hecho único.* Sí, es cierto. Pero también es cierto al revés:

El 21 de julio de 1969, en torno a las 3 de la madrugada, Neil Armstrong **pisaba** *la luna y* **pronunciaba** *su famosa frase…*

Los responsables de la investigación han confirmado que en el pasado el agua **corrió** *en abundancia por Marte.*

6.1.3.3. *Tercer problema: cuando falta el valor operativo o significado de sistema*

Finalmente, el último problema de la vía de asalto discursiva-funcional es mucho más breve de enunciar: aun cuando el aprendiente fuera capaz de manejarse comunicativamente decidiendo, en décimas de segundo, cuál de las ocho funciones está poniendo en marcha, aun cuando esas ocho funciones estuvieran perfectamente definidas, seguiría existiendo una pregunta en el aire: ¿Qué tienen que ver los hechos no terminados con las costumbres y con las descripciones? Efectivamente, creemos que al alumno le falta una explicación que le permita coordinar desde un punto de vista lógico todo eso. Y creemos que tiene que existir esa explicación, porque de lo contrario, no tendría sentido que todas esas funciones se expresaran mediante un mismo morfema.

6.1.4. Imperfecto, ¿una acción no terminada?

Un último caso de regla *ad hoc* dice que *mientras que el imperfecto hace referencia a acciones que continúan, el indefinido hace referencia a acciones completas.* Esta afirmación es cierta solo a medias. Es cierto que toda acción presentada por el indefinido lo hace desde la perspectiva de su aspecto terminativo, pero no lo es que el imperfecto hace justo lo contrario.

Emilio Alarcos (1980) señala que el imperfecto y el indefinido forman una oposición aspectual, donde el indefinido es el término marcado, ya que señala siempre que la acción ha concluido, mientras que el imperfecto es el término no marcado, lo que quiere decir que puede interpretarse como una acción acabada o no acabada, según el contexto. En el siguiente ejemplo se interpretaría como una acción acabada y, entonces, estaríamos ante una *neutralización aspectual*:

> *Al amanecer salió el ejército, atravesó la montaña y poco después **establecía** contacto con el enemigo.*
>
> *Al amanecer salió el ejército, atravesó la montaña y poco después **estableció** contacto con el enemigo.*

Pero esta explicación plantea varios problemas. El primero es el concepto de *neutralización*: en lingüística estructural, cuando un elemento no presenta el rasgo previsto por el gramático, se dice, simplemente, que se ha *neutralizado*, concepto que tiene su origen en la fonología: la palabra 'mar' da lo mismo que se pronuncie con una erre simple o una erre múltiple, en posición implosiva (al final de sílaba) esos dos fonemas se neutralizan, no así en posición intervocálica: *mira / mirra.* Pero en nuestra opinión, que eso ocurra en el nivel fonológico no justifica la «desaparición» de la validez de la regla gramatical previamente establecida. Si esto fuera así, el concepto de neutralización vendría a convertirse en una especie de licencia poética, un as bajo la manga. Y además, en una neutralización fonética el mensaje no se ve alterado de manera alguna. Pero en el caso que nos ocupa, el mensaje sí que se ve alterado en función de la presencia de una u otra forma: el primer ejemplo, con imperfecto, remite a una imagen lingüística; el segundo ejemplo, con indefinido, a otra, por lo tanto el recurso de neutralización no nos parece una resolución satisfactoria al problema.

Por otro lado, si el imperfecto puede tener una interpretación terminativa o no terminativa en función del contexto, o del propio significado del verbo, es porque se trata de una forma *vacía* de carga aspectual: así, lo contemplaríamos no como un término no marcado de la oposición aspectual, sino como una forma que, por carecer de aspecto, no puede oponerse aspectualmente a ninguna otra forma. Pero creemos que esto ocurre no solamente con el imperfecto: ninguno de los tiempos verbales simples aporta información sobre la conclusión o no de la acción que evocan. De las formas simples, solo el indefinido codifica información aspectual.

Esto se debe a la propia naturaleza del indefinido, a su valor de operación, o lo que es lo mismo, a su significado de sistema: el indefinido tiene la particularidad de incluir en su foco la conclusión del proceso y es la única forma simple que hace eso. De ahí obtiene su valor aspectual, que también puede formularse en clave espacial: el indefinido incluye el «tramo final» del proceso.

6.2. Una propuesta para enfrentarse al problema

A Andrés Bello, que publicó su famosa *Gramática de la lengua castellana destinada al uso de los americanos* allá por 1847, no se le podía pedir que prescindiera de una concepción temporalista del sistema verbal que siglo y medio más tarde continúa dominando el panorama teórico. Pero la aparición de nuevos posicionamientos teóricos nos permite intentar, al menos, dar nuevas explicaciones a problemas viejos. Veíamos en las oraciones condicionales, que las diferencias fundamentales entre los llamados tiempos verbales no son tanto de *tiempo*, sino que subyace en ellos una noción de *espacio*, que sirve para que el hablante se acerque o aleje virtualmente de las escenas de referencia, para que se incluya, metafóricamente, en dicha escena, o para situar esta en un espacio virtual alejado del hablante.

El alejamiento discursivo puede deberse a gran cantidad de motivos, puede deberse a la sugestión temporal en la que vivimos inmersos, según la cual entendemos que un hecho ha quedado «atrás en la línea del tiempo» (*Quería* preguntarte algo, pero ya no hace falta); puede deberse a que el hablante presenta los hechos como contrafactuales, alejados de su espacio epistémico inmediato, el de lo real y tangible (*Yo de ti me lo* **pensaba**); puede deberse a que la escena tiene lugar en otros planos de percepción, como el onírico (*Entonces* **llegabas** *tú y me* **decías**...); puede deberse a que deseamos distanciarnos de nuestra propia declaración (*Creo que el partido* **era** *luego, a las diez* o bien ¿*Ese no se* **llamaba** *Javier?*), y puede deberse a que, mentalmente, representamos a un individuo en un espacio alejado del nuestro y, con él, todos sus atributos (*Mi primera mujer* **era** *ingeniera*), atributos que nada impide que siga poseyendo. El alejamiento discursivo también puede deberse a que buscamos un descenso en la vehemencia del mensaje y, por ello, nos alejamos de nuestra propia declaración (***Quería** hablar con usted, si* **tuviera** *un minuto*), o puede deberse a que los niños, que poseen un impecable conocimiento implícito de las leyes de la lengua que hablan, separan instintivamente la realidad inmediata del mundo de los juegos (*Tú* **eras** *El Zorro y yo Spiderman*). El alejamiento discursivo puede deberse a alguno de esos motivos o a otros muchos.

Teniendo en cuenta el principio que proponemos, es lógico que nuestra perspectiva sobre las diferencias entre imperfecto e indefinido no coincida demasiado con las propuestas de Andrés Bello. Más que en la ubicación de cada uno de estos tiempos en la línea temporal, pensamos que el concepto de *imagen lingüística*, que vimos en el Capítulo II («Gramática y perspectiva», 1.3.), es el que mejor puede explicar las diferencias entre uno y otro: el imperfecto ofrece una perspectiva de la acción que evoca y el indefinido ofrece otra perspectiva diferente. Mientras que el imperfecto nos permite contemplar la acción desde *dentro* del espacio epistémico en el que la acción se realiza, el indefinido nos sitúa *fuera* de ese espacio. Dicho de otra manera, el imperfecto nos permite ver el desarrollo de la acción desentendiéndose del final; el indefinido, en cambio, presupone el proceso y dirige su foco hacia el final del mismo. Con un ejemplo quedará más claro:

*En el minuto 79, Fabito **marcaba** el tercer gol de su equipo.*

*En el minuto 79, Fabito **marcó** el tercer gol de su equipo.*

En los dos casos, nos encontramos ante una acción que ha concluido. En el caso del imperfecto lo sabemos porque podemos deducirlo por lógica elemental: para llegar a marcar un gol, el balón tiene que atravesar la línea de meta. En el caso del indefinido, además de la lógica, contamos con el valor aspectual del indefinido, que ensancha su foco hacia el tramo final de la acción, confirmando que esta fue consumada. Cuando el contexto o la inferencia lógica no son suficientes para aclarar tal extremo, resulta más que evidente el valor aspectual terminativo que el indefinido posee. *¿Dónde vive Alberto?*:

*Yo sé que **vivía** en Requena.*

*Yo sé que **vivió** en Requena.*

En el ejemplo del delantero Fabito, no parece que el imperfecto sea más copretérito de lo que pueda serlo el indefinido: las dos acciones son simultáneas a un momento determinado del pasado, que es el minuto 79 del partido. En el ejemplo de Alberto, tampoco es más pretérito o copretérito uno que otro, en el primer caso *vivía mientras vivía* y en el segundo, *vivió mientras vivió*. Lo que creemos que ocurre en ambos casos es que mientras el imperfecto nos ofrece una perspectiva procesual del gol de Fabito y de la vida de Alberto en Requena, como si estuviéramos acompañando desde *dentro* ambos procesos, el indefinido nos ofrece el resultado final, la garantía de que el hecho fue consumado y podemos observar todo el proceso desde *fuera*.

Bello, al hablar de copretérito, sentía que en el imperfecto había «algo» acompañando a la acción pretérita. Desde su óptica temporalista, Bello supuso que ese algo era algún punto de referencia temporal o alguna otra acción, en definitiva, alguna otra entidad lingüística identificable dentro del contexto en el que tuvieron lugar los hechos. Desde nuestra perspectiva, ese algo que Bello presentía es el propio hablante, que se «introduce», virtualmente, en la escena a la que se hace referencia, como observador interno del proceso.

6.2.1. Revisión operativa de las funciones en el discurso del imperfecto y el indefinido

Vamos a revisar los planteamientos de la vía discursiva-funcional e intentaremos, desde el prisma de la imagen lingüística *dentro-fuera*, darle un sentido unitario a las funciones del imperfecto y del indefinido.

6.2.1.1. *Referirse a la duración de la escena: larga-corta*

La tradición didáctica del imperfecto-indefinido dice que los imperfectos duran más que los indefinidos, aunque ya vimos que tal afirmación presenta problemas explicativos, ya que los indefinidos pueden referirse a acciones extremadamente prolongadas y los imperfectos a otras extremadamente breves. Veamos en el cuadro A los ejemplos de bolsillo clásicos y en el B los contraejemplos, todos ellos ya vistos anteriormente:

A	Yo **comprendía** por lo que estaban pasando. Yo **comprendí** por lo que estaban pasando.
B	Fue Federico quien se llevó el reloj. Yo vi como se lo **guardaba** en el bolsillo. Y **vivieron** felices.

Independientemente de la mayor o menor duración de las acciones, parece claro que el imperfecto nos muestra al que habla *dentro del proceso de comprender* por lo que los otros están pasando y a Federico guardándose el reloj en el bolsillo: estamos observando el proceso mientras tiene lugar, desde dentro. La naturaleza procesual y visual del imperfecto es tan marcada que en el ejemplo de Federico el imperfecto aparece asociado a una noción de percepción visual, en este caso, introducida en el discurso por el mismo verbo 'ver' u otro similar: percibir, notar, observar…

En cualquiera de las dos situaciones, el hablante se ha introducido virtualmente *dentro* del espacio epistémico en el que ocurre la escena evocada, como si pudiera verla, y nosotros con él. En cambio, el indefinido no tiene ese valor procesual, no acompaña los hechos, no nos permite verlos en su desarrollo. Con el indefinido llegamos hasta el punto final del proceso. En el primer ejemplo sabemos que la persona que habla llega a entender un hecho, en el segundo, que los sujetos de la acción murieron siendo felices. El indefinido ofrece una perspectiva del hecho desde *fuera*, nos muestra el resultado final.

6.2.1.2. *El imperfecto se refiere a algo que se repite, el indefinido a un hecho único*

Como ya habíamos visto, esto es tan posible como que ocurra justo lo contrario, es decir, que sea el indefinido el que exprese la costumbre y el imperfecto el que haga referencia a hechos únicos y puntuales:

A	Alberto **iba** a visitar a su tío por Navidad. Alberto **fue** a visitar a su tío por Navidad.
B	El 21 de julio de 1969, en torno a las 3 de la madrugada, Neil Armstrong **pisaba** la Luna y **pronunciaba** su famosa frase… Y **comieron** perdices. Los responsables de la investigación han confirmado que en el pasado el agua **corrió** en abundancia por Marte.

Cuando se asegura que el imperfecto expresa repetición o costumbre, se parte de una suposición gratuita: se supone que es ese tiempo verbal, y no el contexto, lo que genera la noción de repetición o costumbre. Si lo pensamos bien, el ejemplo anterior, *Alberto iba a visitar a su tío por Navidad*, podría integrarse en multitud de contextos diferentes:

Alberto iba a visitar a su tío por Navidad *cuando le robaron la cartera.*

En mi sueño ***Alberto iba a visitar a su tío por Navidad***.

Alberto iba a visitar a su tío por Navidad *todos los años*.

▶ ***Alberto iba a visitar*** *a su tío pronto*.

▷ *Anda ya, eso no te lo crees ni tú, hombre. Si no se pueden ni ver.*

Aunque un hablante en una conversación pronunciara la frase *Alberto iba a visitar a su tío por Navidad*, sin añadir nada más, habría que recurrir al contexto general en el que ha sido dicha para saber a cuál de los cuatro casos anteriores (o a otros posibles) responde. Solo el último se interpretaría como una costumbre o repetición, pero lo mismo ocurriría empleando el indefinido:

*Alberto **fue** a visitar a su tío por Navidad todos los años.*

Parece entonces que la noción de repetición o costumbre viene dada por la locución adverbial *todos los años*, no por el tiempo verbal concreto que el hablante emplea. Pero por otro lado, intuitivamente, sentimos que es más frecuente emplear el imperfecto cuando nos referimos a costumbres y repeticiones que emplear indefinido, y si ni uno ni otro tiempo expresan repetición en sí mismos, ¿por qué ocurre esto?

La explicación que proponemos se basa en la misma idea de la que venimos hablando: el imperfecto nos muestra la acción en su proceso, mientras ocurre, vista desde dentro. El indefinido se desentiende del proceso, nos muestra la acción vista desde fuera. Y de una costumbre o una repetición lo que más comúnmente nos interesa es, precisamente, el proceso, la acción mientras ocurre. Lo normal es, por tanto, que al hablar de costumbres y repeticiones, además de hacer referencia más o menos explícita a que es algo que ocurre *continuamente, todo el tiempo, con frecuencia, todos los años, etc.*, empleemos el tiempo verbal que permite ver, virtualmente, el proceso, la acción mientras ocurre, no la acción cuando concluye. Y esto sin menoscabo de poder presentar las costumbres o repeticiones desde fuera, ya acabadas y cerradas, cosa que ocurre cuando el hablante quiere presentar la costumbre o repetición como un hecho cerrado e inalterable, visto desde fuera:

Vivieron *felices*.

La felicidad que, repetida y habitualmente, sintieron los sujetos durante su vida, no es susceptible de cambio. Sin embargo, esto otro, siendo también una costumbre, tiene un final abierto, por lo tanto, incierto:

Vivían *felices*.

Volvemos al ejemplo del delantero Fabito que marcó un gol en el minuto 79:

*En el minuto 79, Fabito **marcaba** el tercer gol de su equipo.*

Aquí, dado el aspecto léxico puntual del verbo 'marcar', entendemos que el hecho es también inalterable, tanto como si se hubiera empleado un indefinido para referirnos a la misma circunstancia, cosa que no ocurre cuando empleamos un verbo con un aspecto léxico durativo, como 'vivir'. Pero lo que tiene en común el ejemplo del gol en el minuto 79 con el anterior *Vivían felices* es que, en ambos casos, y en virtud del imperfecto, nos colocamos dentro del proceso: podemos ver cómo Fabito marca el gol y podemos ver cómo el Príncipe Azul y la Bella Durmiente –por ejemplo– viven felices.

6.2.1.3. *El imperfecto hace referencia a acciones inacabadas, el indefinido a acciones acabadas*

Ya vimos que esto es frecuente, pero no constante. Es constante que el indefinido muestre el final de las acciones, pero no que las acciones en imperfecto estén necesariamente por concluir.

A	El abogado **comía** tranquilamente.
	El abogado **comió** tranquilamente.
B	Al amanecer salió el ejército, atravesó la montaña y poco después **establecía** contacto con el enemigo.
	Al amanecer salió el ejército, atravesó la montaña y poco después **estableció** contacto con el enemigo.

Nuestra explicación la hemos anticipado en el punto anterior: la imagen lingüística asociada al imperfecto nos ofrece una perspectiva procesual del establecimiento de contacto: nos metemos dentro de la escena y es como si pudiéramos ver el proceso. No es de extrañar que este recurso sea de empleo frecuente en el ámbito periodístico, en el que lo visual tiene tanta importancia. En cambio, el indefinido nos muestra la acción completa, vista desde fuera.

6.2.2. Aspecto, mentiras y cintas de vídeo

Cuando tratamos de hacer comprender con dibujos (como tantas veces hacemos los profesores) la diferencia entre 'salía' y 'salió', nuestra tendencia natural a interpretar los mensajes holísticamente (atendiendo al significado final que la forma adquiere en el contexto) nos puede llevar a un lugar equivocado. Incapaces de desprendernos de las peligrosas ideas de duración del imperfecto o la contraria de puntualidad del indefinido, podemos concluir, por ejemplo, que el imperfecto es como una 'película' y el indefinido, una 'foto'. Algo así:

En el preciso momento en que le saqué esta foto, el chico...

...estaba saludando.

...estaba en la puerta.

...tenía la mano alzada.

...sabía que estaban fotografiándolo.

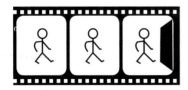

(a) *El chico **salía**.*

(b) *El chico **salió**.*

Al igual que puede suceder en el ámbito social, en el aula la primera impresión es muchas veces la que cuenta. Pero al igual que sucede en estos ámbitos, en gramática no siempre debería ser así, ya que tarde o temprano nos podemos ver obligados a corregir nuestras apresuradas impresiones. Tratemos, pues, de sobreponernos a esta primera impresión superficial para obtener una segunda impresión, un poco más centrada en el significado de la forma en sí misma, es decir, un poco más «gramatical»: ¿Qué representa, *en rigor*, la 'foto' (b)? Una respuesta posible es *Representa a un chico que salió*. Si esta es la opción del lector, le pedimos que repare en la evidencia de que *una sola foto de un chico saludando al lado de una puerta* no nos dice que *saliera*: en primer lugar, podía haber llegado de cualquier lugar, no necesariamente del interior de la pieza; en segundo lugar, y esto es mucho más importante, la imagen no nos muestra esa acción de *salir* ejecutada al completo, que para cualquier nativo representa automáticamente la forma 'salió'.

Lo que representa esa foto, *en rigor*, es un chico saludando. En términos gramaticales, pues, el pie de foto no puede ser técnicamente *salió*, y sí, en cambio, cualquiera de estos:

En el preciso momento en que le saqué esta foto, el chico...

*...**estaba** saludando.*

*...**estaba** en la puerta.*

*...**tenía** la mano alzada.*

*...**sabía** que estaban fotografiándolo.*

Es decir, solo imperfectos. Porque, contrariamente a lo que podríamos pensar, en términos gramaticales es el imperfecto el que más se parece en su capacidad de representación a una foto, o mejor, a un fotograma: nos hace ver lo que está pasando en la historia *en un momento determinado*. ¿Por qué, entonces, nos hemos dejado seducir tan fácilmente por la correspondencia de la imagen (a) con el imperfecto? El problema es sencillo y la solución al problema, fácil.

Pongamos que es el imperfecto el que significa 'foto'. Aplicado sobre un verbo de significado léxico dinámico como 'salir' (que implica un proceso y un resultado), la idea de tiempo nos cautiva antes que nada y, por eso, necesitamos representárnoslo en una secuencia que incluya ese sentido de *duración*. Sin embargo, el imperfecto de 'salir' es igual que el imperfecto de, pongamos, 'ser' o 'tener', y el hecho es que cuando lo aplicamos a verbos de significado estático, una sola 'foto' nos basta:

Era Jorge.
Tenía la mano hinchada.

Es decir, que no siempre podemos identificar al imperfecto con películas, pero en cambio sí podemos identificarlo siempre con fotogramas. Dependiendo del tipo de hecho al que nos estemos refiriendo, a veces un solo fotograma será suficiente (como en las identificaciones o las declaraciones de estado), a veces 'veremos' varios seguidos (como en las descripciones de un proceso en marcha) y a veces 'veremos' muchos desordenados (como en las referencias a la habitualidad). Pero hay que notar que esta diferencia no reside en el imperfecto, que es siempre el mismo, sino en la duración temporal que otorgamos a cada hecho:

Estaba *en la calle...*   **Salía** / **Estaba** *saliendo...*   **Salía** *siempre a las cuatro...*

 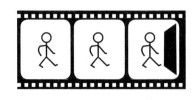 

O entendiendo la lengua con la propia lengua: ¿por qué se puede decir *Este de la foto* **era** *el novio de Alicia*, pero no se puede decir *Este de la foto* ***fue** *el novio de Alicia*? ¿Por qué se puede decir *En esta foto* **estaba** *yo en Baltimore*, pero no se puede decir *En esta foto* ***estuve** *yo en Baltimore*?

Y ahondando un poco más en las fibras del sistema: ¿por qué en todos los casos se puede usar el presente (**Estoy** *yo en Baltimore,* **Es** *el novio de Alicia)*?

Fácil: porque el imperfecto de indicativo tiene las mismas características del presente de indicativo, solo que las traslada a un espacio–tiempo alejado del hablante. El imperfecto se basa en el mismo punto de vista limitado al interior (*desde dentro*) que ejecutamos con el presente de indicativo:

Este de la foto...

...***fue** *mi primo.*
..**era** *mi primo.*
...**es** *mi primo.*

Evidencias más que suficientes, parece, para sospechar fuertemente que la idea del imperfecto como 'foto' será mucho más productiva que la idea del imperfecto como 'película': a veces necesitaremos solo un fotograma para ilustrar un imperfecto, a veces tres y a veces 24 por segundo, haciendo, es cierto, *una película*. Solo que una película *sin final*. ¿Quién pone el final?

Evidentemente, el indefinido, cuyo significado perfectivo implica que el hecho está *ya ejecutado en el momento de la historia en que nos encontramos*. Cuando oímos 'salió' podemos *ver* en nuestra mente al sujeto moviéndose hacia una puerta y *culminando la salida*. Esto sí es *una verdadera 'película'*, al menos en dos sentidos:

- exige un *proceso* hacia un final (los hechos que representamos con imperfecto no siempre implican un proceso) y, sobre todo,

- como en el final de una película, proporciona al hecho que se representa un rótulo *Fin* (el hecho llega a su culminación). Gráficamente:

Salió...

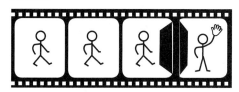

En definitiva, no cabe duda de que el recurso a la imagen es un instrumento de comprensión lingüística extraordinariamente eficaz, ya que pone en juego el *mentalés*, es decir, lo que cualquier estudiante, sea cual sea su lengua materna, puede comprender como lógico en la tarea de «representar la realidad»[15].

Si la metáfora cinematográfica ha de resultar útil y llevar al estudiante a la decisión adecuada, es de temer, sin embargo, que los conceptos de foto y película deberán ser adecuados a la realidad gramatical del contraste, y no a una simple intuición holística que mezcle valores gramaticales y contextuales a discreción. De lo contrario, el aprendiente no alcanzará a hacerse con el significado que automáticamente los nativos damos al contraste. No podrá extender operativamente la metáfora con éxito en todos los casos. Es más: probablemente no parará de decir cosas como que *Anoche me duchaba con mi novio*, movida comprensiblemente por el carácter fílmico de la escena y su duración, o que *Mi primera casa estuvo en la montaña*, ya que en buena ley lo que este recuerdo le evoca se identifica a la perfección con el sentido más común de lo que conocemos como 'foto'.

6.3. Por la vía rápida: ficha-resumen

Veamos a continuación los aspectos más relevantes analizados en estas páginas sobre el imperfecto-indefinido:

- El imperfecto nos muestra **la acción desde dentro**, en su proceso.

    Aparicio salía de su casa en ese preciso momento (se representa a Aparicio saliendo).

- El indefinido nos muestra **la acción desde fuera**, ya acabada.

    Aparicio salió de su casa en ese preciso momento (se representa a Aparicio ya fuera).

- **El imperfecto no es, necesariamente, una acción por concluir**: es una acción cuyo final no se menciona, pero que puede estar implícito en la propia lectura de la escena.

    Una hora más tarde de lo previsto, por causa de la nube volcánica, salíamos del aeropuerto de El Prat.

- **Concepto de imagen lingüística**: en ocasiones, el imperfecto y el indefinido se diferencian no por hacer referencia a escenas objetivas diferentes, sino por representar desde ángulos diferentes la misma escena.

    a. *Mi abuelo era un hombre muy simpático. Hace cinco años que murió.* La perspectiva nos permite ver la acción **desde dentro**, como si pudiéramos ver mentalmente a esa persona interactuando con la simpatía que le caracterizaba.

---

15 Para ejemplos de evidencias experimentales a favor del uso de imágenes en la enseñanza de lenguas véase Tyler, 2012.

b. *Mi abuelo fue un hombre muy simpático. Hace cinco años que murió.* La perspectiva nos muestra la acción **desde fuera**. No vemos a la persona interactuando, simplemente se menciona una propiedad ya concluida.

c. *En el minuto 79 Fabito marcaba el tercer gol de su equipo.* La perspectiva nos permite ver la acción **desde dentro**, como si pudiéramos ver mentalmente a esa persona empujando el balón al fondo de la portería o arco. Veo a Fabito marcando el gol, por tanto, es una perspectiva procesual del pasado.

d. *En el minuto 79, Fabito marcó el tercer gol de su equipo.* La perspectiva nos muestra la acción **desde fuera**. No vemos a la persona marcando el gol, simplemente se presenta la acción como concluida, el gol ya marcado. Veo el gol marcado de Fabito, por tanto, es una perspectiva terminativa del pasado.

- **El imperfecto puede tener muchas funciones**, que nada tienen que ver con la expresión de pasado.

> **Quería** hablar con usted, si **tuviera** un minuto (lo sigo queriendo).
>
> Yo lo **mataba** (igual que cuando se dice *es para matarlo*, ahora mismo).
>
> Creo que el partido **era** luego, a las diez (el hablante se refiere a un momento futuro).
>
> Tú **eras** El Zorro y yo Spiderman, ¿vale? (lo empezamos a ser).

En nuestra opinión, ello se debe a que, como ya hemos comentado en otras ocasiones, **los tiempos verbales no expresan, esencialmente**, *tiempo*. **Imperfecto e indefinido no expresan** *tiempo pasado*, sino *espacio alejado*.

Las motivaciones del hablante para presentar la escena como *alejada* **son múltiples**: por supuesto, puede deberse a que percibe un *alejamiento* en la línea temporal (lo que tradicionalmente llamamos 'pasado'). Es muy frecuente que esto ocurra y es esa, precisamente, la base del tradicional modelo temporalista. Pero luego encontramos multitud de motivaciones que nada tienen que ver con el *alejamiento temporal* y sí con el *alejamiento* a secas. Un buen ejemplo de esto es el *alejamiento contrafactual*, que consiste en alejar los hechos del espacio epistémico de lo *real*, de lo que *ocurre* y situarlos en el espacio alejado de la realidad, por tanto *irreal*:

> Qué pesadez de música. **Cogía** ese transistor y lo **tiraba** por una ventana.

- En cambio, **el indefinido**, al presentar los hechos desde fuera, y por lo tanto, como perfectamente acabados, solo puede expresar un tipo de alejamiento: el temporal. Si los hechos se presentan como acabados, entonces tuvieron lugar y es imposible el *alejamiento contrafactual* o una lectura de *alejamiento de cortesía*:

> **Quise** hablar con usted.
>
> **Cogí** ese transistor y lo **tiré** por la ventana.
>
> Creo que el partido **fue** luego, a las diez.
>
> Mi primera mujer **fue** ingeniera.
>
> Tú **fuiste** El Zorro y yo Spiderman.

7. Las perífrasis verbales

7.1. Cuestiones previas

Comencemos por delimitar el campo en el que nos movemos: ¿Qué entendemos por perífrasis verbal? Veamos lo que dice el *Esbozo* (p. 444-445):

> *Definiciones.* — a) *Cuando un verbo forma parte de determinadas perífrasis o sintagmas fijos que pueden afectar a todas las formas de su conjugación, se producen en el significado del verbo ciertos matices o alteraciones expresivas. Damos a estos sintagmas el nombre de perífrasis* […].

> *Verbos auxiliares.* — *Decimos que un verbo desempeña la función de auxiliar cuando, al encabezar una perífrasis verbal, pierde total o parcialmente su significado propio. Si decimos* Voy a contestar esa carta, *el verbo* ir *es auxiliar, porque no conserva su acepción de movimiento de un lugar a otro, como no la conservan tampoco los verbos* andar *y* venir *en las expresiones* Andaba mirando las láminas de un libro, Venía sospechando de este hombre. *Asimismo* deber *se ha vaciado de su sentido obligativo para cumplir el papel auxiliar en la frase* Deben ser las diez, *y el verbo* tener *se ha despojado de toda significación posesiva en* Se lo tengo rogado. *Como todos estos verbos (con la excepción de* haber*) conservan en la lengua moderna su significado propio, habrá que decidir, en cada oración donde aparezca una de tales perífrasis, si su significación ha desaparecido u oscurecido en grado suficiente para estimarlos como verbos auxiliares.*

Por su lado, la *Nueva Gramática* (p. 529) insiste en la misma línea argumentativa, cuando lo lógico sería abandonar de una vez toda referencia a pérdidas de valores semánticos cuando se habla de perífrasis verbales:

> *Se denominan* PERÍFRASIS VERBALES *las combinaciones sintácticas en las que un verbo* AUXILIAR *incide sobre un verbo* AUXILIADO, PRINCIPAL O PLENO, *construido en forma* NO PERSONAL *(es decir, en infinitivo, gerundio o participio), sin dar lugar a dos predicaciones distintas* […]. *Muchos verbos auxiliares son el resultado de un proceso de* GRAMATICALIZACIÓN *a través del cual han sufrido modificaciones en su significado y en su forma de combinarse, aunque con frecuencia se siguen percibiendo restos de las propiedades que poseen cuando funcionan como unidades autónomas. Así, «llegar a + infinitivo» (*Llegó a ser ministro*) expresa el estadio final de una sucesión porque en su uso no perifrástico* llegar *expresa también la acción de alcanzar algún destino.*

Pero ante estas caracterizaciones hechas en diferentes momentos de la historia por la RAE, nos surgen las siguientes preguntas:

a) La *Nueva Gramática* nos dice que en los verbos auxiliares *con frecuencia se siguen percibiendo restos de las propiedades que poseen cuando funcionan como unidades autónomas.* Pero, ¿se trata solo de restos? Porque el término 'restos' invoca al de pérdida de significado, en la misma línea que en el *Esbozo*. Además, ¿tiene sentido que hablemos de «propiedades» de una palabra, como si se tratara de un elemento químico o de una planta, o más bien de «significado»? Y por último, ¿hasta qué punto es plausible realizar una medición de pérdida de significado original? ¿Cuáles son los criterios que nos permitirían establecer que el significado del verbo se ha oscurecido lo suficiente como para estimarlo, o no, elemento perifrástico? No nos parece fácil responder a estas cuestiones, sobre todo tratándose de un nivel tan afín a las traslaciones y amplificaciones como el semántico. Además, previamente habría que decidir *qué* significa esencialmente un verbo, y eso nos parece aún más complicado, ya que para el verbo 'ir', pongamos por caso, el propio *Diccionario de la lengua española* (2001[16]) de la RAE (en adelante *DRAE*), nos ofrece nada menos que 38 acepciones. ¿Cuál de las 38 es el significado «propio» de 'ir'?

b) Si el verbo 'ir' o 'andar' han perdido su significado propio, ¿cómo es posible que signifiquen cosas diferentes las siguientes oraciones?:

Voy preguntando a la gente lo que va a hacer.

Ando preguntando a la gente lo que va a hacer.

Nos parece justificado pensar que, como mínimo, algún resto de significado deben mantener los verbos 'ir' o 'andar' en esas oraciones, cuando las podemos entender de manera distinta: mientras que en el primer ejemplo alguien nos comunica que se va a poner manos a la obra, que va a comenzar a informarse de qué intenciones tienen los demás, en el segundo alguien nos informa de algo que ya viene haciendo desde hace algún tiempo. Si los verbos auxiliares no conservaran su significado original, la lógica parece exigir que los dos ejemplos fueran sinónimos, lo que a fin de cuentas, vendría a suponer que todas las perífrasis con un mismo esquema estructural (por ejemplo, verbo + gerundio) tuvieran el mismo significado.

Por otro lado, lo más probable es que, si aún poseen algún tipo de significado, dicho significado sea un trazo de su significado propio. Sería realmente sorprendente que tomaran un significado que les fuera ajeno.

c) Y en última instancia, ¿estamos plenamente seguros que el verbo 'ir' en la oración *Voy a contestar esa carta* ha perdido su acepción de movimiento de un lugar a otro? Desde nuestro punto de vista, no es exactamente eso lo que ha ocurrido. Piénsese, simplemente, en que esa frase fuera la respuesta a la pregunta *¿Adónde vas?*

7.2. Los problemas del docente y del alumno: la definición de la perífrasis

La definición clásica de perífrasis nos enfrenta a problemas con visos de no dejar resolverse con facilidad, por lo que nos parece interesante intentar reformular la definición de perífrasis. Quizá sea suficiente —y lo más coherente, puesto que la perífrasis se halla en un nivel de descripción morfosintáctico— prescindir por completo de la caracterización semántica y quedarnos, justamente, con la morfosintáctica. De esta manera, una perífrasis sería un núcleo de sintagma verbal compuesto por dos o más verbos, de los que solo uno concuerda morfológicamente con el sujeto.

Ahora bien, para explicarnos cómo han llegado a unirse esos verbos entre sí —esos y no otros— y qué significado se transmite mediante el empleo de toda la secuencia, el

---

16 Versión electrónica del *DRAE* en proceso de actualización.

criterio formal creemos que resulta insuficiente: nada en la propia estructura justifica o exige la asociación de esos verbos y no otros. Desde otro posicionamiento teórico, basado en la lingüística cognitiva, contamos con un instrumento de análisis lógico y lingüístico del que ya hemos hablado en varias ocasiones: la metáfora conceptual, que creemos nos permite explicar la perífrasis verbal como un ejemplo de orfebrería lingüística. Las perífrasis son metáforas cotidianas, que convierten las acciones, a veces, en espacios y, a veces, en objetos; que se transforman bien en origen o meta de un movimiento, o bien en pertenencias o en deudas, y que, en definitiva, nos ayudan a generar significado sin necesidad de crear nuevos morfemas.

7.2.1. El caso concreto del verbo *ir*: la subjetivación

Volvamos al caso del verbo 'ir'. Por no extendernos innecesariamente, vamos a tomar solamente las primeras cinco acepciones que el *DRAE* proporciona para esta entrada:

1. *intr. Moverse de un lugar hacia otro apartado de quien usa el verbo ir y de quien ejecuta el movimiento. U. t. c. prnl.*

2. *intr. Dicho de una cosa: Sentar bien o mal a algo o a alguien. Una blusa negra no le va a esa falda*

3. *intr. Caminar de acá para allá.*

4. *intr. Dicho de una persona o de una cosa: Diferenciarse de otra. ¡Lo que va del padre al hijo!*

5. *intr. Dirigirse, llevar o conducir a un lugar apartado de quien habla. Este camino va a la aldea.*

La primera acepción y la tercera son bastante semejantes, remiten a la noción de movimiento en su sentido literal. En cambio, si no fuéramos capaces de reconocer de manera implícita el valor metafórico de la acepción 2 (*Una blusa negra no le va a esa falda*), entonces habría que considerar que estamos ante dos verbos homógrafos, porque en el caso de la blusa y la falda, el movimiento no aparece por ningún lado. O, al menos, no en sentido literal. En esa acepción, el verbo 'ir' podría glosarse por algo así como 'combinar/cuadrar/hacer juego', nada de desplazarse de un lugar a otro.

Entonces, ¿por qué el *DRAE* desestima que el verbo 'ir' de la acepción 2 sea un homógrafo del de la acepción 1 o 3? Sin duda, porque los autores de la entrada entienden que el verbo 'ir' se ha empleado de manera metafórica. En este caso, la falda se ha convertido en un espacio-destino, hacia el que la blusa negra, metafóricamente, *no se mueve*, lo cual el oyente interpreta como *dos elementos que no gravitan en la misma órbita*, cosas que no *acompañan* una a la otra, que no *conectan*.

¿Qué podemos decir de las otras acepciones? Para que nos resulte más fácil entender la 4 (*¡Lo que va del padre al hijo!*), vamos a comenzar por la acepción 5 (*Este camino va a la aldea*), ya que en él encontramos otra curiosa propiedad del lenguaje de la que todavía no hemos hablado. Se trata del concepto de *subjetivación* (Langacker, 1987), que se da cuando, en la reinterpretación de la escena objetiva, inciden aspectos relacionados con el propio sujeto. Castañeda (*op. cit.*, p. 14) ofrece un ejemplo muy ilustrativo de subjetivación:

La colina se eleva suavemente.

A menos que hablemos de orogenias –que no es el caso–, las colinas permanecen estáticas, no se elevan. Lo que se eleva es la vista del sujeto, que traslada a la representación de la escena objetiva ese movimiento ascendente que experimenta mediante su percepción visual. Pues bien, lo mismo ocurre en la acepción 5 (*Este camino va a la aldea*) del *DRAE*: los caminos no van a ningún sitio; al igual que las colinas, permanecen estáticos, los que se mueven son los caminantes. Y teniendo en cuenta lo dicho, el espacio que media entre padre e hijo –por metafórico que sea– tampoco se mueve: como todo espacio, es una noción estática.

Si observamos la 4 (*¡Lo que va del padre al hijo!*), reconocemos, por un lado, la presencia de una metáfora común, que consiste en convertir en *espacio* las *diferencias* en el carácter entre un padre y su hijo. La metáfora es sencilla de entender, ya que tendemos a pensar que las cosas, cuanto más lejos se encuentran una de la otra, más distintas han de ser. De hecho, nos llama la atención encontrar similitudes entre elementos alejados y disparidades entre elementos cercanos. Por otro lado, observamos el proceso de subjetivación ya mencionado, de manera que lo que se mueve no es un hipotético pasajero, sino el espacio mismo.

Podríamos continuar con el resto de acepciones del verbo 'ir'[17], y el comentario no carecería de cierto interés, pero con lo visto hasta aquí es suficiente para retomar el asunto de las perífrasis sin riesgo de caer en una indeseada abstracción explicativa.

7.3. Una propuesta para enfrentarse al problema

Si estamos de acuerdo en que todas las acepciones que el *DRAE* da para el verbo 'ir' lo son de un mismo verbo y que, además, la pertenencia de todas esas acepciones al mismo verbo se explican gracias al empleo de diversos procesos de conceptualización metafórica, tendremos que coincidir que, en ningún caso, el verbo ha perdido su significado. Quizá, como decíamos antes, haya habido más modificaciones en los elementos que rodean al verbo que en el propio verbo. Observemos el siguiente ejemplo:

Voy a fregar los platos.

¿Cuál es el correcto análisis sintáctico de la oración? Teniendo en cuenta el criterio propuesto por la RAE en el *Esbozo,* ¿debemos considerar este ejemplo una perífrasis o no? Pues es difícil saberlo. Quizá con un poco más de contexto se podría aventurar alguna respuesta, pero la frase, por sí misma, es ambigua. Parece claro que en el caso de que el hablante se esté dirigiendo hacia la cocina en la que se encuentra la pila de platos sucios, el verbo 'ir' no habría perdido un ápice de su significado de movimiento. Pero, ¿qué diríamos si el hablante se estuviera refiriendo a fregar los platos al día siguiente?

Si tenemos en cuenta lo analizado hasta ahora, el dilema de si *Voy a fregar los platos* es o no es perífrasis, creemos que resulta innecesario: en realidad, el verbo 'ir' no pierde un ápice de su significado propio en ninguno de estos ejemplos:

Voy a fregar los platos un momento, ahora vuelvo.

Mañana cuando llegue a casa, voy a fregar los platos.

---

17 Seguramente, más que de acepciones sería más exacto hablar de interpretaciones pragmáticas.

Independientemente de la mayor o menor inminencia de la acción, lo que se ha hecho en ambos casos, es convertir la acción futura de *fregar los platos* en un *espacio* hacia el que el hablante se dirige, mediante un proceso de conceptualización metafórica. En este procedimiento verbal para concebir la escena objetiva se reconoce, tradicionalmente, un mayor grado de *seguridad* que en otros, derivado seguramente de lo que el *Esbozo* (p. 446) describe como una *acción que comienza a efectuarse, bien en la intención, bien en la realidad* objetiva. Esta explicación es plenamente asumible, ya que opinamos que el hecho de dirigirnos metafóricamente hacia una acción es, de alguna manera, haberla ya comenzado, *estar en el camino*.

7.3.1. La expresión de futuro y la imagen lingüística

Hasta el momento hemos mencionado dos grandes aportaciones de la lingüística cognitiva: la *metáfora conceptual* y la *subjetivación*. Muchas veces surge la pregunta de cuál es la diferencia entre *ir a* + infinitivo y el futuro de indicativo (*cantaré*) —porque todo hablante nativo parece de acuerdo en que alguna existe. Pero para entender esto plenamente, creemos que es necesario tener en cuenta un concepto previo, aportación también de la lingüística cognitiva, y del que ya hemos hablado y explicado con más detalle a propósito del imperfecto e indefinido: la imagen lingüística. Contrariamente a lo que a veces se suele pensar, la oposición entre la perífrasis de *ir a* + infinitivo y el futuro de indicativo parece que no responde tanto a diferencias factuales, es decir, a divergencias en la realidad objetiva a las que se refieren —que frecuentemente es la misma—, como a diferencias en la imagen lingüística empleada.

En el caso de *ir a* + infinitivo y el futuro de indicativo nos encontramos ante dos procedimientos verbales de origen perifrástico que se fundamentan en distintas metáforas, pero que tienen en común presentar los hechos no como afirmaciones, sino como predicciones. Predicciones sobre lo que ocurre ahora o lo que ocurrirá más tarde, pero codificando siempre la declaración como aproximación.

Como es bien sabido, el origen del futuro de indicativo 'cantaré' es perifrástico, procedente del latín vulgar *cantare habeo*, y su significado primitivo denotaba obligación, propósito o posibilidad, significados que, por otro lado, parecen mantenerse en la lengua moderna:

No **matarás**.

Mañana **iremos** *a tal ciudad y* **estaremos** *allí un año.*

Elías **estará** *ahora escondido en alguna cueva o en otro lugar.*

Independientemente de los significados que *cantaré* pueda tener en la actualidad, la base metafórica de esa primitiva perífrasis se constituyó, como otras muchas, mediante un proceso de convertir en objeto algo que no lo es, en este caso, en convertir una *acción* en *objeto*. Así, al decir *cantare habeo*, el hablante de latín vulgar se presentaba a sí mismo como poseedor de una acción que, por aparecer en infinitivo y en virtud de lo que Guillaume llamó tiempo *in posse*, se sentía como una acción *por comenzar*.

Esa metáfora (poseer algo por ser hecho) viene a explicar que, incluso en lengua moderna, se sienta como más *seguro* lo que se expresa mediante una perífrasis de *ir a* +infinitivo que lo que se expresa mediante el futuro de indicativo: *ir a* + infinitivo, presenta la acción evocada por el infinitivo como un espacio hacia el que, metafóricamente, el hablante ya está avanzando, mientras que el futuro de indicativo presenta esa misma *acción intacta* como un objeto de su pertenencia, algo que, en algún momento, deberá –o debería– *realizar*.

El proceso lógico de tensión-distensión sería, según ya el mencionado tiempo *in posse*, convertir el objeto-infinitivo en un objeto-gerundio y, finalmente, en un objeto-participio:

Voy a hacer.

Estoy haciendo.

He hecho.

La misma base metafórica que fundamentó el moderno futuro de indicativo 'cantaré' lo hizo con el presente perfecto 'he cantado', con la única diferencia de que en el primer caso se posee un objeto en potencia y en el segundo un objeto consumado.

Es indudable que hace mucho tiempo que desapareció de la consciencia lingüística de los hablantes el valor metafórico original de las perífrasis, de la misma manera que hace mucho también que el hablante dejó de ser consciente de que «quizá» cobra su sentido por provenir de un primitivo *qui sapit* (quién sabe), pero eso es irrelevante en el análisis que nos viene ocupando aquí. Lo relevante es considerar cómo se formaron aquellas viejas perífrasis, y lo es por el hecho de que se siguen formando otras y, a pesar de los siglos que han transcurrido y los cambios que se han operado en la lengua, lo hacen mediante idénticos procesos metafóricos, presentes no solo en español, sino también en otras lenguas. Por tanto, creemos que ayudar al alumno a comprender su sentido literal puede resultar ventajoso en el proceso de aprendizaje, en la medida en que el sentido literal explica las diferencias en los contrastes y, por tanto, el uso.

7.3.2. La rentabilidad comunicativa de la perífrasis de aproximación

Como ya hemos visto, las nociones espaciales son una fuente inagotable de creación lingüística, siendo especialmente fructífera la noción dinámica de *aproximación* a un punto, mediante la cual podemos referirnos a hechos aún no confirmados por la experiencia, pero que manifiestan un movimiento hacia un objetivo, una tendencia de acercamiento a un destino concreto, o, si se prefiere, que apuntan a un rumbo determinado, lo cual nos permite generar suposiciones al respecto. Por ejemplo:

Va a llover.

Ahora **serán** *las seis.*

Estoy seguro de que esto no **vas a saberlo***.*

No **pensarás** *que yo soy de esos, ¿verdad?*

O presentar como aproximados hechos que, independientemente de que el hablante desee juzgar su verificabilidad, han sido presentados previamente como exactos, reduciendo pragmáticamente así el valor declarativo de lo dicho por el otro:

*Pues tú **harás** mucho deporte, pero vaya panza tienes.*

Frente a las perífrasis basadas en lo dinámico, observemos lo que ocurre cuando la noción es estática:

Estoy estudiando.

Aquí el hablante se representa a sí mismo *dentro* de una acción que ha comenzado a ejecutarse pero que aún no ha terminado (de ahí, claro, que el auxiliado aparezca en gerundio). Otras semejantes serían:

***Estoy** preparado.*

***Estoy** por esperarlo aquí hasta que llegue.*

***Quedo** esperando tu respuesta.*

Pero las dinámicas son mucho más numerosas, frecuentemente con el mismo valor de aproximación que ya habíamos comentado:

*No **llego** a entenderte.*

*¿Eso qué **viene** a costar?*

La aproximación no es incompatible, claro está, al punto final del recorrido:

*Pues todo esto **viene** a costar exactamente 4567,03 euros.*

Pero puede haber mucho más que una mera aproximación a una idea. Si el hablante quiere generar un significado de, por ejemplo, repetición, elabora una metáfora perifrástica basada en la noción espacial de repetir destino, y emplea el verbo 'volver':

***Volvió** a decirme lo mismo.*

En cambio, si el significado que quiere generarse tiene que ver con la conclusión final, pueden emplearse verbos como 'salir':

***Salí** ganando.*

Mientras que para la idea de acercarse a algo o de alcanzar un punto determinado puede emplearse 'llegar':

*A veces **llega** a ser repetitivo.*

***Llegué** a pensar en vender la casa.*

Y verbos como 'andar' pueden expresar desde la distribución aleatoria de la acción al proceso de madurar un juicio:

Andaban diciendo que iban a cerrar la fábrica.

Ando pensando en cambiar de casa.

El significado final de la metáfora depende de la combinación del verbo auxiliar elegido y del verbo auxiliado, y su correcta interpretación por parte del hablante no responde al reconocimiento de un significado convencionalmente asignado a una determinada combinación de verbos, sino a la capacidad innata del usuario de cualquier lengua para reconocer e interpretar metáforas conceptuales. Eso explica que un hablante de español pueda fácilmente inferir el significado de otras en lenguas parecidas, a pesar de que esas combinaciones de verbos sean infrecuentes en su lengua materna, basta conocer el significado de 'vivir' y de 'incomodar' para inferir el resto:

Juan siempre anda molestando al hermano.

João vive incomodando o irmão.

7.3.3. Qué pasa con las perífrasis de imperfecto/indefinido + gerundio

Creemos que no difieren gran cosa de sus correlatos simples, imperfecto e indefinido, o apenas en un pequeño detalle. Las perífrasis *estaba cantando* y *estuve cantando* responden, por un lado, a las mismas leyes de significado del imperfecto e indefinido y, por otro, a las características generales de este tipo de perífrasis.

Con frecuencia se suele decir que 'estuve cantando' es una forma verbal que aparece siempre que se especifica la duración del tiempo que se está cantando, afirmación que no nos parece tan clara:

▶ *¿Qué tal el cumpleaños de Sergio?*

▷ *Nos juntamos en casa de Óscar, hicimos un asadito, y allí **estuvimos charlando y comiendo**.*

***Estuvimos viendo** vestidos para la boda del niño, pero ninguno nos acabó de gustar.*

*Ya lo **estuve hablando** con él.*

Se puede aducir que el tiempo queda sobreentendido, o elíptico, que se entiende que fue toda la tarde o durante un par de horas. Pero claro, lo mismo entonces puede decirse de cualquier proceso expresado por una forma verbal cualquiera: la expresión *hablé con él* también sobreentiende un tiempo de proceso determinado, que no se explicita en el mensaje.

Por lo que hemos visto hasta este momento sobre las perífrasis, la asociación de ambos verbos convierte al verbo en gerundio en un espacio metafórico, dentro del cual se sitúa el sujeto del verbo 'estar'. Al igual que alguien dice que estuvo *en el cine*, estuvo *en el bar* o estuvo *en el colegio*, puede decir que estuvo *hablando*, que estuvo *viendo* o que estuvo *comiendo*. Dicho de otra manera, el hablante puede elegir entre convertirse en protagonista de una acción como la de *comer*, o convertirse, metafóricamente, en protagonista de otra acción, en este caso la de *estar*. Y al igual que se *está* en el lugar, se *está* en la acción que transcurre dentro de ese lugar:

Estuvimos en casa de Óscar **comiendo**.

En este caso, la escena de referencia es exactamente la misma que si se dijera, por ejemplo, esto otro:

Comimos en casa de Óscar.

Pero no siempre. La razón de ser de la metáfora *estar en una acción* es, entre otras, poder matizar que nos quedamos un rato dentro de esa acción. Consecuentemente, las cosas van a tomar un cariz diferente en función de la *aktionsart* o aspecto léxico de los verbos. El aspecto léxico se divide en dos grandes grupos (Marcos *et al.* 1998, pp. 210-211):

- **Modo de acción puntual**. Aquellos verbos que implican de manera necesaria que la acción llega a consumarse: *morir, nacer, disparar, saltar...*
- **Modo de acción durativo**. Aquellos verbos que no implican de manera necesaria que la acción llega a consumarse: *comer, beber, saber...*

A la definición de Marcos Marín tal vez se le podría añadir una observación: más que implicar o no la *consumación de la acción*, creemos que estos verbos lo que hacen es desentenderse de esa consumación, dirigen el foco hacia el propio proceso. En cualquier caso, cuando se trata de estos verbos con un modo de acción durativo, la forma simple y la perifrástica remiten a una misma escena.

El viernes **vi** *el partido con mi tío Evaristo.*

El viernes **estuve viendo** *el partido con mi tío Evaristo.*

En cambio, cuando el aspecto es puntual, las escenas de referencia serán diferentes:

El viernes **disparé** *con la pistola de aire comprimido de mi tío Evaristo* (una vez o más).

El viernes **estuve disparando** *con la pistola de aire comprimido de mi tío Evaristo* (varias veces).

El empleo de la forma compuesta *estuve disparando* tiene la propiedad de generar una sensación de mayor extensión temporal, debido a la presencia del gerundio y de su tiempo *in posse*, del que ya hemos hablado.

En el caso del imperfecto, ocurre exactamente igual. Si se trata de acciones con un modo de acción durativo, no hay mayor diferencia entre las escenas de referencia de las formas simples y las perifrásticas. Pensemos en el siguiente ejemplo:

Larry Ochs **estaba tocando** *cuando entró la Guardia Civil en el teatro.*

Larry Ochs **tocaba** *cuando entró la Guardia Civil en el teatro.*

En cambio, pueden existir diferencias en la escena de referencia si el verbo tiene un modo de acción puntual:

(a) *El 11 de junio de 1727* **moría** *de apoplejía Jorge I de Inglaterra.*

(b) *Tras dos minutos de tiempo añadido, el partido* **finalizaba** *con el resultado inicial.*

Si comparamos los ejemplos anteriores con estos otros, puede percibirse la diferencia:

(c) *El 11 de junio de 1727* **estaba muriendo** *de apoplejía Jorge I de Inglaterra.*

(d) *Tras dos minutos de tiempo añadido, el partido* **estaba finalizando** *con el resultado inicial.*

El ejemplo (c) evoca la agonía del rey Jorge, pero no el momento exacto de su deceso. Lo mismo ocurre en (d), donde entendemos que queda poco para acabar al partido, pero que aún no ha terminado. En cambio, los ejemplos con la forma simple (a) y (b) serían ambiguos: (a) puede referirse tanto a la agonía del rey como a su fallecimiento y (b) podría hacer referencia tanto a los últimos compases del partido, como al pitido final del árbitro. Como dijimos en el capítulo dedicado a imperfecto e indefinido, el imperfecto (como cualquier otra forma simple, salvo el indefinido) no posee carga aspectual alguna.

7.4. Por la vía rápida: ficha-resumen

Como compendio de lo que hemos visto en las páginas dedicadas a las perífrasis verbales:

- Consideramos **inadecuado el modo tradicional de describir las perífrasis**, según el cual consiste en la unión de dos verbos, de los cuales, el llamado *verbo auxiliar*, ha perdido su significado o parte de él, siendo el verbo auxiliado el único que aporta un contenido semántico claramente identificable.

- Por el contrario, creemos que **en toda perífrasis, el verbo auxiliar sigue manteniendo su significado**. De hecho, un análisis detenido parece sugerir que de los dos verbos que conforman la perífrasis, el que sufre una mayor transformación es, curiosamente, el verbo auxiliado. Por un proceso de conceptualización metafórica, el verbo auxiliado llega a convertirse en un objeto, en un espacio, en otras nociones.

    Mañana **voy** *a fregar los platos.*

En este caso concreto, lo que el hablante hace es **convertir, metafóricamente, la acción de** *fregar los platos* **en un espacio meta** hacia el que se dirige. Comprendemos lo que el hablante quiere transmitir a partir del reconocimiento en esta metáfora de la noción de estarse *aproximando a una acción por comenzar.*

- La noción de estarse *aproximando a una acción por comenzar*, evocada por la anterior perífrasis, explica que se sienta en ella una mayor fuerza declarativa que en su correlato con futuro de indicativo: *Mañana fregaré los platos.*

- Consideramos didácticamente rentable que el docente llame la atención del aprendiente hacia el valor literal de la perífrasis, ya que en su L1 existen procesos análogos de conceptualización metafórica, circunstancia que consideramos favorable cara al proceso de aprendizaje.

- La noción de movimiento es especialmente fructífera en la producción de perífrasis:

    No **llego** *a entenderte* (no se completa el proceso).

    ► *¿Eso qué* **viene** *a costar?* (aproximación virtual).

▷ *Pues todo esto* **viene** *a costar exactamente 4 567,03 euros* (aproximación que no es incompatible con la idea de llegar al punto final).

Volvió *a decirme lo mismo* (repetición).

Salí *ganando* (resultado final).

A veces **llega** *a ser repetitivo* (se completa el proceso).

Llegué *a pensar en vender la casa* (se completa el proceso).

Andaban *diciendo que iban a cerrar la fábrica* (distribución aleatoria).

Ando *pensando en cambiar de casa* (maduración de un juicio).

■ En cuanto a las perífrasis de *estar* + *gerundio* con el verbo 'estar' en imperfecto o indefinido, si el aspecto léxico del verbo es durativo, remiten a la misma escena que sus correlatos simples o no perifrásticos. Las diferencias estarían en la imagen lingüística o perspectiva adoptada por el hablante:

Comí *en casa de Óscar* / **Estuve comiendo** *en casa de Óscar.*

Miraba *por la ventana, cuando…* / **Estaba mirando** *por la ventana, cuando…*

■ Cuando el aspecto léxico de los verbos no es puntual, entonces las diferencias no serían de perspectiva adoptada, sino que puede haber diferencias en la escena a la que nos remite cada oración:

Nacía *un 21 de diciembre* / **Estaba naciendo** *un 21 de diciembre.*

Llegaba *con una hora de retraso* / **Estaba llegando** *con una hora de retraso.*

8. Actividades de reflexión

La señora Adela y su marido.

               Actividad 21.

El reportero llanito.

               Actividad 22.

Teobaldo, agente secreto.

               Actividad 23.

Con dos condiciones.

               Actividad 24.

¿Dentro o fuera?

               Actividad 25.

El año que viene, si Dios quiere.

               Actividad 26.

ACHARD, M. 2004. «Grammatical Instruction in the Natural Approach». En M. Achard y S. Niemeier (Eds.). *Cognitive Linguistics, Second Language Acquisition and Foreign Language Teaching.* Berlín: Mouton de Gruyter, 165-194.

ACHARD, M. y NIEMEIER, S. (Eds.). 2004. *Cognitive Linguistics, Second Language Acquisition and Foreign Language Teaching.* Berlín: Mouton de Gruyter.

ALARCOS LLORACH, E. 1980. *Estudios de gramática funcional del español.* Madrid: Gredos.

ALVAR LÓPEZ, M. (Ed.). 1996. *Manual de dialectología hispánica. El español de América.* Barcelona: Ariel.

AUSUBEL, D. 1963. *The Psychology of Meaningful Verbal Learning.* Nueva York: Grune & Stratton.

BARALO, M. 1999. «*Ser* y *estar* en los procesos de adquisición de lengua materna (LM) y lengua extranjera (LE)». En: M. C. Losada Aldrey, J. F. Márquez Caneda y T. E. Jiménez Juliá (Coords.). *Actas del IX Congreso internacional de ASELE.* Santiago de Compostela, 23-26 Septiembre 1998, 291-300.

BELLO, A. 1853. *Gramática de la lengua castellana destinada al uso de los americanos.* Madrid: Ed. Merino Ballesteros, F.

BLAKEMORE, S. J. y FRITZ, U. 2007. *Cómo aprende el cerebro.* Barcelona: Ariel.

BOLINGER, D. 1968. *Aspects of Language.* Nueva York: Harcourt, Brace and World.

BORREGO J., GÓMEZ ASENCIO J. G. y PRIETO, E. 1998. *El subjuntivo. Valores y usos.* Madrid: SGEL.

BOSQUE, I. (Ed.). 1990. *Tiempo y aspecto en español.* Madrid: Cátedra.

CASTAÑEDA CASTRO, A. 2004. «Potencial pedagógico de la Gramática Cognitiva. Pautas para la elaboración de una gramática pedagógica del español/LE». *redELE*, 0, marzo.

http://www.educacion.gob.es/dctm/redele/Material-RedEle/Revista/2004_00/2004_redELE_0_06 Castaneda.pdf?documentId=0901e72b80e0c73e
Consultado el 25 de enero de 2012.

CIFUENTES HONRUBIA, J. L. 1994. *Gramática cognitiva: fundamentos críticos.* Madrid: Eudema.

CIFUENTES HONRUBIA, J. L. (Ed.). 1998. *Estudios de Gramática Cognitiva.* Alicante: Ediciones de la Universidad de Alicante.

CUENCA, M. J. y HILFERTY, J. 1999. *Introducción a la lingüística cognitiva.* Barcelona: Ariel.

ESGUEVA, M. y CANTARERO, M. 1981. *El habla de la ciudad de Madrid: Materiales para su estudio.* Madrid: Consejo Superior de Investigaciones Científicas.

FERNÁNDEZ, S. 1997. *Interlengua* y análisis de errores en el aprendizaje del español como lengua extranjera. Madrid: Edelsa.

GOLDBERG, A. 1995. *Constructions: A Construction Grammar Approach to Argument Structure.* Chicago: University of Chicago.

GRIJELMO, A. 1998. *Defensa apasionada del idioma español.* Madrid: Taurus.

GRIJELMO, A. 2006. *La gramática descomplicada.* Madrid: Taurus.

GRIJELMO, A. 2008. «Las palabras muestran las ideas, como la ropa revela el gusto estético». *La Gaceta*, 7 Abril 2008.

http://www.lagaceta.com.ar/nota/265895/Informacion_General/palabras_muestran_ideas_como_ ropa_revela_gusto_estetico.html
Consultado el 25 de enero de 2012.

INCHAURRALDE, C. y VÁZQUEZ, I. 2000. *Una introducción cognitiva al lenguaje y la lingüística*. Zaragoza: Mira Editores.

Instituto de Filología y Literaturas Hispánicas Amado Alonso. 1987. *El habla culta de la ciudad de Buenos Aires*. Tomo 1. Buenos Aires: Universidad de Buenos Aires.

JONGE, B. DE. 2001. «El valor del presente perfecto y su desarrollo histórico en el español americano». En H. Perdiguero y A. Álvarez (Eds.). *Estudios sobre el español de América. Actas del V Congreso Internacional del Español de América. Universidad de* Burgos, 6-10 Noviembre 1995. Burgos: Universidad de Burgos, 839-847.

KRASHEN, S. 1985. *The Input Hypothesis: Issues and Implications*. Londres: Longman.

LAKOFF, G. y JOHNSON, M. 1980. *Metaphors We Live by*. Chicago: Chicago University Press. [Edición en español: *Metáforas de la vida cotidiana*. 2004. Madrid: Cátedra].

LANGACKER, R. W. 1987. *Foundations of Cognitive Grammar: Theoretical Prerequisites*. Stanford, CA: Stanford University Press.

LÁZARO CARRETER, F. 2003. *El nuevo dardo en la palabra*. Madrid: Aguilar.

LOPE BLANCH, J. M. 1968. *El habla de la ciudad de México*. México: Universidad Nacional Autónoma de México.

LOZANO GONZÁLEZ, L. 2005. «Hacia una única explicación del subjuntivo aplicado a la adquisición de E/LE. 1.ª parte: No alternancia indicativo-subjuntivo». *Cuadernos Cervantes*, 11, 56.

http://www.cuadernoscervantes.com/ele_56_subjuntivo.htm

Consultado el 25 de enero de 2012.

MARCOS MARÍN, F., SATORRE GRAU, F. J. y VIEJO SÁNCHEZ, M. L. 1998. *Gramática española*. Madrid: Síntesis.

MATTE BON, F. 1995. *Gramática comunicativa del español*. 2 vols. Madrid: Edelsa.

MONTOLÍO, E. 1999. «Las construcciones condicionales». En I. Bosque y V. Demonte (Eds.). *Gramática descriptiva de la lengua española*. Madrid: Espasa Calpe, 3.643-3.738.

PINKER, S. 1995. *El instinto del lenguaje*. Madrid: Alianza.

PINKER, S. 2001. *Cómo funciona la mente*. Barcelona: Destino.

Real Academia Española. 2006. *Esbozo de una nueva gramática de la lengua española*. Madrid: Espasa Calpe.

Real Academia Española. 2010. *Nueva gramática de la lengua española*. Madrid: Espasa Calpe.

ROJO, G. 1986. «On the Evolution of Conditional Sentences in Old Spanish». En O. Jaeggli y C. Silva-Corvalán (Eds.). *Studies in Romance Linguistics*. Publications in Language Sciences 24. Dordrecht: Foris Publications Holland, 167-188.

ROJO, G. y VEIGA, A. 1999. «El tiempo verbal. Los tiempos simples». En I. Bosque y V. Demonte (Eds.). *Gramática descriptiva de la lengua española*. Madrid: Espasa Calpe, 2.867-2.934.

ROSENBLAT, A. 1979. *El habla culta de Caracas*. Caracas: Ediciones de la Facultad de Humanidades y Educación. Universidad Central de Venezuela.

RUIZ CAMPILLO, J. P. 1999. «Normatividad y operatividad en la enseñanza de los aspectos formales. El *casus belli* de la 'concordancia temporal'». En: A. Carcedo (Ed.). *Documentos de Español Actual*. Turku: Universidad de Turku, 193-217. Disponible en:

http://www.mec.es/redele/revista2/placido2.shtml

Consultado el 25 de enero de 2012.

RUIZ CAMPILLO, J. P. 2005. «Instrucción indefinida, aprendizaje imperfecto. Para una gestión operativa del contraste Imperfecto / Indefinido en clase». *Mosaico*, 15, 9-17.

http://sede.educacion.gob.es/publiventa/detalle.action?cod=13149

Consultado el 25 de enero de 2012.

RUIZ CAMPILLO, J. P. 2007a. «Gramática cognitiva y ELE. Entrevista a José Plácido Ruiz Campillo». *MarcoELE*, 5. Julio-diciembre.

http://marcoele.com/gramatica-cognitiva-y-ele/

Consultado el 25 de enero de 2012.

Ruiz Campillo, J. P. 2007b. «El concepto de no-declaración como valor del subjuntivo. Protocolo de instrucción operativa de la selección modal en español». En C. Pastor Villalba (Ed). *Actas del Programa de formación para profesorado de español como lengua extranjera 2005-2006*. Múnich: Instituto Cervantes.

http://cvc.cervantes.es/ensenanza/biblioteca_ele/publicaciones_centros/PDF/munich_2005-2006/04_ruiz.pdf

Consultado el 25 de enero de 2012.

Ruiz Campillo, J. P. 2008. «El valor central del subjuntivo: ¿informatividad o declaratividad?». *MarcoELE*, 7. Julio-diciembre.

http://marcoele.com/el-valor-central-del-subjuntivo-%C2%BFinformatividad-o-declaratividad/

Consultado el 25 de enero de 2012.

Slobin, D. 1996. «From thought and language to thinking for speaking». En J. Gumpertz y S. C. Levinson (Eds.). *Rethinking Linguistic Relativity*. Cambridge: Cambridge University Press, 70-96.

Torrego, M. E. 1989. «Caracterización funcional de los sintagmas preposicionales en latín: *pro* + abl., *contra, adversus, in* + ac.». *Actas del VII Congreso español de Estudios Clásicos*. Universidad Complutense, 20-24 Abril 1987. Madrid: Editorial de la Universidad Complutense, 609-616.

Tyler, A. 2012. *Cognitive Linguistics and Second Language Learning: Theoretical Basics and Experimental Evidence*. New York: Routledge.

Tyler, A. y Evans, V. 2004. «Applying Cognitive Linguistics to Pedagogical Grammar: The Case of Over». En M. Achard y S. Niemeier (Eds.). *Cognitive Linguistics, Second Language Acquisition and Foreign Language Teaching*. Berlín: Mouton de Gruyter, 257-280.

Ungerer, F. y Schmid, H. J. 2006. *An Introduction to Cognitive Linguistics*. Londres: Pearson Education Limited.

VanPatten, B. 1996. *Input Processing and Grammar Instruction: Theory and Research*. Norwood, NJ: Ablex Publishing Corporation.

VanPatten, B. 2004. «Input Processing in Second Language Acquisition». En B. VanPatten (Ed.). *Processing Instruction: Theory, Research and Commentary*. Mahwah, NJ: Lawrence Erlbaum Associates, Publishers, 5-32.

VanPatten, B. 2007. «Input Processing in Adult Second Language Acquisition». En B. VanPatten y J. Williams (Eds.). *Theories in Second Language Acquisition: An Introduction*. Mahwah, NJ: Lawrence Erlbaum Associates, Publishers, 115-136.

Vázquez, G. 1991. *Análisis de errores y aprendizaje de español/lengua extranjera*. Frankfurt: Peter Lang.

VV.AA. 2006. *El Ventilador: Curso ELE superior*. Barcelona: Difusión.

Wilkins, D. A. 1972. *Linguistics in Language Teaching*. Londres: Edward Arnold.

Claves para la enseñanza del español

Títulos de la colección

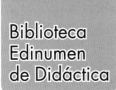

Aproximación a la enseñanza de la pronunciación en el aula de español

José María Lahoz, Alicia Mellado, Soledad Luque, Jorge Rico y Juana Gil (Ed.)
ISBN: 978-84-9848-241-6

Qué gramática enseñar, qué gramática aprender

R. Llopis-García, J.M. Real Espinosa y J.P. Ruiz Campillo
ISBN: 978-84-9848-240-9

Pautas para la evaluación del español como lengua extranjera

Neus Figueras y Fuensanta Puig
ISBN: 978-84-9848-242-3

Factores afectivos y la enseñanza de ELE

Jane Arnold y José Manuel Foncubierta
ISBN: 978-84-9848-243-0